覇権帝国の世界史

佐藤賢一

PHP文庫

○本表紙図柄＝ロゼッタ・ストーン（大英博物館蔵）
○本表紙デザイン＋紋章＝上田晃郷

はじめに——世界史の流れをどう読み取るか

学校の教科書は膨大すぎて「流れ」がみえない

改めて思うに、世界史を語るというのは、本当に大変な作業です。世界史なんて、ぜんたいどうやったら語ることができるんだろうと、のっけから頭を抱えてしまいます。

世界史といったからには、世界の歴史、世界中の全ての国や地域の歴史を余さず網羅しなければならない。そう求められても、なかなか厳しいものがありますね。なんといっても、情報量が膨大になります。わけがわからなくなってしまいます。

世界史——まさしく学校で教えられる科目ですが、高校の教科書なんか本当に網羅的に、こんなの高校生が覚えるのは無理だろうというぐらい、それは膨大な量を詰めこんでいます。日本の歴史教育、大学受験教育というべきかもしれませんが、とにかく恐るべしですね。

ひとつは西洋史の流れ、もうひとつは東洋史の流れと、ふたつを並行的に語っていくというのが、古典的なスタイルでしょうか。網羅的かつふたつです。覚えることが多いですね。それなのに、西洋史と東洋史では足りないという批判があるわけです。

近年は東西の交流を記すであるとか、このふたつの他にも歴史の流れを設けるであるとか、様々な工夫がなされているようです。いわゆる世界史本なんかでも、大陸ごととか、エリアごととか、歴史の流れを何本か設けて、それらを並列的に語っていくという手法は割合よくみられるものだと思います。

しかし、また覚えることが増えますね。実に、しんどい。まあ、世界史といってイメージされるのは、このスタイルになるんでしょうが、ちょっと待ってください。これって世界史なんでしょうか。

西洋史、東洋史、はたまたアメリカ史、アフリカ史、オセアニア史、あるいは日本史を特記してもいいですが、とにかく沢山の歴史を並べて、全部詰まってるんだから、ほら、世界史でしょう、といわれても、**そこにあるのは西洋史、東洋史、はたまたアメリカ史、アフリカ史、オセアニア史、あるいは日本史だけですよね。**

「世界史」があるわけじゃない。沢山の歴史は詰めこまれているけれど、そこから世界史という流れが読み取れるわけではありません。それじゃあ、どうやったら、世界史の流れがみえてくるのか。

　科学的なデータを使う方法が、ひとつあるかと思います。自然史から人間の歴史を理解する、気候変動から歴史を読み解くなんていうのは、よくある手法ですね。例えば長野県の諏訪大社、諏訪湖の辺の諏訪大社では、湖に張る氷の厚さを毎年記録していて、それが千年以上分もあるそうです。これが世界屈指の貴重な史料だというんですね。

　氷が厚い年は寒い、薄い年は暖かいわけですから、地球の気候変動がつぶさにわかる。そこから、この時代は世界的に凶作だった、世界的に暴動が多発した、世界的に政変が起きている等々と論じていけるわけなんです。

　同じように、火山活動の資料も使えます。火山が大規模な噴火を起こすと、大気中にエアロゾルが充満して、太陽の光が地表に届かなくなって、寒くなるんですね。それで、やっぱり飢饉、暴動、政変を誘発する。一七八九年にフランス革命が起きたのは、一七八三年にアイスランドのラキ火山が大噴火を起こしたからだ、なんて説もあります。

こうした手法からなら、世界史の流れを読み取ることも可能ですね。しかし、なんだか淋(さび)しい。これだと主役は自然であって、人間が脇役という感じです。人間が主役の世界史はできないかと探すと、DNAの研究なんかが使えそうですね。

今生きている人のDNAから、先祖がどこから来たのかが明らかになり、それを通じて人間の移動や活動がみえてくるというわけです。例えば、アメリカ先住民ですね。アジアからベーリング海峡を渡って、アメリカ大陸に入った黄色人種とされてきましたが、どうも北欧系のDNAも入っているようだと。

いわゆるヴァイキングですね。活発な海洋活動で有名ですが、この人たちがコロンブスより遥(はる)か以前にアメリカに到達していて、アジアから渡ってきた人たちと混血してアメリカ先住民になったんじゃないかというんですね。DNAの調査が進めば、いたるところで歴史が書き替えられてしまう気もしますが、さておき、これもどうでしょうか。

確かに人間が主役ですし、人間の世界史も描けるのかもしれませんが、人間というより動物、霊長類ヒト科ホモ・サピエンスの世界史ですね。実際のところ、目下のDNA研究の主軸は、クロマニョン人とかネアンデルタール人のほうですしね。

やっぱり、王道の歴史で考えたい。あるいは科学も人文科学のほうを用いるといいますか。この方向では人類史のような形にする手が、ひとつありますね。西洋とか、東洋とか、はたまたどこの国とかでなく、人類としての歩みをトレースして、世界史の流れを読み取るというやり方。

比較的やりやすいのが、経済史ですね。古くはカール・マルクスの『資本論』ですが、これを歴史というには、あまりに観念的でしょうか。それでも経済、交易とか流通ですね。その変遷から世界史を叙述するという方法は可能です。経済活動というのは国境を越える、国境どころか大陸を渡り、海を越えることが、ままあるわけです。

香辛料とか茶とか砂糖とか、あるいは金とか銀とか通貨とか、「○×の世界史」というのは、よくありますね。これ、とても面白いんですが、なんというか、主役は微妙に人じゃないんですね。物だったり、システムだったりして、やはり少し物足りない。

統計分析を用いた歴史もあります。人口統計学なんかで解釈すると、ああ、確かに世界史の流れがみえてくるなと、とても感心させられることがあります。この場合、もちろん主役は人なんですが、なんというか、人というより数字です。私は本業が作家だからなんでしょうか、やっぱり満足できないんですね。

結局のところ、歴史は歴史でやるしかない。つまり、誰がどうした、このときああしたというような、人間の事績ですね。**経済、文化、宗教、政治、戦争にわたる混沌たる人間活動、それを追いかけることから、世界史の流れを読み取っていく。**

ここで最初に戻りますね。それが難しいんだと。世界史なものだから、いくつも流れがあるし、世界は広いものだから、ひとつの流れにはならないと。

「ユニヴァーサル・ヒストリー」で歴史をみる

いやはや、難しいですね。世界史を語るというのは、本当にどうしたらいいのでしょうか。窮したあげくに縋（すが）るのは、そもそも論ですね。そもそも世界史って、なんだろうかと。

世界史を例えば英語に訳せというと、大半の人は「ワールド・ヒストリー」と訳すと思います。間違いではありません。世界史はワールド・ヒストリーです。けれど、ワールドといってしまうから、ワールドを洩（も）れなく取りこもうとする憾（うら）みはありますね。その結果が沢山の歴史を並列する世界史になっているわけです。

しかし、です。英語で世界史という場合、もうひとつ「ユニヴァーサル・ヒストリー」と訳すこともできるんですね。「ユニヴァーサル」という言葉ですが、辞書を引くと「世界的」という意味の他にも、「普遍的」とか、「宇宙的」とかの意味も出てきます。「ユニヴァーサル・ヒストリー」というと、むしろ「普遍史」と訳されるほうが一般的でしょうか。

ここで考えたいのは「ユニヴァーサル」、これは形容詞ですから、あるいは名詞の「ユニヴァース」のほうが適当かもしれませんが、この言葉のもともとの意味なんですね。

元がラテン語の「ウニウェルスス universus」です。これを分解してみますと、まず「ウニ uni」の部分ですね。原型は「ウヌス unus」、イタリア語やスペイン語では「ウノ uno」、フランス語では「アン un」（全て男性名詞）になる通り、いずれも意味は「一」です。

後半の「ウェルスス versus」ですが、これは「向かう verso」という動詞から派生していて、名詞で取れば「方向」、形容詞で取れば「向けられた」ということになります。合わせた「ウニウェルスス」は「ひとつの方向」とか、「ひとつに向けられた」とかの意ですね。

ユニヴァーサル・ヒストリーは「一方向の歴史」、もしくは「ひとつに向けられ

ている歴史」ということになります。

ワールド・ヒストリーなら、いくつかの歴史が並行していても、仕方ないのかもしれません。しかし、ユニヴァーサル・ヒストリーでは駄目なんですね。ユニヴァーサル・ヒストリーは、ひとつでなければならない。一方向にだけ進んでいく歴史でなければならない。

こんな歴史がみつかれば、楽ですよね。簡単にいってしまえば、世界統一を遂げた国とか勢力とかがあれば、その歴史はユニヴァーサル・ヒストリーになります。他の全てを征服して、どこまでも一元的に支配して、自分以外のものを認めない。世界は自分にのみ従え。そう声高に主張できる者の歴史なら、それはユニヴァーサル・ヒストリーになるでしょう。イコールでワールド・ヒストリーにもなりますが、しかし、現実に世界統一を遂げた国なんかないわけです。ないから、悩んでいるわけです。

やっぱり世界史なんか語りようがないかとも落胆しますが、もう少し広く解釈しますと、それは「一方向の歴史」、もしくは「ひとつに向けられている歴史」であって、必ずしも結果でなくてもいい、未だ途上にある歴史でもいいわけです。世界統一は果たしていないけれど、ゆくゆくは世界統一を果たしたい。いつか果たせるはずだし、きっと果たせると信じている。そういう世界観、そういう歴史観を持つ歴史なら、ユニヴァーサル・ヒストリーと呼んでいいと思うわけです。

自ら世界史になろうとしている歴史、そうしたユニヴァーサル・ヒストリーを軸に歴史の流れをまとめていくと、ワールド・ヒストリーの流れもそれほど煩瑣にならずに、すっきりみえてくるんじゃないか。明かせば、それが私の着想です。

自ら世界史になろうとしている歴史、なんていいますと、とても前向きな印象で、しごく結構なように聞こえますが、言葉を変えれば野心的な歴史、貪欲な歴史です。世界を征服するんだと、外へ外へとどんどん出ていく。世界統一を掲げるからには、当然ながらヘゲモニー（支配）志向が強い。自ずから覇権の歴史になっていかざるをえないかと思います。

かかるユニヴァーサル・ヒストリー――それでは、どこが始まりなんだろうかと。

歴史の始まりというと、古代の四大文明ですね。メソポタミア文明、エジプト文明、インダス文明、黄河文明で、それぞれの地域に国が生まれ、また興亡を繰り返します。

ときに別な地域に伝播して、さらに別な文明を派生させ、そこで国が興り、また滅びと歴史は積み重なっていくわけですが、しばらくの間は――しばらくの間といっても、数え方によっては千年とか、二千年になるわけですが、まだ世界史を論じられる状況にはなりません。

ワールド・ヒストリーは無論のこと、ユニヴァーサル・ヒストリーの徴候も認められない。あるいは、その文明や、その勢力や、その国家の歴史には認められても、なかなか続かない。一回きりで後に受け継がれていかない。つまりは歴史の流れとして、現代まで辿りつかない。

それでは、どこが始まりか――私が考えているのは、古代ギリシアとアレクサンドロス大王です。大王の国としてはマケドニアですけれども、古代ギリシア世界ですね。

この有数の文明に育まれたアレクサンドロス大王といえば、大東征、世界征服の試みで知られています。いささか結果論的な思考になってしまいますが、とにかく、そこから本論を始めたいと思います。

覇権帝国の世界史

目次

第一章 アレクサンドロス大王こそ世界史の出発点
――大王が成し遂げた「本当の偉業」とは？

第二章

大王の意志を受け継いだローマ帝国
――アレクサンドロス大王からローマ皇帝へ

第三章 キリスト教と西世界・東世界の誕生
――なぜローマは多神教から一神教に変えたのか

第四章

巨大な衝撃！ イスラム世界が突如出現する

――「西・東・イスラム」という三世界の図式とは？

第五章

なぜ、十字軍戦争は「世界大戦」となったのか

——皇帝と教皇の思惑が三世界を揺り動かす

第六章

モンゴル帝国がふたつのグローバル帝国を生んだ

――ローカルからグローバルへ、その一

第七章

なぜ西世界は「世界」を支配できたのか

――ローカルからグローバルへ、その二

第八章

三世界の地球規模的な戦い

――なぜ世界大戦と冷戦は始まったのか

地図制作：アトリエ・プラン
表制作：ティー・ハウス
本文写真提供：ユニフォトプレス

第一章

アレクサンドロス大王こそ世界史の出発点

――大王が成し遂げた「本当の偉業」とは？

貧しいギリシアだから海外進出をした

ギリシアは歴史が古い地域です。世界最古の四大文明とまではいきませんが、かなり早い時期から文明が発達してきました。

ひとつには立地ですね。南のエジプト、わけても東のチグリス・ユーフラテス河が比較的近いですから、影響を受けやすかったことがあるでしょう。それと、もうひとつ、これ、意外と重要なんですが、貧しいということです。

ギリシアという土地は今も国土の八割近くが山です。耕地が少ない。肥沃というわけでもない。とにかく生きるために試行錯誤せざるをえない。**貪欲かつ精力的に何でもやってみる。要するにハングリー。これが文明発展のひとつのパターンなんですね。**

紀元前二〇〇〇年頃にはクレタ文明が栄えますが、これは中心が地中海に浮かぶクレタ島で、担い手もわかっていません。いわゆるギリシア人は、インド・ヨーロッパ語族に属する人たちで、もっと北に住んでいました。

地中海に南下を始めたのが同じ頃、前二〇〇〇年頃からだとされています。前一六〇〇年ぐらいにはミケーネ文明が栄えて、こちらの中心はバルカン半島南端のペロポネソス半島で、担い手もギリシア人でした。

古代ギリシアの歴史を語るというと、普通はアテネとかスパルタとか、あるいはテーベといったポリス（都市国家）が中心になるかと思います。ポリスができていくのは、前八〇〇年ぐらいからなんですが、ここから民主政が成立した、立法が行われたと、前四〇〇年くらいまでのプロセスが、詳しく論じられていくわけです。

それはそれとして重要ですし、今に伝わる政治制度の源流にもなっているので、興味関心が集まるのは理解できます。歴史は結局史料に頼らざるをえない面があって、関連の文書が一番残っているのが政治ということになると、政治史が何より面白いとなりますね。

だから、みんな、こぞって研究する。しかし、そこだけに寄りすぎてしまうと、世界史的な視野は開けてこないのかなと思います。ポリス、つまり小さな都市の中で、どうした、こうしたという話に終始しては、やはり広がりに欠けますよね。

実際、ギリシア人はさかんに外に出ています。前八世紀、ポリスを形作るのと同時か僅（わず）か後くらいには、海外進出を始めているんです。アテネ、スパルタ、テーベ等々、各ポリスが競うように出ていって、先々で植民地、というか植民市を建設す

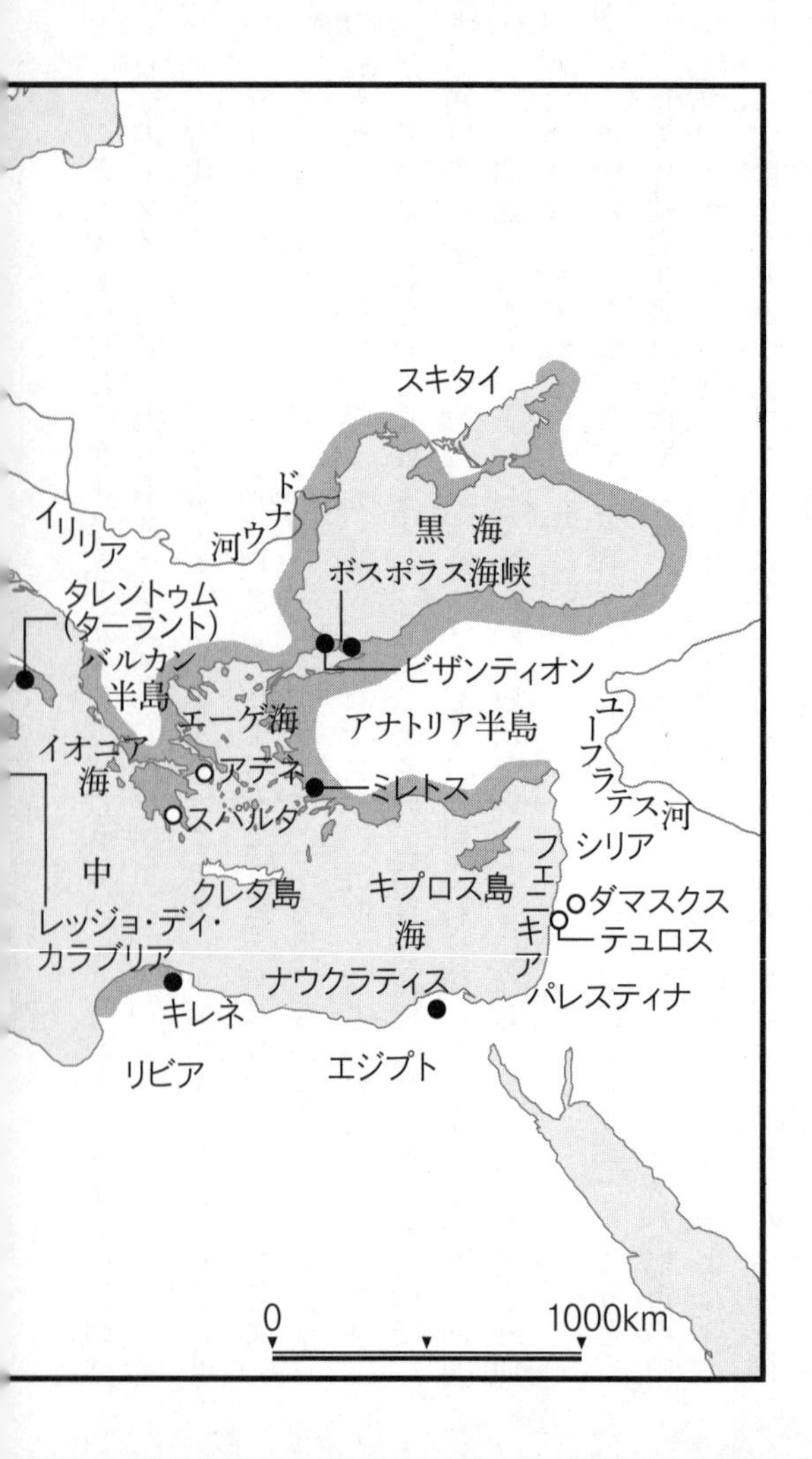

スキタイ
ドナウ河
イリリア
黒　海
ボスポラス海峡
タレントゥム
（ターラント）
バルカン
半島
ビザンティオン
ユーフラテス河
エーゲ海
アナトリア半島
イオニア
海
アテネ
ミレトス
スパルタ
シリア
フェニキア
中
クレタ島
キプロス島
ダマスクス
テュロス
レッジョ・ディ・
カラブリア
海
ナウクラティス
パレスティナ
キレネ
リビア
エジプト
0
1000km

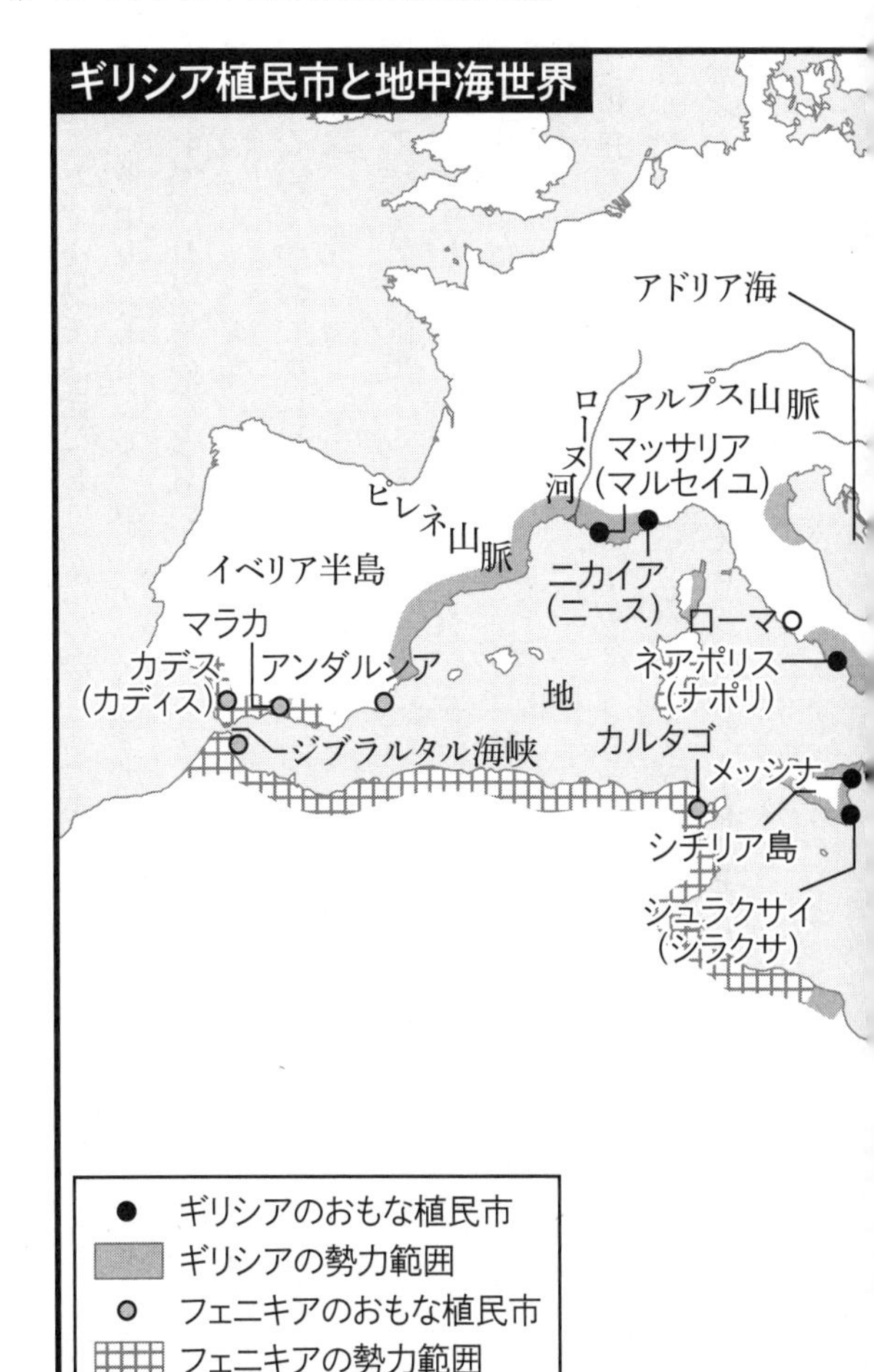
ギリシア植民市と地中海世界
アドリア海
アルプス山脈
ローヌ河
マッサリア
(マルセイユ)
ピレネ山脈
ニカイア
(ニース)
イベリア半島
マラカ
ローマ
カデス
(カディス)
アンダルシア
ネアポリス
(ナポリ)
地
ジブラルタル海峡
カルタゴ
メッシナ
シチリア島
シュラクサイ
(シラクサ)
ギリシアのおもな植民市
ギリシアの勢力範囲
フェニキアのおもな植民市
フェニキアの勢力範囲

る。これはやはり貧しいからで、ちょっと人口が増えると、もうギリシアでは養えなくなるんですね。

先んじて交易を活発にしていたのがフェニキア人です。今のレバノンのあたりを根城に地中海に進出して、やはり植民市を建てるのですが、このフェニキア人の動きに刺激されたものだともいわれています。

とはいえ、バルカン半島というのは、地図をみれば一目瞭然で、ほぼ地中海の真ん中なんですね。海に出ていくといったことが、元から非常にしやすい地勢なわけです。

そこで海外に進出するんですが、どこに行ったかといえば、例えば南イタリアです。ナポリという都市がありますが、あれはネアポリス、新しいポリス、新市という意味ですね。アテネが植民して、新しいポリスを作ったというのが、ナポリの起源です。

現在のターラント、レッジョ・ディ・カラブリア、ロクリ、クロトーネ等々、全部が最初はギリシアの植民市でした。ローマ人は一帯を「マグナ・グラエキア」と呼ぶんですが、つまりは「大ギリシア」ですね。それぐらい沢山のギリシア人が住んでいたということです。

ギリシアといえばギリシア哲学も知られていますが、数学、物理学、天文学の大家に「シラクサのアルキメデス」がいます。時代は下がって、前三世紀の人になりますが、このアルキメデスが住んでいたシラクサという都市も、実はシチリア島にあります。

ギリシアのポリスのひとつ、コリントスが建てた植民市シュラクサイのことで、アルキメデス自身はギリシアになんか一度も足を踏み入れていないんですが、それでもイタリア人じゃなくて、ギリシア人とされているわけです。

南イタリアだけじゃありません。南フランス、例えば、マルセイユですね。あれもフォカイアというポリスが建てた植民市、マッサリアが起源です。ニースなんかにしても、元はニカイアなわけです。ここからスペイン沿岸、カタロニアからバレンシアにかけての一帯、地中海の西端にもギリシア人の植民市が沢山ありました。

メトロポリスという言葉がありますが、メトロが「母」の意ですから、もともとは母親の都市、母市ということですね。ギリシアのポリス、アテネならアテネをメトロポリス、つまりは**母市にして、アテネ人が建てた植民市が子市になり、まさしく母と子の関係で、地中海を互いに往来していたということです。ギリシア人は決して内に閉じ籠もる人たちではなくて、外に出ていく歴史を残しているわけ**です。

だから、世界を統一してやろうと考えたと、ユニヴァーサル・ヒストリーに名乗りを上げたと、そういきたいのは山々ですが、簡単にはいきません。

ギリシアの植民市は南イタリアも、南フランスも、バルカン半島からすると、西の方角です。地中海南岸のアフリカから、北岸もスペインのアンダルシアのあたりまでは、フェニキア人が押さえていました。それは仕方ないとして、バルカン半島は地中海のほぼ中央ですから、ギリシア人は東の方角にも行けるはずですね。

みてみると、確かに出かけていっています。エーゲ海の対岸のアナトリア半島とか、ボスポラス海峡を抜けた先の黒海でも、沿岸地帯ぐるりに植民市を置いています。しかし、地中海の東端となると、キプロス島止まりで、シリアには達していません。

行きたくないわけではなかったでしょうが、なかなか行けない。なぜかといえば、ひとつにはフェニキア人の母市テュロスがありました。けれど、それ以上にペルシアというのが、ドンと大きく構えていたんです。

ギリシアにとって巨大だったペルシアの影

アケメネス朝ペルシア――まさしく大国ですね。

ギリシア語でペルシア、イランの旧称ですが、ペルシア湾岸の最奥部を発祥の地として、最盛期には今の国にして、西からリビア、エジプト、さらにブルガリア、トルコ、ジョージア、アルメニア、アゼルバイジャン、シリア、レバノン、イスラエル、ヨルダン、イラク、クウェート、イラン、アフガニスタン、トルクメニスタン、ウズベキスタン、タジキスタン、カザフスタン、キルギス、東はインダス河の手前のパキスタンにいたる大版図を占めていました。

その当時の感覚としては世界の支配者、それこそユニヴァースたるを自負できるくらいの巨大勢力です。比べればギリシアなんていうのは、本当に小さいですね。バルカン半島からして貧弱なのに、そこに点みたいなポリスしか作れなくて、あっちこっちで港を占めて、同じような植民市を作るのがやっと。それくらい卑小にみえてしまいます。

悔しいですね。じゃあ、どうするのか。なにくそと奮起して、ペルシアと戦うのか。実際、戦っています。前四九二年に第一次が始まって、前四九〇年に第二次、前四八〇年に第三次と繰り返されるペルシア戦争です。

歴史に残る名場面も多い戦争です。例えば前四九〇年のマラトンの戦いですね。

カザフスタン
アラル海
キルギス
カスピ海
ウズベキスタン
ソグディアナ
アゼル
バイジャン
トルクメニスタン
タジキスタン
パルティア
バクトリア
ベヒストゥーン
エクバタナ
アフガニスタン
スサ
イラン
パキスタン
ペルセポリス
インダス河
ペルシア湾
ペルシス(ファールス)
クウェート
0
1000km

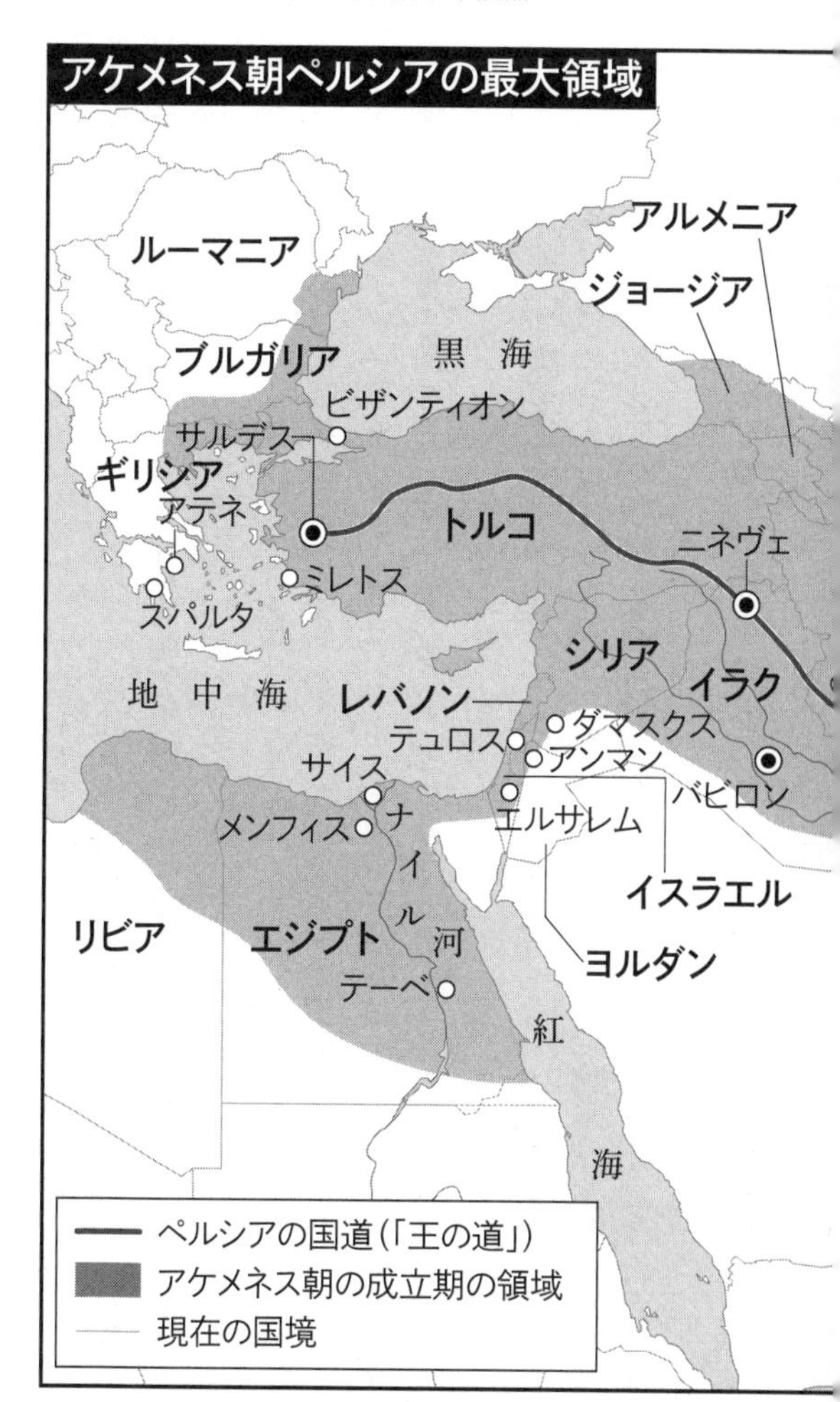
アケメネス朝ペルシアの最大領域
ルーマニア
アルメニア
ジョージア
ブルガリア
黒　海
ビザンティオン
サルデス
ギリシア
アテネ
トルコ
ニネヴェ
ミレトス
スパルタ
シリア
イラク
地　中　海
レバノン
ダマスクス
テュロス
アンマン
サイス
バビロン
メンフィス
ナ
イ
ル
河
エルサレム
イスラエル
リビア
エジプト
ヨルダン
テーベ
紅
海
ペルシアの国道（「王の道」）
アケメネス朝の成立期の領域
現在の国境

ミルティアデス将軍が率いるアテネ軍が、マラトンに上陸したペルシア軍を撃破、この戦勝を知らせるべく兵士エウクレスがマラトンからアテネまで四二・一九五キロを走り抜いたことから、マラソン競技が始まったという記念碑的な戦いです。

前四八〇年の戦いも知られていますね。レオニダス王が率いる三百人のスパルタ重装歩兵が、二百万、というのは誇張で実際は二十万、いや、十万にすぎないともいわれますが、それにしても桁違いのペルシア軍を相手に激闘したテルモピュライの戦いは、『300（スリーハンドレッド）』というハリウッド映画にもなりました。

この戦いは第三次戦争の一幕です。続くのがサラミスの海戦で、テミストクレス将軍が率いるアテネ艦隊——小回りの利く三段櫂船で構成される艦隊が、ペルシア艦隊の大型戦艦を翻弄し、遂には撃破したという名勝負も、やはり前四八〇年のことです。

そんなこんなで輝かしい歴史も残しているのですが、ちょっと落ち着いてみましょう。戦場は、いずれもギリシアです。行われていたのは防衛戦争ということです。ギリシアはペルシアが攻めてきたのを、なんとか追い払うことができただけなんです。

それでペルシアが滅びるわけではないし、弱くなるわけでさえない。弱くなるのはギリシアのほうで、ペルシア戦争が終わったと思うや、ポリス対ポリスの戦争を始めてしまいます。二大ポリスのアテネとスパルタが、それぞれデロス同盟、ペロポネソス同盟を作って覇を競い、あげくに開戦してしまうわけです。

これが前四三一年から前四〇四年まで続く、ペロポネソス戦争です。結果だけいえばアテネの負け、スパルタの勝ちですが、この戦いも裏側ではペルシアからスパルタに資金が送られたりしています。ある意味では、ペルシアの傘下で戦争をしているみたいなものです。

この後、ポリスは徐々に衰退していきますから、まして構図は変わりません。やっぱりペルシア帝国というのが上にドンとあって、ギリシアというのはその下にいるポジション、服属させられないまでも逆らえない、決してトップにはなれないポジションです。

かかる悔しい状況は、当然ながら変えたいですね。もちろん簡単であるはずがありませんが、それでも本気で変えてやるんだと、ペルシア打倒に動き出した勢力もいました。それは、古代ギリシア史の華というべきポリスのいずれでもなく、マケドニアという国です。

マケドニアがギリシアを征服できた理由

バルカン半島の付け根の東側、テルマイコス湾の奥、ピエリア山脈の裾に版図を構えたマケドニアは、多くのポリスからみれば遥か北の外れです。

建国は前七世紀半ば、アルゲアス家を王、ギリシア語の「バシレウス」という称号で担ぎ上げ、それを「ヘタイロイ」と呼ばれる貴族が支えているという王国です。

はじめは弱小勢力でした。前六世紀末、アミュンタス一世という王は、マケドニアの保身のため、ペルシアに臣従しています。その息子のアレクサンドロス一世にいたっては、前四八〇年のペルシア戦争のとき、ペルシアのクセルクセス一世の軍隊に同行して、一緒にギリシアを攻めています。まあ、それで戦争の帰趨を左右したわけでもない弱小勢力で、ひたすら自らの生き残りに汲々としている。マケドニアは、そんな国だったということです。

力をつけ始めたのは、ペロポネソス戦争の頃からでした。山国ですから材木が豊富で、これが船の材料として大売れしたんです。諸ポリスが艦隊の整備に迫られていたときで、そのまま戦争に突入してポリスが潰し合いを演じたことも、マケドニアの存在感を増さしめたといえるでしょう。

それにしても、マケドニアはギリシア世界の主役ではありません。マケドニア人も一応はギリシア人で、スパルタなどと同じドーリア人の一派、西方方言群と呼ばれる一派なのですが、先進のポリスからみると、「バルバロイ（わけのわからない言葉を話す者の意）」、つまりは野蛮人と大差なかった。民主政の世界からすると、王政なんか敷いていること自体が、もう後進国の証なんですね。

こんなマケドニアが先進ポリスをさしおいて、どうして打倒ペルシアの旗手になったのか。そう問われれば、まさしく政治も経済も文化も後れた田舎だったから、マケドニアは典型的な辺境だったからと答えるべきでしょうか。

歴史、あるいは政治や経済をみるときでも、しばしば引かれるのが辺境理論です。次の時代の覇権を握るのは、そのとき覇権を握っていた地域からみた辺境であるという。

簡単にいえば、**辺境は覇権を握っていた地域、つまりは先進地に学べるわけです。それも効率がいい。先進地が苦労して作り上げたものを、自分たちは苦労しないで、結果だけパッと持ってきて、すぐ使うことができる**んです。

マケドニアに話を戻すと、ペルシア戦争が終わった頃から、それこそペルシア軍に味方した王アレクサンドロス一世ですね、この王からギリシア文化の輸入に努めるようになりました。ヘラクレスの末裔なんだと称したり、ギリシア人しか参加できないオリンピックに出たいと熱烈に望んだり、もうギリシアの仲間に入りたくて必死ですね。

次のアルケラオス王は都をアイガイからペラに移すんですが、その新都は全てにおいてギリシア風を心がけましたし、そこに数々の文化人も呼びました。アテネの悲劇詩人エウリピデスなんかも、そのひとりです。

前三九九年、そのアルケラオス王が暗殺されて、マケドニアは四十年ほど混乱と停滞、ことによると存亡の危機にさえ見舞われました。前三五九年、あげくに王位に就いたのが、当時まだ二十三歳にすぎなかったフィリッポス二世です。

マケドニアの歴史を大きく転換させる王ですが、このフィリッポス二世も典型的な辺境の個性でして、先進地ギリシアの良いところを貪欲に取り入れていきます。

例えば軍事――実をいうと、フィリッポス二世は少年時代の前三六八年から前三六五年にかけた三年間、マケドニアが敵対しない保証として、テーベに人質に出されています。人質といっても投獄されるわけではなく、有力者の家に軟禁される程度、場合によっては懇ろに教育を施されるんですが、その有力者というのがエパメイノンダスだったんです。

あの『プルタルコス英雄伝』にも出てきますね。前三六〇年代におけるテーベの優位を築いたエパメイノンダスとペロピダス、古代ギリシア史上屈指といわれる二人の名将のうちのひとりである、エパメイノンダスのことです。

前三七一年、スパルタと戦ったレウクトラの戦いで、エパメイノンダスは斜線陣を用いました。左翼、中央、右翼を、斜めに前列、中列、後列となるよう並べて、まず左翼前列を動かして攻撃開始、これで敵を抑えながら中央中列、さらに右翼後列で取り囲んでしまう戦術です。この当代最高の戦いぶりを、フィリッポス王子は間近で観察できたわけです。

この斜線陣は、マケドニア王になったフィリッポス二世の得意技のひとつになります。他にもスキタイ人やトラキア人からは楔形陣を取り入れましたし、シュラクサイからは破城槌、攻城塔、投矢機など、先進の攻城兵器も学びました。即位して一番に取り組んだ兵制改革なども、テーベでの体験をはじめとするギリシアに学んだ賜物でした。

マケドニアは山国ですから、馬の産地で、伝統的に軍は騎兵が中心でした。これが後進地と笑われる所以(ゆえん)で、先進地のポリスの古代ギリシアの兵士といえば歩兵なんです。「ファランクス」と呼ばれる、重装歩兵の密集隊ですね。

周知のようにオリンピックは古代ギリシアが発祥ですが、その陸上種目、槍投げ、円盤投げ、砲丸投げ、ハンマー投げ、高跳び、幅跳び、徒競走などは、歩兵に求められる技能です。レスリングにもグレコ・ローマン（ギリシア・ローマ）スタイルがあって、あれも歩兵の技です。騎兵は組んだり投げたりしないわけです。

そのギリシアの歩兵をフィリッポス二世は、マケドニア軍に導入したんです。捕われていたテーベには「神聖隊」という、ペロピダスが率いる当時無敗の三百人からなる精鋭部隊もいましたから、大いに刺激されたんだと思います。

ただフィリッポス二世は、そのまま模倣するのではないんですね。例えば槍の長さを変える。先進ポリスの槍より長い、五・五メートルの長槍を採用して、密集歩兵隊もマケドニア独自のスタイルを編み出すわけです。

もちろん得意の騎兵も廃止せず、歩兵と騎兵を組み合わせた戦術を考えます。さらにいえば、これらを常備軍にしました。以後、マケドニアの兵士は全て職業軍人です。いつでも、どこでも、どれだけでも使うことができますから、しごく有効な兵力になります。

これ、ギリシアは違うんですね。先進ポリスは民主政ですから、兵役も市民の義務のひとつです。結果、兵士は日本史でいう「半士半農」になります。季節兵士といいますか、素人兵といいますか、民主政の理念にはかなうけれど、軍隊としては相当な制約を受ける仕組みなんですね。

ポリスはそうやって発展してきたから仕方ない。けれど、マケドニアは倣わない。歩兵隊、歩兵戦術とプラスは取り入れるけれど、マイナスは無視して、むしろ逆方向に改革する。そうしてフィリッポス二世は、最強の軍隊を作り上げたわけです。まあ、最強の常備軍も、金だけはかかります。生産的な労働はひとつもしませんからね。ポリスの市民兵は、そこは安上がりだったわけです。給養の経費は莫大でしたが、フィリッポス二世はマケドニア東境パンガイオンで、金鉱を開発します。その上がりで常備軍を養う。それだけではなくこの金鉱が諸ポリスの有力者を抱きこむ賄賂にもなりました。外交でマケドニアの有利を整えると、まず始めたのがギリシア統一でした。

前三五四年、フィリッポス二世はマケドニアから南東のテッサリア地方に進出します。内紛に乗じて出兵するや、これを鎮めてテッサリア連邦の長官となり、同地の支配を固めたわけです。

前三四八年は東のトラキアで、カルキディケ半島のオリュントスを壊滅させます。このポリスはアテネの同盟市でした。緊張が高まるまま、前三四〇年にアテネはマケドニアに宣戦し、同時にテーベを自らの同盟に引き抜きます。

前三三八年八月、迎えた決戦がカイロネイアの戦いで、これにマケドニア軍は大勝します。用いたのは斜線陣の応用でした。敵の戦列にはギリシア最強といわれたテーベの神聖隊もいましたが、これに初めて土をつけたのが、そこから多くを学んだフィリッポス二世だったわけです。

前三三七年、そのままコリントスに全ギリシアから各勢力の代表を招集します。スパルタだけは応じませんでしたが、それを除いた全員でコリントス同盟（ヘラス同盟）を結び、マケドニア王がその盟主にして全権将軍の座に就きます。ここにフィリッポス二世は、ギリシア統一を遂げたわけです。

それまでのギリシアはポリスの世界ですから、要するに小さいのが沢山あって、互いにやったりやられたりを繰り返していました。それぞれは繁栄していたし、相応に力もあったんですが、いかんせんバラバラで、全ギリシアとしては力を結集できなかった。

そこにフィリッポス二世はマケドニアという、ひとつ抜きん出た国力で乗りこんできて、統一ギリシアという大きなまとまりを作りました。なんのためといって、ペルシアと戦うためですね。ギリシアが頭を押さえられている状況を変えるためです。

ペルシアは圧倒的な大きさです。それに対してギリシアがポリスごと、あるいはいくつかのポリスごとかもしれませんが、いずれにせよ小で戦うしかないとすれば、勝ちようなんかありません。ところが、そのギリシアがフィリッポス二世の手でまとめられたことで、ペルシアは依然として大だけれど、圧倒的というほどの大ではないというところまできたんですね。

次はペルシア――フィリッポス二世は迷いません。ギリシアの悲願として、打倒ペルシアの気運が熟成されていたんでしょうね。あるいは時間を置いては駄目だ、せっかくまとめたコリントス同盟も、無為に日々をすごしては瓦解するかもしれないと、焦りもあったかもしれません。

パルメニオン将軍率いる先遣隊の出発が、前三三六年の春だったといいますから、ギリシア統一の直後、もう文字通り軍を解散することなく、そのままペルシア遠征に着手しています。ところが、です。フィリッポス二世は、ここで暗殺されてしまいます。

実行犯が近衛兵で、色恋沙汰、それも同性愛のもつれからとも、いや、背後にマケドニア宮廷の陰謀があったのだともいわれますが、とにかく殺されてしまうわけです。

せっかくの勢いが削がれます。実際、フィリッポス二世の跡目争いが起こりました。先進のポリスは一夫一婦制でしたが、後進マケドニアは一夫多妻制でしたから、これは揉めてしまいますね。

ギリシアにもコリントス同盟から抜けて、反マケドニアの旗幟を鮮明にする動きがありました。ドタバタは不可避で、二年くらい続きましたが、そのドタバタを収めたのがフィリッポス二世の息子、新たにマケドニア王にしてテッサリア連邦長官、コリントス同盟全権将軍となった、アレクサンドロス三世でした。世にいうところの、アレクサンドロス大王です。

アレクサンドロス大王が世界征服へ動く

このアレクサンドロス、まさにマケドニアの秘蔵っ子です。フィリッポス二世は意外と子煩悩というか、あるいは万事に気が回る、恐ろしく精力的な人だったのかもしれませんが、あれだけの仕事をしながら、かたや息子の教育にも配慮が行き届いているんですね。

ギリシア文化の移入に熱心なのはマケドニアの伝統ですが、それにしても王子につけた家庭教師が、あの哲学者アリストテレスです。ただアリストテレスを招聘（しょうへい）するのみならず、フィリッポス二世は首都ペラから四十キロほどのミエザというところに学校を作りました。

どうして学校かというと、そこにプトレマイオス、ヘファイスティオン、リュシマコスというようなマケドニア貴族や高官の息子たち、つまり王子が王となる近い将来、その側近になるべき人材を、一緒に勉強させたんですね。

兄弟でも、友人でも、子供時代を一緒にすごすと、大人になっても簡単には裏切らない。歴史の教訓といいますか、一種の法則ですね。苦労人フィリッポス二世は、息子のために深謀遠慮を働かせたわけです。アレクサンドロス三世の立場でいえば、父親に恵まれました。

アレクサンドロス大王といえば、歴史に燦然（さんぜん）と輝く英雄です。稀（まれ）にみる天才だったともいわれます。確かに才能に恵まれていたと思いますが、それだけで成功できるかどうかとなると疑問です。

父親に恵まれる、ないしは父親の遺産に恵まれる。これこそ歴史における成功パターンのひとつなんですね。あるいは偉業は親子二代で成し遂げるというべきかもしれません。父親がきっちり土台作りをして、後を継いだ息子がそれをうまく使って、驚くべき実効をあげていく。

まあ、父親が準備したものを、うまく使いこなすだけの才能が息子になければ始まりません。アレクサンドロス三世は、この面で全く天才的でした。戦場に即し、敵情に応じ、精巧かつ大胆不敵な用兵を展開して、フィリッポス二世が作り上げた最強の軍隊を、十全に動かすことができたんですね。

やることも、あらかじめ決まっているから迷いがない。まさに最短距離を一直線で、スピード感が凄いのも道理です。ここでフィリッポス二世没後の混乱を収拾した頃のアレクサンドロス三世に話を戻しましょう。

息子のほうも、無為に時を費やすことは好みません。まだ二十二歳のマケドニア王、テッサリア連邦長官にしてコリントス同盟全権将軍は、もう前三三四年には父フィリッポス二世の遺志を継いで、ペルシア遠征を開始します。

ヘレスポントス海峡、今のダーダネルス海峡ですね、そこを越えていったのは歩兵三万二千、騎兵五千、そのうち歩兵七千、騎兵六百がコリントス同盟の割当でし

●アレクサンドロス大王とイッソスの戦い

アレクサンドロス大王（左端、馬上）はイッソスにおいて、ダレイオス３世（右端、戦車上）自らが率いるペルシア軍に勝利した。ポンペイのモザイク壁画。

た。小アジアに進むと、現地の総督たちが率いるペルシア軍と遭遇します。グラニコスの戦いは得意の騎兵戦術で勝ち取りました。

まだ緒戦です。主力でもありません。前三三三年秋にはペルシア王ダレイオス三世が率いるペルシア軍と、イッソスで激突しました。再び騎兵戦術で敵王を敗走させ、二連勝です。前三三二年にはシリアに向かい、フェニキア人の都テュロス、さらにガザと陥落させていきます。ここで活きたのが、父王が調えていた先進の攻城兵器でした。

そこからエジプトに展開すると、戦わずして占領を遂げたアレクサンドロスは、ここでファラオというエジプト王の

アルメニア
ガウガメラの戦い
前331
ソグディアナ
カスピ海
アム河
サマルカンド
(マラカンダ)
エクバタナ
バクトリア
スサ
パルティア
メディア
ヒュダスペス
前326
(カンダハル)
セレウコス朝シリア
ペルセポリス
ペルシス
ゲドロシア
インド
インダス河
ペルシア湾
バビロン
前331、前324
アラビア
アラビア海
0
1000km

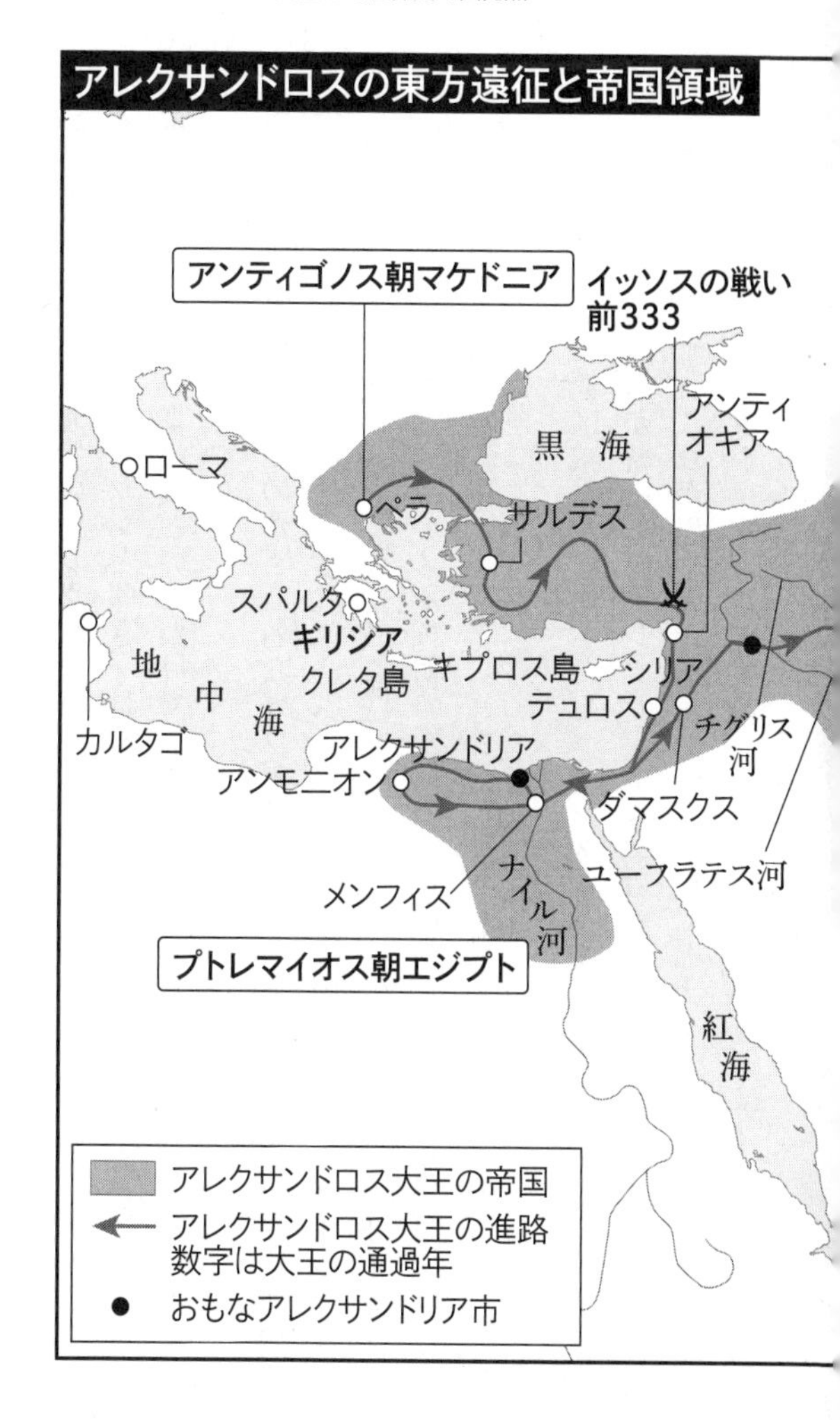
アレクサンドロスの東方遠征と帝国領域
アンティゴノス朝マケドニア
イッソスの戦い
前333
アンティ
オキア
黒　海
ローマ
ペラ
サルデス
スパルタ
ギリシア
地
中
海
クレタ島
キプロス島
シリア
テュロス
チグリス
河
カルタゴ
アレクサンドリア
アンモニオン
ダマスクス
ユーフラテス河
メンフィス
ナイル河
プトレマイオス朝エジプト
紅
海
アレクサンドロス大王の帝国
アレクサンドロス大王の進路
数字は大王の通過年
おもなアレクサンドリア市

称号を獲得します。同時に建設を命じたのがアレクサンドリア、アレクサンドロスの都市という意味で、方々に作られるのですが、そのうち今にいたるまで残っているのが、あのエジプト北岸のアレクサンドリアです。

はじめにペルシア軍をガツンと叩き、ひるませた隙に背後を襲われないよう他の敵を排除して、いよいよ決戦というわけで、アレクサンドロスはエジプトを発ち、ペルシア深奥に向かいます。

前三三一年十月に迎えたのが、有名なガウガメラの戦いです。騎兵と歩兵の連携戦術、さらに楔形陣を用いるなどして、ペルシア軍を撃滅させます。進軍を続けて、バビロン、さらにスサと落とし、前三三〇年にはペルセポリス、パサルガダイ、エクバタナと攻めて、アケメネス朝の五都全てを占領してしまいます。ダレイオス三世は逃れたバクトリアの総督ベッソスに捕えられ、すでに殺されていました。

ここにアケメネス朝は滅亡します。ただベッソスがペルシア王を名乗り、さらにソグディアナでも蜂起が続いて、アレクサンドロスは前三二九年からも平定戦を続けることになります。これが思いのほか長引き、前三二七年、アレクサンドロスがソグディアナの豪族オクシュアルテスの娘、ロクサネと結婚することで、ようやく成し遂げられました。

なぜ「世界征服」を思いついたのか

戦争開始から七年、アレクサンドロスはペルシアを征服しました。ギリシアの悲願を遂げ、父王の遺志を果たし、これで終わりかと思いきや、アレクサンドロスはインド進軍を発表します。ペルシア征服に飽き足らず、さらに東に向かうというのです。つまりは、このまま世界を征服すると打ち上げたわけですね。

アレクサンドロス大王の世界史的な意義というのが、これです。ペルシアを倒した。確かに壮挙ではありますが、それで終われば、単なるギリシアとペルシアの確執の歴史、つまるところローカルな歴史の域に留まります。

そうではなくて、ペルシアを倒しても満足できない、インドにも行かなければならない、**世界を征服するんだと思いついたところにこそ、アレクサンドロス大王はユニヴァーサル・ヒストリーの担い手だという所以がある**わけです。

なぜ世界征服を思いついたのか——結局のところ、わかりません。これという定説があるわけでもありません。

よくいわれるのはパトス、ギリシア語で「衝動」くらいの意味ですが、このパトスですね。アレクサンドロス大王は内的な衝動に駆られて世界征服を始めたんだと。行きつくところ、そこに理由を求めるしかないといわれれば、その通りなのだと思います。

ただ衝動の中身というか、その出所も気になります。一説にはフィリッポス二世に対するコンプレックスだったといいます。フィリッポス二世は名君だ、とにかく名君だと、アレクサンドロスはずっと聞かされていたというんですね。

後世からすると、目につくのはアレクサンドロスだけですし、アレクサンドロスのほうが偉い、フィリッポス二世なんて誰なんだという感がありますが、その時代のなかに入りこんで想像しますと、なるほど、途方もなく偉大な父親に感じられたのだと思います。

時間の問題もあるでしょうね。ペルシア征服が終わっても、アレクサンドロスの即位から六年しかたっていません。前王フィリッポスの記憶は、まだ風化していない。誰よりもアレクサンドロス自身が鮮明に覚えている。

成し遂げたペルシア征服についても、全て偉大な先王がお膳立てしたものじゃないかといわれたのかもしれません。少なくともいわれているんじゃないか、そう思われているんじゃないかと、アレクサンドロスは疑わずにいられませんね。

年齢の問題もあります。父親と比べられて、笑われているんじゃないかとも不安になるのも、まだ二十代後半の若年ですからね。さらなる功名に逸(はや)らないではいられない。フィリッポス二世がやったこと以上、いや、考えたこと以上の仕事をやらないと、俺は父親を超えたことにはならないんだと、思いつめてしまったのかもしれません。

まあ、どこにでもあるような父子の間の感情ですね。こういうミクロな感情が、世界征服というようなマクロな歴史の動きを促したのだとすれば、意外なような気もするかたわら、非常に人間らしいといいますか、それはそれで妙な説得力があります。

それにしても世界征服とは、なんと大きな話を思いついたものだろうと歎息(たんそく)してしまいます。これについてはギリシア哲学の影響もあったかなと思います。

マケドニア隆盛の時代ですから、ポリス衰退の時代で、それまで頼りにしてきた都市国家があてにならなくなってきた。そこでどう生きていったらよいのか、人の処世を考えるというのが、ギリシア哲学、人生哲学なわけです。

脱ポリスを迫られて、ひとつには個人主義が唱えられました。個人としての生き方の模索ですね。もうひとつ出されたのが、つまりは両極に振れたということですが、アレクサンドロスの同時代人ディオゲネスが唱えた、世界市民主義(コスモポリタニズム)です。**世界征服というのは、この世界市民主義の影響ですね。それをアレクサンドロスが言葉として口に出したという記録はないんですが、実際の行動として大王は多分に世界市民主義的なわけです。**

まずもって、ギリシア人、あるいはマケドニア人の支配を打ち立てると、アレクサンドロスはそういう発想ではないんですね。戦争して、アケメネス朝は倒すし、自分に反抗する者は叩くんだけれど、そうでなければペルシア人とて特に排除するつもりはない。

征服先でもペルシア人の総督なんかは、そのまま在職させていますからね。かえって自分が「アジアの王」を名乗って、服装から何からペルシアふうを心がけています。

結婚政策も、そうです。アレクサンドロスがペルシアの豪族の娘と結婚したことは先に触れました。その少し後の前三二四年の話になりますが、王はスサというペルシアの都市で、部下のマケドニア人たちとペルシア人の有力者の娘たちを、集団結婚させるということもやっています。

一夫多妻制ですから、アレクサンドロス自身も、このときペルシア王家の娘スタテイラとパリュサティスを妻にしています。ギリシア人も、マケドニア人も、ペルシア人もない。あるのは世界市民なんだという考え方の一端を、垣間みることができますよね。

いずれにせよ、アレクサンドロスは世界を征服しようとしました。ペルシアで止まらず、インドに行こうとしました。

前三二七年にスワート地方を平定、前三二六年にはインダス河を渡ります。もうそれだけで大変な難事ですね。インダス河といっても一本だけでなく、何本も支流があるわけです。

五月、侵攻した先のパンジャブ地方で、現地の王ポロスと戦いますが、そのヒュダスペスの戦いも、インダスの支流ヒュダスペス河の辺(ほとり)で戦われたものでした。七月には最後の支流、ヒュファシス河を渡りにかかります。しかし、折りからの豪雨で水嵩(みずかさ)が増して、そこで足止めを食わされるんですね。

そのときでした。忠実な部下たち、将兵たちも、さすがにもう嫌だと、もう帰りたいと言い出したんです。世界征服はアレクサンドロスがやりたいと思っただけなんですね。他の誰もが納得し、また共感できるような大義とか必然性とかがあったわけではないと。

ペルシアを倒したい。それはギリシア人の悲願としてあったけれど、それ以上のことは、ほとんど誰も考えていなかったんです。であれば、故郷を後に出陣して、もう七年にもなるわけですから、厭戦（えんせん）気分に陥るのも無理はありません。

部下たち、将兵たちと深刻な対立に陥って、さすがのアレクサンドロスも仕方ない、それでは引き返そうと決断します。ただ、繰り返せば三十歳になったばかりの若さですから、いったん引き返すだけ、ちょっと休んだら、また来ようくらいの気持ちだったと思います。

アレクサンドロスはネアルコスという部下を残して、インド洋沿岸の探検航海を命じています。ペルシアまで戻ると、そこからアラビア半島の探検に出ることも企画しました。死後に明かされた遺言があるんですが、そのなかではアフリカのカルタゴとか、地中海の西の果てのイベリアですね、そこまで行く気でいたことが記されています。アレクサンドロスは、やっぱり世界を征服するつもりでいたんですね。

しかし、前三二三年六月、大王はペルシアのバビロンで熱病にかかり、そのまま死んでしまいます。三十二歳と十一カ月、もう少しで三十三歳、まだそんな歳（とし）にしかなっていませんでした。

あまりに劇的な人生というか、太く短くの典型ですね。歴史の流れからすると、ほんの一瞬にしかすぎません。それでも、その一瞬に世界征服の意志、自分たちの勢力範囲を広げるんだという以上に、**世界を征服してやる、世界をひとつにする、自分たちの歴史をこそ世界史にするのだという意志が、人類史上初めて明らかにされたわけです。**

大王が残した歴史的遺産とは？

いや、人類史上初めてではないかもしれません。私は不勉強で知りませんが、もしかしたら世界を征服しようと考えた人や国が、マケドニアのアレクサンドロス大王以前にもあったのかもしれない。

その可能性を認めて、なおアレクサンドロス大王こそ世界史の出発点なのだと特筆したいのは、それが単なる歴史の徒花（あだばな）に終わっていないと思うからです。

アレクサンドロス三世という突飛な人がいて、たまたま世界征服を思いついて、相当なことまでやりました。はい、おしまい、ではないんです。アレクサンドロスのあとには、きちんと歴史の流れができるんです。

まず大王が手にした国、マケドニアを大きく越えた王国があります。バルカン半島から小アジア、今のシリアを抜けて、南西にエジプト、東にペルシアの版図を総なめに、北インドとの境界を出たぐらいのところまで拡張された版図ですね。世界征服というには、まだまだ小さいわけですが、当時の感覚からすれば、やはり途方もない広さです。実際のところ、それはヨーロッパ、アジア、アフリカと全て包含しているわけです。

そもそも三区分はギリシアの地理感覚で、大雑把（おおざっぱ）にいえば自らはヨーロッパ、アジアはペルシア、アフリカはエジプトということです。この概念が西に、東に、南に広がり、現代まで受け継がれていることは示唆的ですが、さておき、この世界にはヨーロッパ、アジア、アフリカという、それぞれに異なる部分があるんだと認識されていたんですね。

空前の版図を占めたアレクサンドロスの王国は、この三区分全てに広がっています。世界はひとつになるんだと、その可能性を初めて示したわけです。とはいえ、それを確たる実績とまでいってよいか。

アレクサンドロスの王国は短期間で崩壊してしまいます。大王が死ぬと、またも跡目争いが起こったからです。ペルシアの豪族の娘ロクサネが大王の死後にアレクサンドロスの息子を産むんですが、その息子がアレクサンドロス四世として次の王になるのか。それともアレクサンドロスの異母兄弟、フィリッポス二世の息子ですが、知的障害があるということで除(の)けられていたアリダイオス王子ですね。こちらをフィリッポス三世として次の王にするのか。有力家臣たちの思惑も絡んで、すんなりとはいかないわけです。

結局は二人とも王にして、ただ赤子と知的障害者ですから、ペルディッカスという有力な家臣が摂政に就きました。同時に、これだけ広い王国なので、アレクサンドロスの遺臣たち、軍隊を預けられていた部将たちですね、その者たちが総督になって、各地を治めることになりました。

最初は王家を立てて、ゆるやかなまとまりながらも王国をなしていました。しかし、内紛、内乱と繰り返すうちに、王家が倒れ、前三〇六年頃からは有力者たちが我こそ「後継者(ディアドコイ)」なんだと、総督でなく各地で王を名乗り始めます。

アレクサンドロス大王の王国は、プトレマイオスのエジプト、セレウコスのシリア、リュシマコスのトラキアと小アジア、カッサンドロスのマケドニア、アンティゴノスのペルシアと、五国に分かれてしまいます。「後継者戦争」の始まりで、互いに争い、あるいは組み、また敵対しながら、最終的にプトレマイオス朝エジプト、セレウコス朝シリア、アンティゴノス朝マケドニアの三国になります。

アレクサンドロス大王の広大な王国は瓦解してしまいました。やっぱり歴史の徒花じゃないか、一回かぎりの虚しい夢じゃないかと、いわれてしまうかもしれません。それでも、なお評価したいのは、**大王の覇業でギリシア世界は拡大したという事実です。**

例えば、プトレマイオス朝エジプト――エジプトですからクフ王のピラミッドとか、ツタンカーメン王（ツタンク・アメン王）の黄金のマスクとか、ああいうものがある国を連想してしまいます。

しかし、プトレマイオス朝は違うんですね。プトレマイオスはエジプト人ではありません。ミエザ（学校）の頃から大王の学友だったマケドニア人で、広くいえばギリシア人なんです。

よく知られた歴史の表舞台に、プトレマイオス朝が再登場するのが、前一世紀の女王クレオパトラの時代です。絶世の美女、ローマのカエサルやアントニウスとの恋愛で有名ですが、この女王のクレオパトラという名前、エジプト名ではないんですね。

これもギリシア名です。アレクサンドロス大王の妹にもクレオパトラ王女がいます。今もギリシアにはクレオパトラさんという女性が普通にいるそうです。つまりはギリシア人だったわけです、あのエジプト女王クレオパトラも。

プトレマイオス朝エジプトというのは、要するにギリシア人の征服王朝です。支配者としてギリシア人がいて、それにエジプト人、さらにユダヤ人やフェニキア人が従っているという国なんです。

王族や貴族となったギリシア人も、エジプトに行けばある程度は地元の文化や慣習を受け入れますから、ギリシアのギリシア人と全く同じではなくなったでしょう。しかし、エジプト人と同じでもない。ギリシア人はギリシア人のままでい続けるわけです。

例えば、アレクサンドリアです。プトレマイオスが建てた学問所ムセイオンと、その付属図書館が有名ですが、そこにも象形文字で書かれているような古代エジプトの本が収蔵されていたわけじゃありません。読まれ、学ばれ、研究されていたのは、ギリシア語の本なんです。エジプトといっても、もうギリシア文化圏、ギリシア世界なんですね。

セレウコス朝シリアも然(しか)りで、シリアと聞くと、イスラム教徒が住んでいる気がしてしまいますが、イスラム教そのものがない時代の話です。やはり支配者としてのギリシア人がいて、その下にペルシア人とか、フェニキア人とか、ユダヤ人とかがいたわけです。やっぱりギリシア世界です。マケドニアについては、いうまでもありませんね。

アレクサンドロスの血統は支配していませんが、ギリシア人の支配は達せられた。そういって、よいかと思います。**巨大国家の建設は道半ばで終わりましたが、あとには拡大したギリシア世界が残された**んです。

かくして歴史はつながっていく

古代ギリシア語でギリシアのことを「ヘラス」というので、ギリシア世界はヘレニズム世界といわれることもありますが、同じものです。かねて植民市が置かれた地中海沿岸の西だけでなく、東にも大きく広がって、北インドとの境界地帯にまで達する巨大圏域が成立しました。これが後世の歴史につながっていきます。

ギリシア世界が広がると、何が起こるか。端的にいうと、ギリシア文化が国際教養、ギリシア語が国際語になります。今日の英語みたいなものです。

例えば、次章に出てくる古代ローマですね。教育熱心だったことでも知られるローマ人ですが、子供を留学させるとなると、もう決まってギリシアでした。その準備のための家庭教師からして、ギリシア人と相場が決まっていたんですね。

庶民はともかく、ローマでも政治のキャリアを積むべき貴族となると、ギリシア語ができなければ始まりません。ギリシア語ができなければ、外国人と話すこともできないからです。

これも後に出てくるポエニ戦争の一幕に、ローマのスキピオがカルタゴのハンニバルと、砂漠で二人きりで直接会談を行うというものがあります。どうやって話したんだろうと、ちょっと不思議に思ってしまいますが、なんのことはない、ギリシア語で話したんですね。二人とも当然のようにギリシア語ができたんです。

先ほどエジプトのクレオパトラ女王はギリシア人だといいましたが、この絶世の美女を相手にカエサルやアントニウスが恋を語れたというのも、やはりギリシア語ができたからです。

かくして歴史はつながります。**ギリシア文化が国際教養になり、ギリシア語が国際語になれば、アレクサンドロス大王の世界征服も語り継がれることになります。**

実をいえば、ギリシア語で書かれた歴史書は、ほとんど散逸してしまっています。どうしてアレクサンドロスの事績がわかるのかといえば、ローマ人です。今に伝わるアレクサンドロス大王伝の類は、ほぼローマ人が書いたものです。ローマ人はアレクサンドロス大王が大好きなんですね。

スキピオも、カエサルも、いや、ローマ人だけじゃなくて、カルタゴ人のハンニバルもアレクサンドロスが大好きで、いってみれば一種のアイドルです。英雄たらんと思う者は、皆がアレクサンドロスのようになりたい、アレクサンドロスのようなことをしたいと思うんです。

世界征服の意志も受け継がれます。未完に終わった事業を、我こそ遂げんと思う者が続きます。ポスト・アレクサンドロス、ポスト・ギリシアの時代というのは、要するに誰がアレクサンドロスの跡目を継ぐか、その争いから始まります。

第二章

大王の意志を受け継いだローマ帝国

——アレクサンドロス大王からローマ皇帝へ

辺境の後進地からの出発

高校の世界史では、まず古代ギリシア、次に古代ローマの順番に習うので、ギリシアのほうが古い、その後にローマができる、みたいな印象があると思います。実際の歴史はどちらが先、どちらが後ということではなくて、ほぼ並行しています。

起源だけでいえば、ギリシアのほうが古くて、前八〇〇年くらいからはポリスも発展します。ローマの起源は、狼に育てられた双子ロムルスとレムスが創ったという建国神話では、前七五三年ということになっていますが、まあ、史料的に確かめられるところでは、前六〇〇年ぐらいですね。

前六〇〇年というと、ギリシアではポリスで民主政が栄え、それぞれが力をつけていこうという時代です。それからアレクサンドロス大王の時代まで三百年ありますす。ずっと並存してきたわけですから、やはり後ということではないんですが、ローマが同じ時代の後進地であったことは否めません。

マケドニアもギリシアの先進地からみると辺境の後進地でしたが、ローマというのは、さらに辺境、さらに後進地です。マケドニアのように目覚ましい発展を示すということも、なかなかできないでいました。まさに遅々たる歩みのローマですが、マイペースで淡々と力を蓄えていったともいえます。

ローマも都市国家ですが、はじめはマケドニアと同じように王がいました。ラテン語で「レックス」という称号です。エトルリア人、今のフィレンツェを中心とするトスカナ地方ですね、そのエトルリアに由来する王が、ローマを支配していたとされています。

ローマ人はラテン人の一派ですから、外国の征服王朝ということになりますね。もともと嫌われていたのか、あるいは専横が目に余ったのか、紀元前五〇九年頃、この王が追放されてしまいます。王政が廃止され、このときからローマは共和政になりました。

これがローマの特質のひとつで、ローマ人は専制とか独裁とかいうものを非常に嫌うんですね。ほとんどアレルギーの感さえあって、例えば王に替わる国家のトップの執政官、ラテン語で「コンスル」という役職ですが、これが二人制なんです。執政官だけでなく、その下の法務官も同じです。さらに下も然りで、ローマの政務官は全て複数制です。ひとりがこうしようといっても、他が反対すれば、何ひとつ実行できないんですね。

権力分有というだけでなく、これら政務官は任期が一年かぎりで、新しい年には選挙で新しい政務官が就きます。政務官経験者は終身の元老院議員になれるので、その立場でも何やかやと意見を言う。さらに市民全員が参加できる民会があって、その代表たる護民官には、政務官決定に対する拒否権が与えられています。

なんとも面倒くさいですね。こんな風で何が決まるんだろうかと思うくらいです。確かに個人に権力が集中することはないし、しても長続きしない。公平公正きわまりないけれど、意思決定がまごつく。それこそフィリッポス二世やアレクサンドロス大王みたいに、トップダウンで攻勢に出るなんて真似は、ローマにはできないわけです。

ローマ対カルタゴ、世界史の主役をかけた戦い

やはり一歩ずつしか前に進めないのですが、くしくも、そのフィリッポス二世やアレクサンドロス大王に重なる時代、ローマも外に出ていきます。

前三三八年、マケドニアがカイロネイアの戦いに勝ち、コリントス同盟を通じてギリシアを統一した頃ですね。ローマは周辺都市を屈服させて、ラティウム地方と

いう一帯の支配を固めます。並行して行われたのがサムニウム戦争で、前三四三年から前二九〇年にいたる三次の戦争で、サムニウム、つまりはイタリア中部を押さえます。

この間に造られたのが、有名なアッピア街道です。監察官アッピウスが工事を始めたので、アッピア街道なんですが、ローマから南のカプアに延びる道路が最初でした。なぜ南かというと、目的はマグナ・グラエキアと呼ばれた南イタリアです。つまるところ軍道ですから、ギリシア人が築いた南イタリアの都市国家を、どんどん服属させていくんです。

アレクサンドロス大王の王国が崩壊して「後継者戦争」が始まり、後継諸国ができていく頃の話です。ギリシアの諸ポリスも、かつてのような勢いをなくしていたので、ローマはイタリア半島を順調に南に下りていけたわけです。

ギリシア植民市タレントゥム（ターラント）を屈服させたのが前二七二年、レギウム（レッジョ・ディ・カラブリア）を占領したのが前二七〇年、ローマはイタリア半島の南端まで行きました。その先はシチリア島ということになります。シュラクサイはじめ、やはりギリシアの植民市が置かれていました。南イタリアと同じように進めそうなものですが、シチリア島はそう簡単ではない。

ギリシアの勢いが減退して、世界の覇権とはいわないまでも、さしあたり地中海の覇権を次は誰が握るんだということが、問題になってくる時期です。イタリア半島南端まで勢力を拡大して、当然ローマは名乗りを上げます。これを向こうに回して、主役の座を争おうというのが、他方のカルタゴでした。

カルタゴというのは、現在のチュニジア、首都チュニスの東方にあった都市国家です。フェニキア人が建てた植民市ですが、フェニキア人というのは中近東のあたりに由来するセム系の人たちです。ユダヤ人やアラビア人と同じ系統ですね。

セム系の人々というのは、商才に長けていることで知られています。交易路を開拓していくことも得意で、フェニキア人は歴史上では海洋民族と形容されることもあります。前八世紀来ギリシア人が海外に進出したのも、フェニキア人の精力的な活動に刺激されたものでしたね。

ギリシア人が地中海の主に北岸に植民市を建てたのに対して、フェニキア人は主に南岸に植民市を建てました。そのひとつがカルタゴで、母市が今のレバノンのテュロス、アレクサンドロス大王が東征で徹底的に破壊したテュロスです。やはりギリシア勢のライヴァルだったんですね。

それでも、カルタゴは無傷で残りました。それどころか、地中海南岸を支配していく。「ヘラクレスの柱」と呼ばれた今のジブラルタルにいたるまで、植民市を無数に増やしていきます。当然ながら島も押さえにかかります。コルシカ島、サルデーニャ島と来て、さらに進もうとしたのが、こちらもシチリア島だったわけです。

イタリアを下りていったローマ、チュニジアから乗り出していくカルタゴ、この二勢力がシチリア島で衝突して、始まったのがポエニ戦争でした。ポエニとは、ラテン語で「フェニキア人」という意味です。**最初の世界大戦と形容する向きもありますが、私はアレクサンドロス大王の跡目争い、誰が世界史の主役になるのかという争いだった**と思います。

ポエニ戦争は「歴史の画期」となった

ポエニ戦争は第一次から第三次まであり、初めから終わりまで百十八年かかっています。前二六四年から前一四六年までですね。

第一次戦争は先にいいましたようにシチリア、つまり島の支配を賭けて争うわけですから、不可避的に海戦になっていきます。

カルタゴ人はフェニキア人で、もともと海洋民族ですので、軍事でいえば典型的な海軍国です。海戦では圧倒的有利と思われていました。対するローマは、地続きにイタリアを制したことから知れるように、これまた典型的な陸軍国です。海戦では不利と思われていたんですが、ここで秘密兵器を使います。船に棒付の鈎（かぎ）を装備するんですね。それを敵の船の舷側にひっかけて、動けないよう、離れられないようにしてから、ローマ兵が乗りこんでいったと。

乗りこまれたカルタゴ兵、海兵たちは堪（たま）りません。甲板上でも切った張ったで、そのとき海戦は陸戦に変わっていたんです。もうローマの独壇場ですね。この新戦法でカルタゴ艦隊に連戦連勝、ローマが見事勝利を収めるというのが、第一次ポエニ戦争の展開でした。

前二四一年、ローマはシチリアを支配下に入れます。特筆しておきたいのは、ここに属州というものを作ったことです。

ラテン語で「プロウィンキア」といいます。フランス語のプロヴァンス、今もプロヴァンス地方がありますが、その語源で、地方とか州とか訳されます。ローマ史では属州と訳されるのが普通ですが、さておき、ローマは総督を派遣して直轄支配を行うというような地方単位を、このとき初めて持ったんです。

前二三八年、コルシカ島とサルデーニャ島も支配下に入れ、後に属州にしました。元はカルタゴの領土でしたが、敗戦国になって、戦後に傭兵に給金を払えず、反乱を起こされてしまいました。この混乱に乗じて、ローマは出兵を行うんですね。

どさくさ紛れに征服して、コルシカ島、サルデーニャ島を自らの属州に変えて、このときの遺恨がカルタゴに第二次ポエニ戦争を始めさせたともいわれますが、さておき第一次ポエニ戦争後に一気に三属州ができました。

たかが島三つといえば島三つですが、ローマは大きな一歩を踏み出したと思います。というのは、それまでのローマというのは、どこまでいっても都市国家なんですね。

イタリアを制したといっても、半島にある都市国家、ギリシア人の植民市を含め、自治が行われている都市国家です。カプアとか、タレントゥムとか、レギウムとか、そうした都市国家と同盟を結ぶことで、ローマ連合といいますか、ゆるやかにローマの支配に組み入れていっただけです。ローマが直接支配していたわけではないんですね。

初の直接支配がシチリア島、コルシカ島、サルデーニャ島です。シチリアではシュラクサイはじめ、自治植民市はなお残りますが、その他の部分は属州に変えました。北のアペニン山麓では、今のリミニとか、ピアチェンツァですね、ああいう都市を人工的に造りながら、ガリア人の土地に入植も始めていましたから、少し後には属州ガリアなんていうものも造られます。

ローマが征服戦争で大きくなるたび、属州はどんどん増やされていって、この属州システムが後のローマの屋台骨になります。**ポエニ戦争というのは、この属州が作り出されたという点でも、歴史の画期だった**と思います。

バルカ一族の親子二代にわたる偉業

前二一八年に始まる第二次ポエニ戦争ですが、これは史上まことに名高い戦いです。登場するのが、戦(いくさ)の天才ハンニバル・バルカです。この人がアレクサンドロス大王の再来というか、まさに歴史上の傑物でした。

似ているといえば、ハンニバルの場合も父親から話が始まるところです。ハミルカル・バルカという人で、第一次ポエニ戦争でローマに唯一負けなかったカルタゴの将軍、海戦でなくシチリアに上陸して陸戦を戦って、最後まで抵抗したという将軍でした。

　このハミルカルが捲土重来を期して進めたのが、ヒスパニアの植民です。今のスペイン、ポルトガル、イベリア半島ですね。ケルト人が諸部族に分かれて暮らしていた土地でしたが、そこを押さえて、カルタゴの戦略拠点に変えたんです。カルタヘナという都市が今もありますが、あれがバルカ一族が築いた都で、元は「カルタゴ・ノウァ（新カルタゴ）」だったんですね。

　ハミルカルの死後、この父親が整えたイベリアから、ハンニバルは出撃します。二十九歳の若さで、このあたりもアレクサンドロスを彷彿とさせます。進軍も同じく電撃的——と行きたいところですが、さて、イベリアからローマまで、どうやって行こうかと。

　普通に考えれば、イタリアまで船で行けばいいとなるんですが、カルタゴ艦隊は第一次戦争で壊滅してしまい、その後の講和でも自由な航行は許されていませんでした。制海権はローマにある。それなら陸から行くしかない、歩いて行けばいいじゃないかとなるかもしれませんが、普通は行きませんね。

　イベリアからだと、遠回りになります。まずピレネ山脈を越えて、今のフランス、ガリアに入らなければならない。これを横断したところで、まだイタリアでさえない。リヴィエラ海岸、今のジェノヴァに通じる地中海沿岸を行けば、ローマ軍に迎え撃たれてしまう。じゃあ、どうするのかとなって、ハンニバルがやったのが、伝説のアルプス越えでした。

道はありましたし、山岳民族のガリア人もいて、案内も頼める。しかし、アルプスに軍隊を通すという発想は、かつて誰にもなかったんですね。軍隊のアルプス越えはナポレオンの時代でも偉業とされるほどですから、ましてやハンニバルの時代は文字通り前代未聞の、壮挙というか、暴挙というか。

私もアルプスに行ってみたことがありますが、なんといいますか、山という山が、空から巨大な楔でも打ちこんだんじゃないかという格好で切り立っています。さすがに今は舗装道路が通じていますが、それでも途中には信号機付で片側交互通行というような隘路が残っている。そんなところにハンニバルは、軍隊を通したわけです。人だけじゃなく馬も通したし、なんと象まで通したというんです。

インパクトある進軍だったと思います。もはや意表を衝くという次元どころではなくて、実際ローマは最初は信じませんでした。カルタゴ軍なんて、なに寝言を言っているんだと。アルプスから来たなら、ガリア人の反乱だろうと。

それが本当にハンニバルでした。驚かせるのが十八番かと思っていれば、これが戦わせても連戦連勝、めっぽう強い。いや、もう強いなんてレベルじゃなくて、ほとんど悪鬼のようだと。ローマで子供が駄々をこねると、親は「ハンニバル・アド・ポルタス（もうハンニバルは玄関だ）」と脅したといいますから、まさしく鬼扱いですね。

むべなるかなと思わせるほど凄まじかったのが、前二一六年のカンナエの戦い――ハンニバルの天才が最も発揮された戦いです。用いたのが包囲殲滅作戦で、斜線陣で構えて、ローマ軍の中央突破を抱きこむように変形して、最後には全方位から取り囲むというものです。

理屈としてはわかります。今も士官学校では戦術の手本として教えられるそうですが、実際の戦場でこれだけ見事に実行できたのは、史上ハンニバルひとりだけでしょうね。鮮やかすぎて、ローマ軍は何もできない。ほぼ全滅の状態で、その一日だけで七万の兵士が死んだといいます。

砲弾とか、爆弾とか、核兵器とか、科学技術で大量殺戮が可能になった時代は別ですが、少なくとも原始的な弓刀槍の戦争では、意外に人が死ななかったという説があります。脅し合いというか、勝負は威嚇で八割方ついていて、実際の戦いというのは、すでに弱気になっている敵を敗走に追いやるだけ、最後の駄目押しにすぎないというんですね。

第2次ポエニ戦争(前218〜前201)
前216年 カンナエの戦い
ローマ軍がハンニバルに敗北。
アルプス山脈
ティキヌス
ブランケティア
ケヌマ
トレビア
ボノニア
アドリア海
ピサエ
ペルシア
トラシメヌス湖
マッサリア
コルシカ島
ローマ
ベネウェントゥム
カンナエ
前215年
ハンニバルに援助。
前211年
ローマ軍が奪回。
カプア
タレントゥム
ブルンディッシウム
クロトン
サルデーニャ島
前204年
スキピオ、アフリカへ。
レギウム
リリゥバエウム
シチリア島
ウティカ
カルタゴ
シュラクサイ
バドゥルメトゥム
ザマ
メリタ
前202年 ザマの戦い
スキピオ、ハンニバルを破る。
前203年
ハンニバル、イタリアからカルタゴへ帰還。

ハンニバルの進路
スキピオの進路
ローマの勢力圏
カルタゴの勢力圏
ハンニバル側についた地域
ローヌ河
前210年
スキピオ、イベリア半島に
向かう。
トロサ
アラウシオ
ピレネ山脈
ヒスパニア
ヌマンティア
エブロ河
タラコ
エンポリアエ
サグントゥム
バエクラ
イリパ
地中海
カルタゴ・ノウァ
（カルタヘナ）
ガデス
カルテンナ
ルッサディル
前209年
スキピオのロー
マ軍が占拠する。
前218年
ハンニバル、
イタリアへ出撃。
0
500km

説得力がありますが、そんな時代にハンニバルは死者七万の殲滅作戦です。ひとつの時に、ひとつの場所で、これだけの人間が死んだのは、これも史上初の大事件だったでしょう。

それだけ壮絶な戦いです。それからも連戦連敗、次から次へと兵士に取られるものだから、人口を三分の二まで減らされて、都市国家ローマは存亡の危機です。ローマ連合だって、南イタリアではカルタゴ側に寝返る都市が相次いで、崩壊の瀬戸際まで追いやられます。もう属州ができたなんて、大喜びしている場合じゃない。

ところが、ここからローマは巻き返します。カプアを拠点に南イタリアに居座るハンニバルに対して、不戦戦術、焦土作戦に訴えるんですね。戦えば負けるなら、戦わなければいい。食糧を渡さなければ、カルタゴ軍は引き揚げるしかなくなる。それで勝ちなのだという論理です。

非常時の大権を与えられた独裁官ファビウスが行ったので、今にいたるまで「ファビウス戦術」といわれますが、この総力戦の形も史上初めてですね。戦争は停滞して、十数年と長引きます。その間に出てきたのが、ローマ側の英雄プブリウス・スキピオ（大スキピオ）でした。

アレクサンドロスの跡目争いに勝ったローマ

スキピオは攻勢に転じます。転じるといっても、ハンニバルがいないイベリアにです。留守居の兵力を叩いて、カルタゴ軍の地盤を奪い取るんですね。それからシチリア総督に転じて、敢行したのがアフリカ上陸作戦、つまりはカルタゴ本国を攻めるという作戦でした。

これに慌てて、カルタゴ政府はハンニバルを南イタリアから帰国させます。ハンニバルのカルタゴ軍、スキピオのローマ軍で迎えたのが、前二〇二年、ザマの戦いでした。勝利したのがローマ軍で、用いたのが包囲殲滅作戦――要するにスキピオはハンニバルを真似たんですね。あるいは勉強した、研究したといいますか。

イベリア半島の戦いでも何度となく練習していて、ハンニバルが天才肌なら、スキピオは秀才肌、真面目な努力家なんですね。ハンニバル自身が後に「戦争で一番はアレクサンドロス大王、二番は自分だ。ザマで負けていなければ、自分がアレクサンドロスを抜いて一番だ」と述懐したとされますが、言いえて妙です。ハンニバルの自負は傷ついていない。それでも負けたことは悔しいんですね。

スキピオのほうは臍を噛んだに違いありません。閃きのハンニバルほど、鮮やかなことはできない。戦いの運びも固いというか、ぎこちない。そのかわりに考え抜かれている。スキピオの戦いは危なげない。この手合いなんですね、最後に勝つのは。

国と国の戦いにしてもそうで、勝ち残るのは才長けたカルタゴ人じゃなくて、鈍臭いローマ人です。実直、堅実、質実剛健と褒め言葉もありますが、いずれにせよ、ローマの二連勝です。ザマの戦いの後に講和が結ばれて、前二〇一年に第二次ポエニ戦争も終わります。

もうローマの天下ですね。アレクサンドロスの跡目が決定的になってきました。というのは、もうひとつ、東方ですね。**ローマはギリシア世界、ヘレニズム世界を制する手がかりも、この第二次ポエニ戦争で手にしている**んです。

前二一五年、カンナエの戦いの後、ハンニバルが南イタリアにいたときですが、一緒にローマを倒そうと、ハンニバルはシチリアのシュラクサイ王ヒエロニムス、さらにアンティゴノス朝のマケドニア王フィリッポス五世に同盟を持ちかけるんですね。

こちらとの戦いも、ローマは敢然と受けて立ちます。前二一一年にはシュラクサイ王国を滅ぼしました。マケドニアとは、アテネやスパルタなどのポリス勢、さらにギリシア中西部のアイトリア同盟を結んで戦いました。前二〇五年まで続いた、第一次マケドニア戦争ですね。

いったん矛を収めて、第二次ポエニ戦争の決着をつけ、前二〇〇年に再開したのが、第二次マケドニア戦争でした。前一九七年のキノスケファレの戦いでローマ軍に大敗、マケドニアはギリシアの覇権を失います。諸ポリスやペロポネソス半島北部のアカイア同盟は自由になりますが、それがよかったかどうか。

ローマは前一九二年から、今度はセレウコス朝のシリアと戦います。アイトリア同盟と一緒にギリシア北部に侵攻の素ぶりありと、ペルガモンやロドスに訴えられて、出兵を決めたのですが、ここで、またスキピオが登場します。

アフリカで勝ったというので、「スキピオ・アフリカヌス（アフリカのスキピオ）」という尊称をもらいますが、その兄のルキウスのほうは「スキピオ・アシアティクス（アジアのスキピオ）」と呼ばれています。こちらは、このときの前一九〇年、マグネシアの戦いでシリア軍を撃破、小アジアを手に入れるからです。

事実上の指揮官は弟アフリカヌスなんですが、ローマは独裁を嫌いますから、同じ人間がなんでもやるなんて許さない。そこで兄貴を表に立てたわけですが、さておきスキピオもアレクサンドロス大王と同じように、ヨーロッパ、それからアフリカ、アジアと押さえたことになりますね。

前一七一年から、ローマは第三次マケドニア戦争を始めます。前一六八年のピュドナの戦いで、今度は大スキピオの義理の弟アエミリウス・パウルスがローマ軍を率いて、また大勝を収めます。

アンティゴノス朝は滅亡に追いこまれ、マケドニアはローマの属州になります。地中海世界の覇者たるだけでなく、ローマは世界征服の後継者たる名乗りも上げた格好です。

なぜカルタゴは徹底的に破壊されたのか

ただスキピオに関していえば、晩年は不遇でした。シリアから帰った前一八七年、アンティオコス王から支払われた賠償金について、使途不明金がある、公金横領の疑いがあると、監察官カトーに告発されてしまったんですね。

やはり、ローマはひとりの人間が全てを握りそうになると、たちまち反作用が起こる。スキピオは断罪は免れましたが、これで政治生命を断たれた格好になりましることになります。

た。自らローマを出て、リテルヌムという、南イタリアのカンパニア地方ですね、物侘しいような寒村の別荘に隠遁したまま、前一八三年、五十二歳の生涯を閉じることになります。

その同じ頃、実はハンニバルも死んでいます。ハンニバルのその後をいいますと、前二〇〇年に将軍は辞すんですが、前一九六年、カルタゴの執政官になりました。国制改革、なかんずく財政改革を断行しましたが、そこでローマが出てきます。シリア王アンティオコス三世と通じているんじゃないかと疑って、身柄を押さえようとしたんですね。

前一九五年、ハンニバルは亡命を決め、そのシリアに身を寄せます。アンティオコス三世の軍事顧問、政治顧問になりますが、前一九二年に踏み切られたローマの出兵は、これに苛立ってのことだともいわれます。

ハンニバルは再び亡命を決め、クレタ、さらに小アジアのアルメニア、ビティニアと転々とします。ローマはといえば、いちいち追っ手を差し向けて、なんとしても捕えようとします。ハンニバルのことが、よほど怖かったんでしょうね。ほとんど強迫観念です。

「たったひとりの老いぼれが死ぬことを、ずいぶん待ち焦がれているようですな。

それも容易にかなわぬふうですから、よろしい、今こそローマ人から永遠の心配を取り除いて、その望みをかなえてあげましょう」

そういってハンニバルは、追っ手の前で服毒したと伝えられます。それがスキピオの死と同じ前一八三年頃のことで、カルタゴ人のほうは六十四歳でした。

ローマは安心できたでしょうか。いや、ハンニバルはいなくなっても、カルタゴは残っています。残っているどころか、栄えている。賠償金なんか、とっくに払い終えていますから、あとは元通り商業で莫大な利益を上げて、以前に増した繁栄を謳歌（おうか）していたわけです。どちらが勝者かわからないくらいで、このカルタゴをどうするべきなのか。

ローマのなかでも意見が分かれます。いつまたローマに反旗を翻（ひるがえ）すかわからない。カルタゴが起（た）てば、各地に進出したローマは今や全方位で恨まれているから、大戦争に発展しないともかぎらない。

「いずれにせよ、カルタゴは滅ぼされるべきだと私は思う」

なにかにつけ、脈絡なくとも繰り返したのが、かつての監察官、あのカトーでした。対するに、それには正当な理由がない、とカルタゴとの戦争に反対したのがスキピオ・ナシカ、スキピオの娘婿です。

やがて戦争の口実は与えられます。カルタゴはローマの許可なく、隣国ヌミディアと争った、先の和平に反するといって、前一四九年に第三次ポエニ戦争が開始されるのです。

カトーの主張が通ったわけですが、ローマ軍を率いてアフリカに渡るのは今度もスキピオ、アエミリウス・パウルス家からスキピオ家に養子に入った、いわゆる小スキピオ（スキピオ・アエミリアヌス）でした。小スキピオは三重城壁を擁するカルタゴ市を包囲、これを前一四六年に陥落に追いこむと、アレクサンドロス大王と同じようにフェニキア人の都を徹底的に破壊します。

本当の意味での破壊で、カルタゴ市が跡形もなくなるくらい、それこそ全て砂に埋めてしまうほどでした。そのうえでローマはアフリカ属州を創設、カルタゴ植民も奨励しますが、もう以前のカルタゴとは別物です。あのカルタゴは地上から抹消されてしまったのです。

ローマが危惧したように、東方もカルタゴに便乗して動きました。マケドニア王家の残党が蜂起しましたが、あえなく鎮圧されてしまいます。アカイア同盟も起ちましたが、やはりローマ軍に破られ、中心都市コリントは徹底的に破壊されました。前一四六年、あとにアカイア属州が作られるのも、カルタゴと同じです。

敵がいなくなって生まれた内乱の一世紀

どんどん属州が増えていきます。世界征服が着々と進められたということです。**三次にわたるポエニ戦争で、アレクサンドロス大王の跡目はローマと、はっきり答えが出た**といえます。とはいえ、ローマは前の歴史に学んでいたのでしょうか。

アレクサンドロスの王国は覇業ほどなくして、崩壊してしまいました。ギリシア世界は広げて残すことができましたが、国としては残りませんでした。バラバラになったあげく、みての通りで、今や端からローマに併呑(へいどん)されています。しかし、そのローマはどうなのか。

世界は征服できるとして、それを国として、あるいは他の形があるのなら、それでも構いませんが、とにかく、ひとつにして維持することができるのか。それが次の問題になっていきます。

前にもいいましたが、ローマは共和政です。王政を憎み、ことさら独裁を嫌います。いたるところに権力分有の工夫が施され、結果なんとも面倒くさい国になっています。何をするにも、いちいち議論しなくてはならない。また常に対立があり、政争がある。

これまでのローマがある程度団結してこられたのは、さもなくば即座に国の存亡にかかわったから、端的にいえばカルタゴという強敵がいたからです。それがなくなれば、もう敵は内にしかいない。変な言い方になりますが、もう内輪で揉めたい放題になります。

往々それぞれ派閥をなし、徒党を組みますが、これが新たな問題を惹起します。ローマは共和政である前に都市国家でした。これだけ勢力を拡大しても、基本的な国の仕組みは都市国家のときのままなんですね。

王政は、例えばギリシアのポリスでもスパルタが王政を取っていたように、都市国家でも取りえます。マケドニアのような領域国家でも、もちろん可能です。しかし、共和政というのは、都市国家でないと、なかなか難しいんですね。

「共和政や共和国ができるのは小さな国」というのは、それこそ大国フランスが十八世紀末に革命で共和国になるまで、ヨーロッパでは常識とされていたほどです。というのは、ネットもない、テレビもない、ラジオも、新聞さえない、つまり通信手段が未発達な時代では、広範囲の意思疎通ができないんですね。

伝える手段がなくても構わないのが都市国家のような小国で、なるほど広場まで皆が歩いていけるんです。そこで話を聞けるわけです。ああでもない、こうでもないと論じて、市民が政治参加できる。この時代に成立するのは直接民主政だけなんですね。

ローマも然りで、都市国家のうちはよかった。しかし、沢山の属州を抱えて、これだけ大きくなってしまって、もう小さな直接民主政では治めきれなくなっている。さあ、どうするのか。なんとしても共和政を守るなら、守るにはどうするのか。

版図に暮らしている人間も、もうローマ市民だけではなくなっています。政治参加の権利はどうするのか、ローマ市民権をどうするのか、そういう問題も出てきます。

なんだか前途多難ですね。新たな課題に、どう立ち向かうべきなのか。実際のところ、ポエニ戦争が終わってからのローマは、試行錯誤、それも血みどろの試行錯誤の繰り返しで歴史の頁を埋めていきます。

まず前一三三年、グラックス兄弟の改革が始まります。スキピオの娘の子、つまりは直系の孫ですが、二人とも護民官になりました。護民官を突破口にしようとするわけですね。無産市民の救済という当時の社会問題に取り組んで、護民官権限で強行突破を試みますが、やはり元老院と対立してしまいました。あげく兄は暗殺され、弟は自殺に追いこまれます。

ひとりに全ては握らせない。スキピオ対カトーにもみられた通りで、これぞローマという感じですが、それにしても壮絶の度を増していますね。グラックス兄弟の改革が失敗に終わって、それからの百年ほどをローマ史では「内乱の一世紀」と呼んでいます。

独裁者は必ず引きずり下ろされる

手詰まりの状況を打破するために、ローマにも異例の権力を手に入れる者が現れます。それらが互いに対立する、あるいは独裁を許すまいと、それらを引きずり下ろそうとすることで、内乱の連続になってしまうということです。

最初に台頭したのが、マリウスでした。前一〇七年に執政官になると、手がけたのが軍制改革で、ローマ軍をそれまでの市民兵に替えて、職業軍人による軍隊にしました。そのうえで、元老院が有効な手を取れなかったヌミディアとの戦争を終わらせ、さらにゲルマンのキンブリ族、テウトニ族の侵攻を止めて、民衆の絶大な支持を獲得します。

それにしても、凄い。マリウスは前一〇四年から前一〇〇年まで、五期連続で執政官になります。例外として特別に認められたものですが、それまでのローマでは考えられませんね。時代が動き始めた感もありますが、さらにマリウスは政務官にも自分の配下をつけて、もう独壇場です。しかし一人勝ちは、ローマでは許されないのです。

出てきたのが、マリウスの副官だったスラでした。前九一年の同盟市戦争、同盟市にもローマ市民権をよこせという戦争ですが、これに尽力した功績で、前八八年にミトリダテス戦争、ポントス王ミトリダテスを討つ戦争ですが、その指揮権を与えられます。いったんは黒海沿岸のポントスに向かいますが、その軍勢をスラはローマに反転させたんですね。

元老院議員や貴族ら門閥の後押しで、マリウスの天下に反旗を翻したものでした。それにしても、ローマの都に軍を向けるとは前代未聞の話です。それまでは、どんな将軍も武装解除してからでないと、ローマには入れない決まりだったからです。

いうまでもなく共和政を守るため、武力を握る者が独裁を敷けないようにするためですが、非常事態とはいえそれが曲げられるとは、やはり時代は動き始めたようです。

さておき、スラによるマリウス派への弾圧が始まります。マリウス自身はアフリカに逃げますが、前八七年、スラが改めて戦地に発つと、すぐさまローマに舞い戻ります。今度は門閥派が虐殺されます。マリウス自身も前八六年、七度目の執政官に就任して、天下を取り戻したようにみえましたが、その直後に病死してしまいました。

あとは両派による血みどろの抗争、というより内乱あるのみですね。スラは東方でミトリダテスと和議を結び、前八三年、イタリアに戻ります。となれば、首領が生きているほうが勝ちますね。

スラはローマで独裁官になります。独裁官の任期は半年ですが、これを無期限ということにして、前八二年から恐怖政治を敷きます。共和政のローマで、とうとう一人支配が実現するか――とも思われましたが、前七九年、スラはあっさり身を引きました。

今度は自分が引きずり下ろされると、わかっていたんでしょうね。前七八年にはスラも病没したので、また元のローマに逆戻りです。

次に出てきたのが、スラの配下だったポンペイウスでした。マリウス派の追討、さらに残党狩りで頭角を現し、前七〇年に執政官になりますが、それからの勢いが凄い。前六七年に海賊の掃討のため、十二万五千の兵士と軍艦五百隻の指揮を委ねられます。また異例の措置ですが、そうすると、ポンペイウスは海賊を討つのみならず、前六六年に東方遠征を始めるわけです。

前六五年にはミトリダテス王を倒してポントスを、前六四年にはセレウコス朝を滅亡させてシリアを、さらに前六三年にはフェニキアとユダヤを、次から次へとローマの属州にしていきます。驚嘆に値する戦功を挙げて、もうポンペイウスは図抜けた存在ですね。

こうなると、とたんに嫌がるのがローマです。元老院がポンペイウスと対立します。また引きずり下ろされるか、また対抗馬を出されるか、また内乱かと思いきや、ここで組まれたのが、いわゆる三頭政治でした。

対抗馬になるとすれば、やはりスラの配下で、ローマ第一の富豪といわれたクラッススでした。これがポンペイウスとは隠れもない不仲で、ぶつけるには打ってつけだったんですが、そこで元老院の思い通りになるのは癪じゃないか、二人で組めば元老院だって逆らえないじゃないかと持ちかけたのが、マリウスの甥にあたるカエサルという男でした。
ユリウス・カエサル、シェークスピアが書いた『ジュリアス・シーザー』のことです。

『ガリア戦記』は人気を高める宣伝!?

カエサルはポンペイウスやクラッススと比べると、実力は全然及びません。秀でていたのは女遊びと借金の申し込みだけですが、それだけに上手なんですね。交際家、社交家のカエサルだからこそ、ポンペイウスとクラッススの間を、うまく橋渡しできたわけです。

三頭政治というのも、思えば妙策です。二人だけなら対立してしまうけれど、そこにもうひとり加わると、関係が壊れなくなるんですね。協調の関係でありつつ、牽制（けんせい）の関係でもあって、今の国家が立法、行政、司法と三権分立を取るのも、この関係性の妙ゆえなのかもしれません。

さておき、カエサルは当然ながら、ただの善意で二人の間に入ったわけではありません。この政治の安定を利用して、誰より自分が得をしたい、一気に有力者の仲間入りを果たしたいというわけです。ポンペイウスとクラッススの後押しで、カエサルは前五九年に執政官になります。その任期を終えた後が本番で、前五八年に属州ガリア総督になります。

属州総督はラテン語で「プロコンスル」で、直訳すれば「前の執政官」です。執政官経験者に与えられた一種の特権で、任期の後は属州を統治できました。どうして特権かというと、これが非常に儲かったからです。

要は任地から税を搾り取る。もちろん決められた額は国庫に納めますが、それより多く取れれば、自分の懐に入れることができたんですね。己の才覚次第で、いくらでも私腹を肥やせる。この旨味（うまみ）があるから、誰もが属州総督になりたいわけです。

ことにカエサルは、ただ総督を務めただけではありません。ひとつには全ガリアの征服です。属州ガリアは、すでにアルプス手前のガリア（ガリア・キサルピナ）、アルプスを越えたガリア（ガリア・トランサルピナ）と拡大していました。しかし、それも今の南フランス止まりで、その先はまだローマの支配が及んでいなかったんです。

それをカエサルは征服にかかりました。只事（ただごと）でないのが、もうひとつ。総督の任期は普通は一年ですが、それを征服のために延長、また延長と繰り返して、実に七年もの長きにわたって務め続けたんですね。

またも特例措置ですが、その間にカエサルは今の北フランスまで、いや、最終的にはブリタニア島、今のイギリスに渡ることまでやって、本当に全ガリアを征服してしまいます。

それにしても、どうしてガリア征服なのか。もちろん属州が大きくなれば、収入も鰻登り（うなぎのぼ）りに増えていきます。征服しない手はないようですが、それは結果論ですね。必ず成功するとはかぎらない。少なからずリスクがある。失敗して、戦費が無駄になるかもしれない。命さえ落としかねない。実際、カエサルは何度も危ない目をみています。

それなのに、どうして征服か。私はアレクサンドロス大王だと思います。**アレクサンドロス気取りというか、カエサルは大王を真似た**んですね。ローマ人の多分に漏れず若い時分にギリシアに留学していますから、カエサルにとってもアイドルは、やっぱりアレクサンドロス大王なんです。

前六一年の逸話も伝えられています。軽輩として赴任した属州ヒスパニアに、アレクサンドロスの像が立っていて、みるやカエサルは「アレクサンドロスが世界を征服した年齢になったのに、まだ自分は何もなしえていない」と嘆いたそうです。

劉備玄徳の「髀肉の嘆をかこつ」みたいなものですが、やはり相当意識していたんですね。

それはそれとして、まあ、カエサルという人も天才ですね。軍事的な才能、政治的な才能、それらとも関連するかもしれませんが、文学的な才能までありました。ガリア征服のプロセスを記したのが、有名な『ガリア戦記』で、ラテン語文学の傑作ですね。

日本で文学というと、有名なものでは芥川賞と直木賞ですね。かたや純文学、かたや大衆文学と称されたりしていて、こんな区別はナンセンスだなんていう向きもあります。しかし、私なんかは文化の高め方として、この二分類は意外に広く通用するものかなと考えています。つまり差別化と普遍化ですね。

カエサルは普遍化の文学、直木賞系です。ラテン語の名文も、簡潔かつ明快で非常にわかりやすい。そのことは『ガリア戦記』の翻訳でも感じられます。さらに原文を読むと、自分のラテン語力が上がったと錯覚するほどです。わかりやすい。それは伝わりやすいということです。誰にでも理解できる。つまり、高度に普遍化されているんですね。

わかりやすいはずで、カエサルはローマ市民に伝えなければなりませんでした。

ガリア総督ですから、首都を遠く離れています。**その間にローマ市民の人気を失いたくはない。声望を維持するための、『ガリア戦記』だった**わけです。

ガリアで書いたそばから、郎党にローマに持ち帰らせて、それこそ広場で朗読させる。カエサルの大活躍にローマ市民は大興奮、不断に「カエサルばんざい、カエサルばんざい」になっているというカラクリですね。

これを鼻で笑っていたのが、門閥派です。馬鹿な奴らが何を大騒ぎしている。下々(しもじも)に政治の何がわかる、おまえたちは元老院の言うことを、ただありがたく拝聴していればいいのだ。と、そういう考え方なんですね。

代表的な論客が、これまたラテン語文学の巨頭のキケロでした。そのキケロのラテン語ですが、これが難しい。もう泣きたくなるほど、わからない。私もまた一から勉強しなおそうと思うくらい、自信をなくしてしまいましたが、よくよく考えれば当たり前です。わざとわからないように書いてあるからです。

元老院議員には通じる、門閥派なら理解できる。そういう文章に加工してあるんですね。高尚な純文学を簡単に理解されてたまるかというのと同じ、つまりは差別化です。内輪受けはしますし、外でもありがたがる人はありがたがる。けれど、沢山は売れないかな。

政治家としても苦しい。ことに都市国家の共和政が限界にきて、ローマが大きくなってからは苦しい。キケロも政治家としては、あまり成功していませんね。

カエサルにはふたつの道があった

脱線しました。話を戻します。カエサル、ポンペイウス、クラッススの三頭政治ですが、精妙に保たれてきた三者の力学が、遂に崩れるときがきます。カエサルのガリア総督と同じく、クラッススはシリア総督になっていました。ガリア征服ならぬパルティア征服まで試みましたが、これが失敗で、前五三年に戦死してしまいます。

カエサルとポンペイウスが残りました。二人では対立してしまいます。カエサルも群を抜いた実力者になっていましたから、もうポンペイウスとて余裕は気取れない。正面衝突は近い——というより早めたいと、動き出す者もいました。元老院議員たちがポンペイウスに近づいて、カエサルを討てと唆（そそのか）します。たまさかながら、ポンペイウスはローマにいました。有利ですね。前五二年には単独執政官になります。また特例的な措置です。負けられないと、カエサルは次年の執政官に立候補しようとします。しかし、カエサルはガリアにいた。立候補届を出すために、ローマに行かなければならない。ところが、軍隊を解散しなければ何者も帰国できない、ローマには私人として入らなければならないという、共和政の決まりがある。

カエサルひとりがローマに戻れば、逮捕されるのは目にみえている。スラのように軍隊と一緒に帰りたいと望んでも、今ばかりは特例を認めてくれない。それどころか、前五一年には「元老院最終勧告」まで出されてしまいます。さて、どうするか。

●カエサル

古代ローマの政治家、軍人（前100～前44年）。

カエサルが逡巡（しゅんじゅん）したのがルビコン河の辺（ほとり）でした。ガリアとイタリアの境界とされた河ですね。このルビコン河の辺に軍隊を残して、ひとりで渡るか、それとも軍隊を連れて渡るか。謀反人になるリスクを冒して、あえて渡るのか。

「アレア・ヤクタ・エスト（賽（さい）は投げられた）」

そういって、カエサルは軍勢ともどもルビコン河を渡りました。もう賭けるしかないと、決然と勝負に出たわけです。カエサル対ポンペイウスの大内乱の始まりです。カエサル対元老院というべきかもしれませんが、いずれにせよ、ここからのカエサルが凄い。

イタリアに、アフリカに、イベリアにと、縦横無尽に転戦します。ポンペイウスが兵力的に劣勢だったわけではないのですが、ほどなくローマを後にして、東方に逃げなければならなくなりました。その東方で迎えた決戦が、前四八年のファルサロスの戦いで、やはりカエサルが勝つわけです。

ポンペイウスはエジプトに落ちましたが、そこで暗殺されてしまいます。ちなみに追いかけていったカエサルが、上陸したエジプトで出会ったのが、クレオパトラ女王でした。

それからもカエサルは東奔西走です。小アジアのポントス、イタリア、アフリカ、イベリアと転戦して、ポンペイウス派の残党や元老院の重鎮たちを端から屈服させていきます。内乱を平定したのが前四六年、カエサルはローマで凱旋式を挙げました。

勝ち残りはカエサルです。もう実力者はひとりです。一人支配の状態ですね。しかし、ここからがローマの難しいところです。共和政の国是として、独裁は絶対に認めない。トップの執政官も二人で、権力は決してひとりに独占させない。独裁官はひとりだけれど、任期は半年のみ。都市国家の規則に縛られながら、なおカエサルは政務官を歴任します。

前四八年に独裁官、前四七年に執政官さらに独裁官、前四六年に執政官、そして十年の独裁官、前四五年に執政官、前四四年には執政官、さらに終身独裁官になります。前のスラと同じです。しかし、スラはローマの反感を見越して、すっと身を引きました。

カエサルはどうするか。カエサルは引退などしませんでした。そのうち王になるのじゃないかと、ローマでは噂が立ち始めます。やはり王しかないのか。アレクサンドロス大王のマケドニア王国に倣って、王国を巨大化させるしかないのか。しかし、それはローマでだけは絶対に許されないのだと、動いたのが熱烈な共和主義者たちでした。

前四四年、カエサル暗殺が決行されます。元老院の議場で皆で滅多刺しにしたのです。

「ブルートゥス、お前もか」

この台詞でも有名な事件ですね。暗殺犯のひとりがブルートゥスで、カエサルの愛人の息子、カエサル自身も息子同然に可愛がってきた若者でした。しかし、ブルートゥスは古い門閥で、ローマ史上最初の執政官がブルートゥスです。古のローマ王を追放して、共和政を開いたのが、ブルートゥスの先祖なわけです。

ブルートゥスは、この父祖伝来の信条を守ったということです。身を引いたスラは、やはり賢かったのか。引かなかったカエサルは死にました。本能寺の変の織田信長じゃないけれど、ここまでやってきたというのに、あっけなく殺されてしまいました。

行き詰まりも打開されません。大きなローマを小さな都市国家の仕組みで治めるという矛盾は、そのままに残りました。また歴史は後戻り、でないとしても足踏みを余儀なくさせられます。さらに前進するより、まずカエサルの跡目を決めなければならないからです。

「帝国」が世界史に初めて誕生する

カエサルの子供はというと、ユリアという娘がいました。ポンペイウスに嫁がせましたが、前五四年に亡くなっていて、三頭政治の縛りが弛んだ一因ともいわれます。

愛人のクレオパトラのところには、カエサリオンと名づけられた息子がいました。けれど、まだ幼い。エジプトにいて、ローマ人でもないので、もとより跡継ぎにはなりません。

カエサル自身、実子にはこだわりませんでした。生前から遺言で相続人に指定したのが姪の子で、オクタウィアヌスという十八歳の若者でした。オクタウィアヌスは大伯父の死を告げられ、留学先のギリシアから急ぎローマに帰国します。

とはいえ、あくまで相続人、私人カエサルの跡目ですね。公人としての跡目は別と、俄然前に出てきたのがアントニウスでした。カエサル幕下の将軍で、いってみればカエサルの右腕だった男です。

前四四年には、執政官も務めていました。とはいえ下手も打ちまして、カエサルを暗殺したブルートゥスやカッシウスに、大赦を与えてしまいます。それだけ元老院の圧力が強かったということで、門閥を押さえないことには跡目争いも何もないんです。

前四三年、アントニウスは同じくカエサルの幕下にいたレピドゥスを誘い、オクタウィアヌスに三頭政治を申し入れます。これをオクタウィアヌスが受けたというのは、さしあたり政権を安定させて、まずはカエサル暗殺犯を追討するためでした。

出遅れたようなオクタウィアヌスも、織田信長死後の豊臣秀吉よろしく、ここで一気に株を上げます。猛追撃を敢行するわけです。前四二年、ギリシアに逃れて、軍隊を集めていたブルートゥス、カッシウスらは、フィリピの戦いで討たれて、最後は自害に追いこまれました。

アントニウスはパルティアを掃討するといって、そのまま東方に留まります。ところが、たまたま呼びつけたエジプト女王クレオパトラ、かつてのカエサルの愛人ですが、この絶世の美女に籠絡されてしまい、パルティアでなくエジプトに向かってしまいました。

オクタウィアヌスはローマで力を蓄えます。前三六年、レピドゥスを失脚に追いこみ、自ら第二次三頭政治を解消、アントニウスとの決戦に備えます。アントニウスはエジプトに入り浸りで、ファラオ気取りで日々をすごし、クレオパトラと結婚したともいわれています。あげくフェニキア、シリア、キプロス、キリキアというローマ属州をエジプトに与える約束までしたとも。

前三三年、執政官になっていたオクタウィアヌスは、元老院でアントニウスを告発します。前三二年、ローマの名において、プトレマイオス朝エジプトに宣戦布告がなされました。前三一年に迎えたのがアクティウムの海戦で、これに敗れたアントニウスとクレオパトラは、アレクサンドリアに帰り着くと、そこで自殺してしまいます。

ちなみにエジプトですが、これでプトレマイオス朝は滅亡、それからはオクタウィアヌス個人の領土とされました。事実上はローマの支配下ですね。マケドニア、シリアと合わせ、アレクサンドロス大王の王国は、ローマに受け継がれた格好です。

さすがのクレオパトラも、今度ばかりはエジプトを守れませんでした。カエサルもアントニウスも、はっきりいえば手玉に取られてしまったわけで、女の色香に弱い中年男の哀しさですね。

そこへいくと、オクタウィアヌスは若い。クレオパトラより年下です。おばさん、いい加減にしろよ、くらいの乗りで、容赦なかったんでしょうね。そのあたり、女ですから、クレオパトラはわかりますね。あきらめて、自ら命を絶ったという所以(ゆえん)です。

なぜ王を認めないローマが「皇帝」を認めたのか

さて、オクタウィアヌスが勝ちました。また、ひとり勝ち残りです。一人支配の状態はスラ、カエサルと同じで、これで三度目です。しかし、ローマの独裁嫌いも、再三みてきた通りなわけです。

連年で執政官になる、終身独裁官になる、王になる、そんなふうに無理押しすれば、大伯父と同じように暗殺されてしまうかもしれない。それでは元も子もないと、スラのように身を引くか。しかし、それではローマは変わらない。同じことの繰り返しで、前に進むことができない。

オクタウィアヌスは悩んだでしょうね。前二九年に「プリンケプス」を名乗ります。これはつまりは「第一人者」ですが、元老院議員の筆頭くらいの意味しかありません。しかし、このプリンケプスとして数年かけて、非常に慎重に事を運んでいくわけです。

結論から明らかにしますと、オクタウィアヌスは帝政を始めます。すなわち、王ではなく、皇帝になりました。オクタウィアヌスというのは、初代ローマ皇帝アウグストゥスのことなんですね。

それにしても、首を傾げてしまいます。絶対に王を認めないローマが、どうして皇帝なら認めるんだと。王と皇帝で、ぜんたい何が違うんだと。

皇帝のほうが王より少し格上という感じはしますが、じゃあ何が違うんだといわれれば、そんなに違うようにはみえません。王が治めれば王国、皇帝が治めれば帝国で、どっちも王朝というか、世襲で地位を継いでいくわけです。

中国の皇帝なんかも、そうですね。インドの皇帝も、後のヨーロッパの皇帝だって、その感は強くあるわけです。にもかかわらず、どうして王は駄目で、皇帝だといいのか。

帝国というのは英語で「エンパイア」ですね。ラテン語では「インペリウム」といいます。皇帝は「エンペラー」で、これもラテン語の「インペラートル」からきています。このインペラートルという言葉ですが、実は共和政ローマでも使われていました。スキピオもインペラートルと呼ばれたことがあったし、カエサルも然りです。

インペラートル——元が「インペロー」という動詞で、「命令する」とか、「指揮する」とかいう意味です。そこから派生した言葉なので、原義的にインペリウムは

「命令権」とか「指揮権」、インペラートルは「命令者」とか「指揮官」くらいに訳されます。

執政官にシチリアのインペリウムを与えられて、スキピオはインペラートルとして属州シチリアに赴任した、くらいの言い方ができるのも、そのためです。元を辿ればインペリウムは権限、職権、インペラートルは官職、役職にすぎないんです。それが、どうして帝国になり、皇帝になっていったかというと、オクタウィアヌスの地道な積み重ねなんです。

前二七年一月十三日、オクタウィアヌスは元老院に、非常大権を全て返上すると告げます。全く手を引かれても困るので、元老院はオクタウィアヌスに属州の支配を依頼します。オクタウィアヌスは安全な属州の支配は元老院に委ねたい、軍団を駐留させなければならない辺境国境の属州は自らが担当しようと答えます。

オクタウィアヌス、これでひとつ手に入れましたね。属州総督の職権、プロコンスル命令権です。一月十六日、元老院から「アウグストゥス（尊厳者）」の称号を与えられ、以後は「インペラートル・カエサル・アウグストゥス」と名乗るようになります。「尊敬されるべきカエサルを継いだ命令権を持つ者」というのが、ローマ皇帝アウグストゥスの称号なんですね。

しかし、まだ属州を支配する権限だけです。前二三年、アウグストゥスは今度は護民官の職権を手に入れます。これでローマを支配する命令権を帯びます。

プロコンスル命令権も、自らが持つものは上級プロコンスル命令権に格上げして、元老院議員が総督になる属州でも、権限施行が可能になるようにしました。このとき前三一年から務めてきた執政官職――ローマとイタリアを支配する職権ですね。これをいったん返上します。そのうえで前一九年、改めて執政官の職権、コンスル命令権ですね。これを与えられるわけです。

アウグストゥスは属州を支配する属州総督のインペリウム、ローマを支配する護民官のインペリウム、ローマとイタリアを支配する執政官のインペリウムとを、兼ねることになりました。全て共和政の職権です。王ではない。独裁者ではない。ただ属州総督になりますよ、同時に護民官になりますよ、執政官も兼ねますよ、というふうに、**オクタウィアヌスは要職をひとつひとつ集めたんです。そうすることで全能の力を振るえるようにした**んです。

これがローマ帝政の始まりです。しばしば世襲で受け継がれるので、皇帝も王と変わらない感じになっていきますが、基本的には役目です。共和政、というより共和制ですね、その職務、機構、機関も変わっていません。ローマ皇帝は共和国の皇帝なんです。共和制が廃止されて、専制君主制に変わるのは、帝政が始まって何世紀もたってからです。

苦肉の策の感もありますが、とにもかくにも、一人支配の新たな形が生まれました。皇帝が統べる帝国――これは古代ローマの発明だと思います。

世界帝国になって失われた国家への帰属意識

アレクサンドロス大王の「世界征服」も、国家の体裁は整えられませんでした。その憾みで、大王の死後あっという間に崩壊します。もしアレクサンドロスが長生きしていたら、きちんと国家が整備されたのか。いや、仮に長生きしても、できなかったかもしれない。それくらいの難事業ですね。

これにローマは百年の内乱で、二度の挫折を乗り越えたあと、ようやく三度目にして皇帝が統べる帝国という、一人支配のひとつの答えを出したわけです。

役職あるいは公職としての皇帝――この考え方は拡大も可能ですね。国家の指導者も王となると、どこか特定の地域とか、部族とか、地縁血縁とかに自ずと縛られます。マケドニア王国とか、都市ローマとか、ですね。しかし、皇帝は限定されない。公人であるからには、公があるかぎり、どこまでも指導者であり、支配者なわけです。

皇帝というのは、つまり普遍的な地位なんですね。これなら私がいうユニヴァース、そのトップに立つに相応しい地位です。**ローマ帝国の歴史的価値というのは、ユニヴァースに上から形を与えた、皇帝を戴く世界帝国の形を示した点**だと思います。

もうひとつ、広げられるほうの公の問題、下で帝国を構成する人々の問題があります。端的にいえば、ローマ市民権の問題です。

スラが平定した内乱、同盟市戦争ですが、これは同盟市としてローマ連合に加わってきたイタリア諸都市が、自分たちにも市民権をよこせと起こした戦争です。その声に応えて、前八七年にはパドゥス河、今のポー河ですが、これ以南の全イタリア人に、ローマ市民権が付与されることになりました。

カエサル、そしてオクタウィアヌスの時代にも、市民権の付与が増えます。国家のために特別な貢献をなした者は、ローマ市民になれましたし、また金で市民権を買うこともできました。普請や宗教儀式の援助者となることで、市民権を手に入れる者もいました。

なかんずく、アウグストゥスの時代からは、属州民が補助兵としてローマ軍に志願し、この兵役を満期除隊して済ませた者には、市民権が与えられるようになりました。市民権を持つ者は、みるみるうちに増えていきます。属州が増えれば、当然ながら候補者も増える、市民も増えていくわけです。

ただ、どうなんでしょうか。二一二年、これから二世紀ぐらい後ですが、カラカラ帝の時代には、帝国の全自由民にローマ市民権を与えるべしと発表します。その何が悪いのかといえば、悪いことなどないのかもしれませんが、そんな大盤ぶるまいをしていたら、帝国に対する帰属意識は薄れてしまうんじゃないでしょうか。

アレクサンドロス大王のときからの問題です。アテネやスパルタやテーベなどのポリスというのは小さいし、非常に閉鎖された世界だったけれど、一方ではやっぱりアテネ市民とかスパルタ市民とかテーベ市民とかは、特別な身分、選ばれた資格であって、だからそれを持つ人間同士の団結力は強かったわけです。

アテネはずっとアテネ、スパルタはずっとスパルタでいる所以ですね。ところが、マケドニアの場合はマケドニア市民権はないと。フィリッポス二世やアレクサンドロス三世みたいな有能な王が出ると、一気に版図を広げられるわけですが、それも壊れるときは脆く、もう一瞬にして崩壊してしまいます。

ローマも最初は都市国家で、ローマ市民権も限定されていました。だから、ずっとローマでいられたわけです。それが際限なく広げられて、ローマ市民であることなんか当たり前、ローマ市民であることは珍しくない、ありがたくもなんともないとなってしまったら、ローマ市民であることにも執着しないとなって、求心力は衰えざるをえないのかなと。

世界帝国になって、版図を広げれば広げるほど、国家に対する帰属意識は薄れるし、その求心力も衰える。どうしたらよいのかというのが次なる問題、我が歴史こそユニヴァーサル・ヒストリーと胸を張れるための、次の一歩なんだろうなと思います。

第三章

キリスト教と西世界・東世界の誕生

――なぜローマは多神教から一神教に変えたのか

イエスの誕生はなぜ旅の途中だったのか

ここからはキリスト教の話を、ちょっとしていきたいと思います。なんでキリスト教なんだというところは、あとで論じるつもりですが、さしあたりはローマのなか、ローマ帝国のなかですね、そこで起きた話だということで聞いてください。

先ほどまで話してきたポンペイウスとか、アントニウス、オクタウィアヌスなんかも、実はキリスト教の誕生に無関係ではありません。ポンペイウスは属州総督として東方を押さえていましたね。このとき実はユダヤの国も押さえていました。

キリストが生まれたときの王が、ヘロデ・アルケラオス、ヘロデ・アンティパス、ヘロデ・フィリッポスと三人いました。ヘロデ朝の二代目たちで、初代ヘロデ大王が亡くなったあとに、王国を三分割していたんですね。

このヘロデ朝ですが、アントニウスが東方に赴いたとき、この有力者を後ろ盾に頼んで、ローマの子分というか、ローマの保護国の主として、ユダヤの国を支配した君主です。

ローマ時代、今のイスラエルのあたりにカエサレアという港町がありました。十字軍の時代にはエルサレムの玄関口として知られましたが、これもヘロデ大王が初代ローマ皇帝アウグストゥスに使ったおべっかで、その「ガイウス・ユリウス・カエサル・オクタウィアヌス・アウグストゥス」の名前から「カエサル」をいただきましたと、それでカエサレアなんですね。

ヘロデ・アルケラオスの王国は、紀元六年にローマに取り上げられてしまい、属州ユダヤになりました。このときカエサレアは、その州都になっています。

そういった時代のユダヤの国のベツレヘムで、イエス、ヘブライ語では「ヨシュア」ですが、キリスト教の始祖になる後のイエス・キリストが生まれました。紀元前の四年ぐらいだろうといわれますから、属州になる前のヘロデ・アルケラオスの王国の内でした。

旅の途中の厩（うまや）で生まれたという、有名なエピソードがありますが、あれはオクタウィアヌスが関係しています。帝政を築いたときに、税金を取るための台帳を作るから、皆のもの本籍地に戻りなさいと命令を出したんです。

ユダヤの国も例外ではなく、キリストの両親も本籍地に帰らなければならなくなって、母親のマリアは身重だけれど、仕方がないと父親のヨセフは旅を始めて、その途中で生まれてしまったというのが、キリストの生誕なんですね。

だから、ローマとは非常に係わりが深い。後々も深く係わっていきますが、さておき、キリストは、ガリラヤ地方のナザレで育ちます。こちらはヘロデ・アンティパスの王国です。

当時のユダヤの国は一部はローマの属州になり、他は保護国の扱いでしたが、自身の宗教を奉じることは認められていて、それがユダヤ教でした。

このユダヤ教に関連して、ユダヤの国の歴史というのも、もっと古くからあります。聖書の記述ですから、それこそ神話の類（たぐい）ですが、信じるならば紀元前十七世紀まで遡れます。独立していた時代あり、属国になっていた時代ありですが、とにかくユダヤの歴史は相当に長いんですね。

その長い歴史のなかで、ユダヤ教も様々な会派に分かれていきます。例えばサドカイ派はエルサレム神殿での祭儀を重視する会派でした。パリサイ派と呼ばれる会派は、キリストが生まれた当時、最も勢力があった一派ですが、律法を厳守するんだという考え方でした。

ユダヤ教というのは、有名なモーゼの十戒のように、あれをしちゃいけない、これをしちゃいけないと、神さまに与えられた戒めがあって、それをきちんと守る者が救われる。モーゼの十戒が一番知られていますが、実はもっと沢山の、より細かな戒律がありました。そのユダヤ教の戒律、律法にまず通じる、そして実践するというのが、パリサイ派の考え方です。

そこまで厳格に律法を知る――やっぱり知る余裕がないと駄目ですね。守るというのも、守る余裕がないとできない。結局のところ、裕福な人しかパリサイ派になれない。日々の仕事に追われている人なんかは、やっぱり無理です。

ユダヤ教というのは、もともとユダヤ人が神と契約をして、ユダヤ人だけが救われるんだという選民思想的な傾向がありますが、パリサイ派は輪をかけた選民思想といいますか、戒律を知り、きちんと守れる人だけが救われる。そういう考え方なんですね。

事実上は裕福な人だけが救われる。かかる一種の特権意識を抱いているような人たちが社会を牛耳り、それ以外の人たちを虐げている。その上にローマの支配が乗せられている。そういう社会だったわけです、その当時のユダヤの国は。

ここにイエスが生まれるわけですが、この人の生涯というのは、わからない部分が沢山あります。後に聖書に書かれて、あるいは聖書が作られて、読むと処女懐胎とか、死後の復活とか、色々な伝説があるんですが、やはり理解不可能な箇所が少なくない。

確かなのは、イエスがガリラヤで大工をしていたことですね。建具屋だという説もありますが、とにかく建築関係の仕事です。それと、もうひとつ、洗礼者ヨハネという人に、洗礼を授けられたということです。

イエスはなぜ「十字架」にかけられたのか

この洗礼者ヨハネも、パリサイ派からみると異端というか、そういう形容をしてしまえば、当時の新興宗教ですね。旧来の宗教の内だとしてもアヴァンギャルドな部類で、その洗礼を受けたイエスも、またユダヤ教のなかでは先鋭的ということになります。

それが二十八歳くらいから伝道活動を始めて、一派を率いるようになりました。イエスと十二人の弟子たち、聖ペテロになる漁師のシモンをはじめとした、後の十二使徒たちですね。イエスには今でいうカルトの教祖みたいな一面もあったと思います。

思想も過激だったのかもしれませんが、それも詳しくはわかりません。キリストの活動は伝わっています。パリサイ派が主流を占めるユダヤ社会のなかで、律法を知らなくてもいいじゃないか、守れないところは守れないで仕方ないじゃないか、まず神を信じようじゃないか、ということを言ったんですね。神を信じることで救われる。神との契約を守る守らないということより、神を信じる心が大事で、その信仰心があれば救われるんだよと。悪人でも、貧しい人でも、人を選ばずに救われるんだよと。そう教えるイエスこそ、救世主なのだよと。

換言すれば、パリサイ派に代表されるような、差別的で、閉鎖的なユダヤ教から、開放的な、人を選ばないユダヤ教に変えていこうと、そういう運動だったみたいです。

後にキリスト教になりますから、イエスはユダヤ教と敵対していたと誤解されているかもしれません。しかし、あくまでユダヤ教の運動です。ユダヤ教を否定したわけではありません。

それでも、やはり異端分子、反社会的分子ともみられます。パリサイ派なんかは、あいつらは間違っている、救世主を名乗るなんて思い上がりも甚だしい、と激怒します。このまま捨て置くわけにはいかない、ユダヤの国の害にもなるんだからと、そのときイエスは属州ユダヤにいましたから、ローマから派遣されたユダヤ総督ピラトゥスにイエスを告発しました。そのままイエスは紀元三〇年頃、エルサレムで処刑されてしまいます。十字架にかけられての処刑、いうところの磔刑ですね。

キリスト教というと、シンボルが十字架で、とりもなおさずイエスが十字架で磔にされた話からきているわけですが、このとき十字架を用意したのは、当然ながらローマです。イエスが自分を処刑するなら十字架にしてくれ、なんていうわけがありませんね。どうしてローマが十字架を出してきたかというと、それは国家に反逆した人間に対する処刑法だからです。

ローマの内乱の一世紀に、スパルタクスの乱という事件がありました。三頭政治のクラッススが平定した剣闘士奴隷の反乱でしたが、あのスパルタクスたちも反逆罪で処罰されて、十字架に磔にされています。キリスト教のシンボルではなくて、もともとはローマに対する反逆のシンボルなんですね。後の経緯を考えますと、なんとも皮肉な話です。

イエスの処刑までだと、カルトの指導者が過激な活動をして、とうとう処刑されてしまったという、ありがちな話に留まります。処刑されたイエスが死後に復活を果たしたという超自然的な展開、キリスト教のなかでは重要な奇蹟を含めたところで、恐らくは他にも類例のある話にすぎないでしょう。

しかし、そうそうないのが、残された弟子たちの活動です。このままイエスの教えを廃れさせるわけにはいかない、もっと布教していかなければならない、積極的に伝道していかなければならないということで、活動を続けるのみか、新たな活動を始めるわけです。

「キリスト教」が生まれた場所はエルサレムではない

活動を続ける——というのは、前にいったような活動ですね。律法にこだわらない、ユダヤ教をもっと開放的なものにする、パリサイ派がいうように豊かな人、地位のある人、余裕のある人だけでなくて、労働者でも、貧民でも、罪人であったとしても、みんな神を信じれば救われるんだと、そういうイエスの教えを広めていこうと。

かかる伝道に勤しむというのは、指導者が処刑された後ですから、周囲の目もあったでしょうし、本当に大変だったと思います。ただ、まだキリスト教の話ではない。あくまでユダヤ教の話、ユダヤ人のなかでの話なんです。ユダヤ人だけが神と契約を結べるし、ユダヤ人だけが救われる。基本的にユダヤ教の枠内にある活動なんですね。

場所もエルサレムが中心です。イエスが処刑された属州ユダヤの都市ですね。州都はカエサレアに移されていましたが、なお大都市ではありました。またアンティオキアにも信徒集団があって、エルサレムの監督下で活動していました。

いずれにせよ、ローカルな活動です。もちろん近隣にも伝道しますが、やはりユダヤの国に留まっていたし、ユダヤ人に限られていた。それが最初の活動です。

キリストが処刑されたのが三〇年頃ですが、三四年に、ひとつの転機が訪れます。なにかというと、パウロもしくはヘブライ名のサウロが登場するわけです。

ペテロを筆頭にした十二使徒、これが最初の弟子たちで、伝道活動の主体です。パウロといえば、ペテロと並ぶ聖人で、とても知名度があるわけですが、実は十二使徒ではないんですね。イエスが生きていた頃にイエスに会ったことはないんです。

その教えを聞いたのもイエスの死後、ペテロたちの伝道活動を通じて、ようやく知るにいたりました。しかも、パウロははじめ嫌悪感を抱いたというんですね。

ユダヤ人でしたから、当然ながらユダヤ教徒で、しかも当時の大半がそうだったパリサイ派、厳格なパリサイ派でした。パウロは、過激な異端分子としてペテロたちを嫌った、もっといえば迫害したほうだったんです。

「ところが、旅を続けて、真昼頃ダマスコ（ダマスクス）に近づいたとき、突然、天からまばゆい光が私の周りを照らしたのです。

私は地に倒れ、『サウロ、サウロ。なぜわたしを迫害するのか』という声を聞きました。

そこで私が答えて、『主よ。あなたはどなたですか』と言うと、その方は、『わたしは、あなたが迫害しているナザレのイエスだ』と言われました」

新約聖書、使徒の働き、九の三〜五から引きましたが、一種の超常体験ですね。これを境に回心して、パウロは迫害する側から移ります。アンティオキアの信徒集団に属して、伝道活動に加わるわけです。

これがイエスの教えに転機をもたらしました。以後、活動の範囲がエルサレムを離れて、ユダヤの国の外にまで広がっていくからです。ユダヤ人にこだわらないことにもなりますから、不可避的に活動の質も変わっていきます。

どういうことかといいますと、まずパウロは「ディアスポラ」、ユダヤの言葉にいう「離散の民」なんですね。ユダヤ人という民族は、今も世界中あちらこちらに散らばっていますけれど、国を失う、故郷を失うというのは、この後の時代の話です。

ただユダヤ人は前五九七年、新バビロニアのネブカドネザル二世にユダ王国が屈服させられたときから、たびたびバビロンに強制移住させられています。いわゆる「バビロン捕囚」ですね。後に故国に帰されますが、ここで帰ってこなかったり、余所に住み着いたりしたユダヤ人もいました。これがディアスポラの始まりです。パウロは小アジア、今でいうトルコですね、キリキア地方のタルソスで生まれたといわれています。

言い方を変えれば、エルサレムの人間ではない。ユダヤ人ではあるけれど、ユダヤ人ばかりに囲まれてきたわけでもない。エルサレムとか、ユダヤの国とかに縛られる発想が、土台が希薄な人だったわけです。

もうひとつには、さきほど厳格なパリサイ派だったといいましたが、それは一定以上に裕福だったことを意味します。裕福な家に生まれれば、このあたりはローマの支配下に組み入れられているわけですから、例のローマ市民権、それをパウロは持っていました。こういう人間がイエスの教えを伝道しようと、活動に加わったわけです。

ペテロたちは変わらずエルサレム中心で、ユダヤ人にと固執するわけですが、パウロはもっと広く伝道してもいい、ユダヤ人にこだわらずに広めるべきだと考えます。「異邦人の間に御子を宣べ伝えさせるために、御子を私のうちに啓示することをよしとされた（ガラテヤ人への手紙、一の一六）」という認識なんですね。

パウロは小アジア、マケドニア、ギリシアなどへ、三回ほど伝道旅行に行きました。アンティオキアの信徒集団では、かえってユダヤ人でない人のほうが多くなったともいわれます。

小アジア止まり、ギリシア止まりといわれるかもしれませんが、ここからより大きな世界にリンクしていきます。鍵になるのは、ギリシア語です。

アレクサンドロス時代から、ずっと国際語になっていたと、前に話したと思います。このシリアのあたりも、アレクサンドロスが征服した地域ですから、ギリシア語の世界です。少なくとも支配階級の教養語としては、ギリシア語が解されていた。

パウロも裕福な家の出ですから、当然ギリシア語を知っていたし、それが国際語として使えることもわかっていた。そのうえでパウロは、イエスの教えをギリシア語で伝道することにしたんですね。

例えば、「キリスト」という言葉も、実はギリシア語です。「救世主」という意味ですが、ユダヤ人の言葉、ヘブライ語では「メシア」になります。救世主イエスという場合、はじめは「ヨシュア・メシア」だったんです。

ヨシュア・メシアといえば、ユダヤ人はわかります。しかし、他には伝わりません。イエス・キリストといえば、ギリシア語を解する人には、救世主イエスなんだとわかってもらえる。キリスト教という呼び方は、ここに始まるわけです。生まれたのはエルサレムでなく、パウロが属したアンティオキアだったんです。

ローマ帝国が世界伝道の助けになった

イエスの教えは、ギリシア語に乗って世界に運ばれることになります。それはヘレニズム世界だけではありません。**ローマがギリシアかぶれですから、ローマが広がるところには、ラテン語のみならずギリシア語も伝わっていく。キリスト教もローマの版図が尽きるまで、難なく伝わるということです。**

ローマ帝国の存在そのものが、伝道の助けになりさえします。パウロが持っていたローマ市民権ですね。これがあれば、ローマ帝国中どこでも行くことができるんです。その先でギリシア語ができるローマ市民を熱心な信者にできれば、その者がさらに先に伝道する使命を担います。そうしてキリスト教は、どんどん広まっていくわけです。

パウロは伝道旅行を繰り返します。ペテロも最初のうちは、そんなことしなくていい、ユダヤ人だけの宗教でいいんだといっていましたが、だんだんパウロの活動に共感していく。なるほど全世界に広めるべきなのだと、四四年にはアンティオキア教会に移り、伝道に従事します。

エルサレムのほうはイエスの弟、ヤコブが指導的な立場に就くようになりました。しかし、これが問題だったんですね。

ヤコブという人は、兄の教えを正しく理解しなかった憾(うら)みがあります。エルサレムの活動も反動化してしまい、あれだけ律法にこだわるなと言われたのに、それを復活させてしまう。例えば割礼ですね。それをユダヤ人はおろか、ユダヤ人でない者にも強要するようになる始末でした。

当然ながらパウロの活動、その前衛的な働きなんか、気に入りません。五五年、パウロがエルサレムを訪ねると、取り囲んでリンチを加えます。ローマの千人隊長に保護されますが、そのパウロをヤコブたちの仲間は、律法違反、神殿冒瀆(ぼうとく)、反逆罪で告発するんですね。

なんだか、かつてのイエスと似ています。しかし、パウロはローマ市民権を持っていたため、それを盾に皇帝の裁きを訴えて、ローマに送られることになりました。これも神の計らいか、パウロ自身がローマに行けることになったのです。

「こうしてパウロは満二年の間、自費で借りた家に住み、たずねて来る人たちをみな迎えて、大胆に、少しも妨げられることなく、神の国を宣べ伝え、主イエス・キリストのことを教えた（使徒の働き、二八の三〇～三一）」

パウロが到着した時点で、ローマにはキリスト教を奉じるユダヤ人のグループがあったといいますから、やはり驚くべき速さで広まっていますね。そこにパウロまで来て、どんどん発展するかといえば、そんなに簡単な話ではありませんでした。

ユダヤ教にとっても異端分子、ユダヤ人にとっても過激だったからには、ギリシアやローマにしてみれば、もう本当に変な宗教だなという感じだったでしょうね。ユダヤの人たちがその国、ローマの保護国の片隅で、自分たちの神さまとして、ひっそり拝んでいるのなら勝手だけれど、こちらまで来て、わけのわからない教えを説いて歩かれたら、気味が悪くて仕方がないというのが本音でしょうか。

ローマ史でキリスト教といえば、最初のうちは迫害の歴史になります。有名なのが六四年、ネロ帝の大迫害ですね。自分がした放火の罪をキリスト教徒たちに着せて、犬に噛み殺させて処刑したとか、その遺体を夜の灯火がわりに燃やしたとか、残虐な逸話も伝えられています。

この前後にパウロのみならず、後を追いかけて、ペテロもローマにいたといわれます。確かな史実は確認されていませんが、パウロも、ペテロも、ネロ帝の迫害で殺されたと、そういう伝承になっています。

その逸話は映画『クォ・ヴァディス』でも、知られていますね。迫害のローマを逃れて、アッピア街道を南に向かうペテロは、朝日のなかにイエス・キリストをみるんですね。

「クォ・ヴァディス、ドミネ（主よ、どこに行かれるのですか）」

ペテロが聞くと、イエスは「おまえが私の民を見捨てるなら、私がローマに行き、再び十字架にかけられるしかない」と答える。ペテロは慌ててローマに引き返し、パウロとともに殉教したとされるわけです。

後の話になりますが、今に続いているローマ教皇、その初代はペテロとされています。だからヴァチカン市国にあるのは「サン・ピエトロ（聖ペテロ）大聖堂」なんですね。それもローマ伝道と、迫害による殉教の伝承からきたわけです。

余談ながらユダヤの国の末路に触れれば、六六年に反ローマを掲げたユダヤ戦争を始めたため、ローマ軍に攻めこまれてしまいます。七〇年、後の皇帝ティトゥス

●サン・ピエトロ大聖堂

ペテロ殉教の地に建つヴァチカン市国を代表する大聖堂。カトリックの総本山。４世紀にコンスタンティヌス大帝が建立した。

の大攻勢でエルサレムが陥落、百数十万人が殺されてしまいました。

一三一年には第二次ユダヤ戦争となり、一三五年までには徹底的に鎮圧されます。ハドリアヌス帝はユダヤ教の否定、ユダヤ人の追放にまで踏み切りました。完全な廃墟と化したエルサレムを、ローマ植民市に作り替える——つまりはカルタゴと同じ処置でした。

なお生きたいと思うユダヤ人は、故郷を離れなければなりません。祖国のない民として、全世界に散らばっていくという歴史が、ここに始まるわけです。

外に出ていくキリスト教も、内に留まるユダヤ教も、ともに受難を余儀なくされたというわけです。

キリスト教徒はなぜ迫害されたのか

キリスト教徒を迫害し、ユダヤ教徒からは祖国を奪う。そのローマの歴史に、そろそろ話を戻しましょう。

帝政は揺るぎなく続いていました。共和政の時代と違って、指揮命令系統が一元化されていますから、やはり広大な版図の支配が効率的に行われるようになったんですね。

細かなトラブルは様々ありながら、ローマ帝国は変わりなく存立していて、九六年のネルウァ帝の即位からは、いうところの五賢帝時代ですね、安定の一世紀さえ迎えます。ダキア、パルティア、アルメニア、メソポタミア、アッシリアと遠征したトラヤヌス帝の時代には、帝国の最大版図さえ築きます。結果として、ローマ帝国が一番大きくなった時代ですね。

トラヤヌス帝が一一七年に没して、その後がハドリアヌス帝ですが、一二二年、ブリタニア島に「ハドリアヌスの長城」を造ります。後にイングランドとスコットランドの国境となる建物ですが、ローマ帝国はここまでだぞという印ですね。ここ

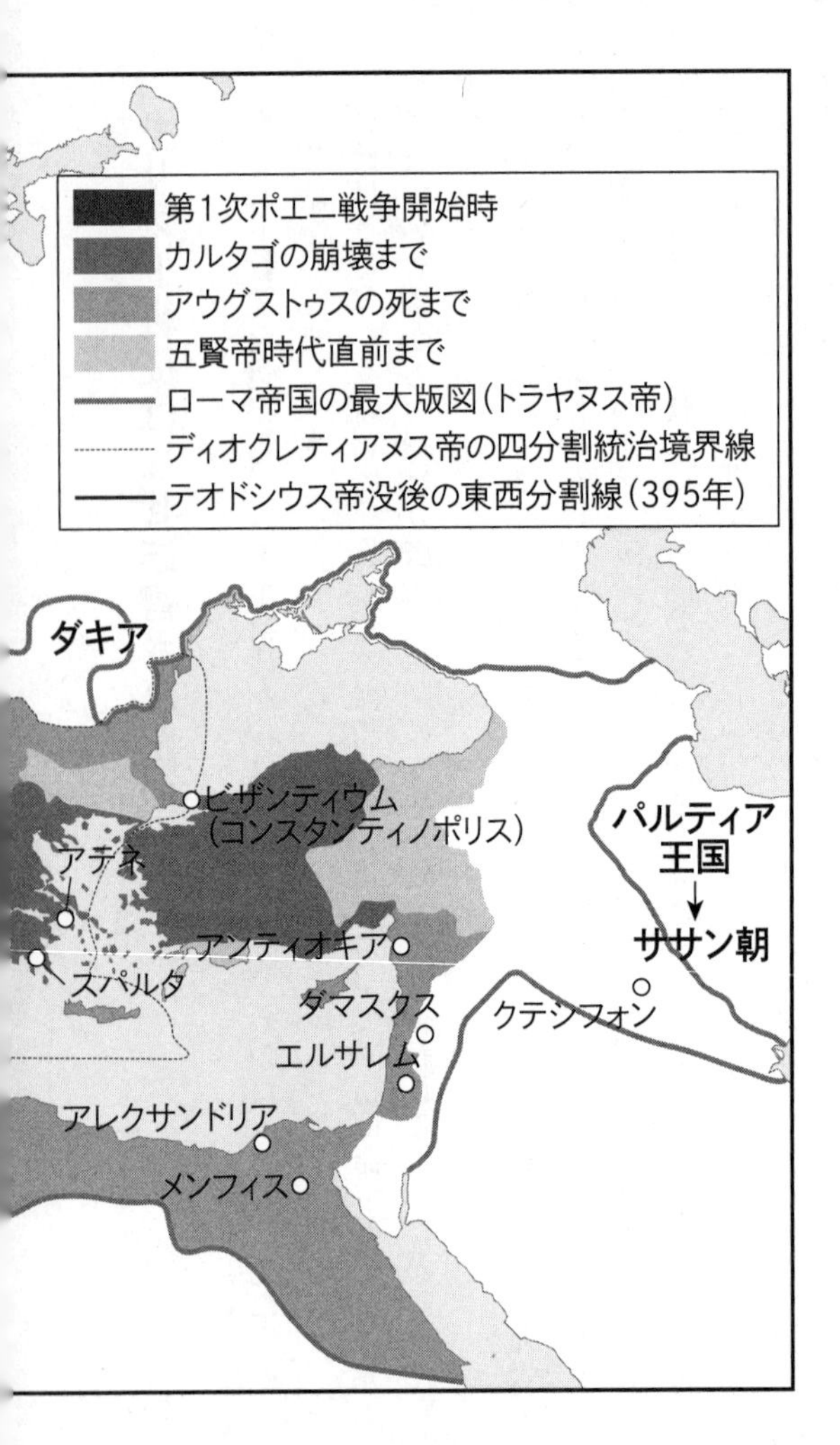
第1次ポエニ戦争開始時
カルタゴの崩壊まで
アウグストゥスの死まで
五賢帝時代直前まで
ローマ帝国の最大版図(トラヤヌス帝)
ディオクレティアヌス帝の四分割統治境界線
テオドシウス帝没後の東西分割線(395年)
ダキア
ビザンティウム
(コンスタンティノポリス)
アテネ
スパルタ
アンティオキア
ダマスクス
エルサレム
アレクサンドリア
メンフィス
クテシフォン
パルティア
王国
↓
ササン朝

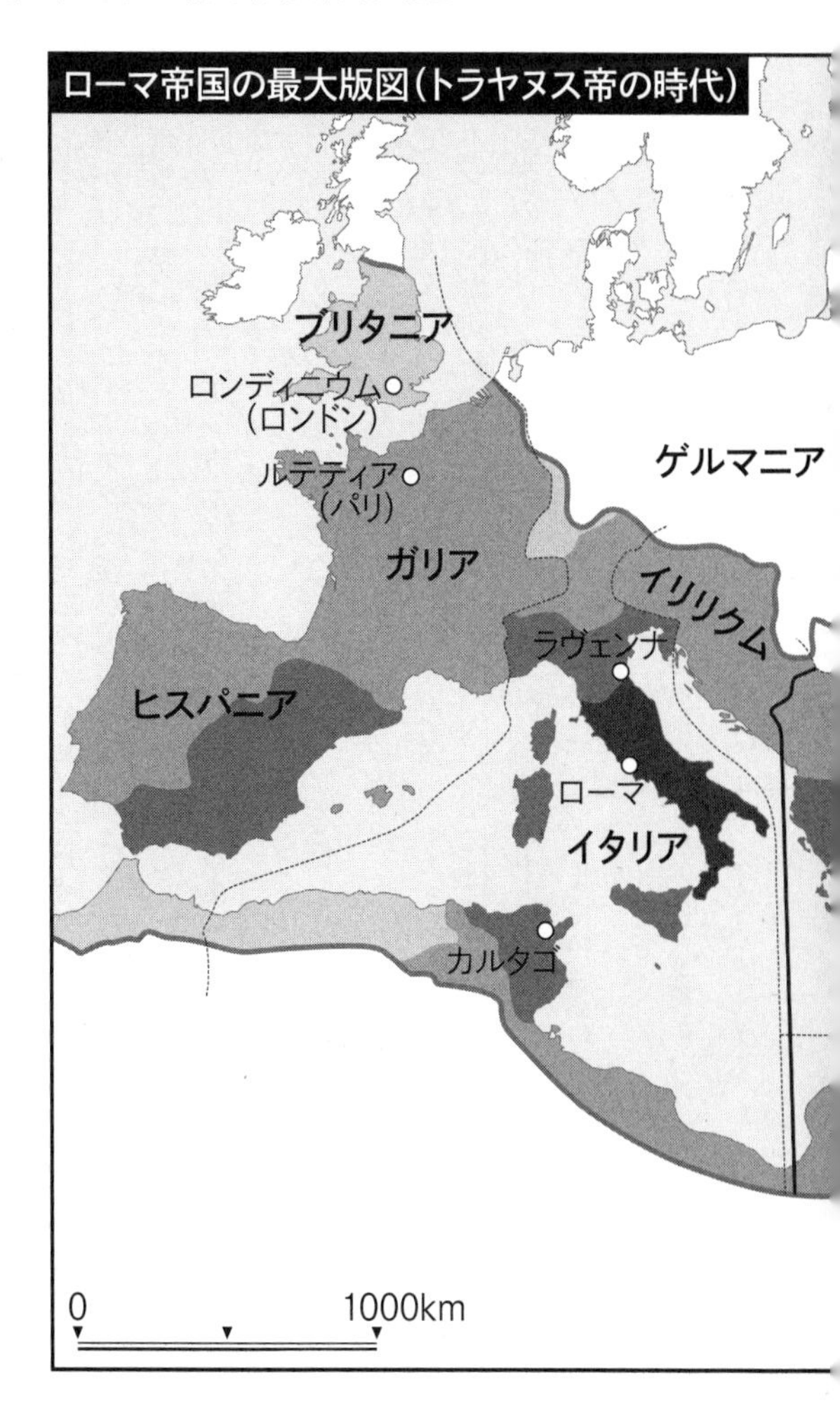
ローマ帝国の最大版図(トラヤヌス帝の時代)
ブリタニア
ロンディニウム
(ロンドン)
ルテティア
(パリ)
ガリア
ゲルマニア
イリリクム
ラヴェンナ
ヒスパニア
ローマ
イタリア
カルタゴ
0
1000km

で拡張路線でなく安定路線に変わりますが、内政が充実するローマ帝国は、ますます世界帝国らしくなります。

とはいえ、帝国が広がれば、その分だけ国境も広がり、外敵も増えていきます。この頃から、西ではゲルマン民族が国境を侵犯してくるし、東のほうではパルティアが反撃に転じます。ハリウッド映画『グラディエーター』のなかでも、マルクス・アウレリウス・アントニヌス帝は老境にいたるまで、旅から旅の国境防衛に追われていましたね。

五賢帝時代が終わると、ほどなくパルティアを倒して、ペルシアが立ちます。アレクサンドロス大王のときのペルシアはアケメネス朝でしたが、今度はササン朝です。これが東のほうで新たな脅威になります。

ローマが国境防衛で大忙しになれば、内政的には軍人が幅を利かせるようになり、皇帝の位さえ意のままにし始める。いわゆる軍人皇帝時代になります。兵卒の出身でも、皇帝になれる。皇帝というのは、あくまで役職だったという証左ですね。

後のフランス皇帝ナポレオンじゃありませんが、野心家という手合いにとっては、とても夢のある時代だったといえるかもしれません。しかし、五十年間に二十六人の皇帝が立ち、しかも「畳の上で死ねた」のは二人だけということですから、混乱の時代ともいえます。これを収拾したのが、二八四年に即位したディオクレティアヌス帝でした。

断行したのが、まずは皇帝権の強化です。アウグストゥス以来守られてきた共和政の諸制度が、そのために廃止されます。帝政も皇帝が主人（ドミヌス）としてふるまう、専制君主制（ドミナトゥス）と呼ばれる時代に入るわけです。

そうすると、なんだか矛盾にも感じられますが、ディオクレティアヌス帝は他方で帝国の分割統治も決断しました。

ローマ帝国は四方八方から外敵に脅かされる。これだけの国境を守るのは至難の業（わざ）です。いくらアッピア街道で軍隊が素早く移動できるとはいえ、最高指揮官である皇帝は一人なわけです。

一人支配の体制を築いたことが裏目に出たといいますか、あるいはこのへんが古代の限界というべきですか。科学技術が追いつかない。電報も、電話も、電子メールもありません。せっかく一元化された指揮命令も、遠距離を伝わりきらないんですね。

二八六年、まず帝国が二分されます。ディオクレティアヌス自身は正帝として帝国の東半分を治め、西半分は副帝マクシミアヌスに任せるという体制です。これが二九三年、さらに四分割になります。東西ともに正帝と副帝を置いて、全部で四分割して統治する四帝分治制（テトラルキア）です。

皇帝の大安売り、みたいな感もありますね。ディオクレティアヌス帝も大変といいますか、分けた分だけ皇帝の値段を上げなければならないというか、帝国に強制したのが皇帝崇拝でした。そのもの自体はアウグストゥスの時代からあるんですが、ディオクレティアヌス帝の場合は徹底して、自分を神として敬えと強いるんですね。

ここで、キリスト教徒とぶつかるわけです。キリスト教徒たちにとって「主」といえば、神のこと、救世主イエスのことなんですね。ローマ皇帝を神として崇めるなんて、絶対に考えられない。

ディオクレティアヌス帝にすれば、ローマ市民のくせに自分以外に「主」がいるなんて、こちらも認められないとなります。そこで再び大迫害なんですね。

ディオクレティアヌスが開始した迫害は三〇三年から三一三年のミラノ勅令まで続いて、キリスト教徒は集会の禁止、教会の破壊、聖書聖具の焼却、宮廷・官職・軍職からの追放と、徹底的にやられました。それでもキリスト教はなくならない。

江戸時代の日本でもそうでしたが、いったん洗礼を受けると、キリスト教徒というのは、容易に棄教しないいんですね。

ローマ帝国が抱える問題をキリスト教が解決した

ここで転機が訪れます。コンスタンティヌス大帝の登場です。

三〇六年に即位しましたが、それ以前は父親コンスタンティウスが東西に分割された帝国の西の正帝で、その父の死後に西の副帝になったという人です。しかし、これに甘んじるのでなく、まず自分の正帝を廃して西を統一します。それから東のほうもまとめようと動き始めたんですね。

ローマ帝国を再びひとつにしようということです。ひとつでなければ、帝国の意味がないいんじゃないかということです。コンスタンティヌス大帝は三二四年、七月のアドリアノープルの戦い、九月のクリュソポリスの戦いでリキニウス帝という東の正帝に勝利して、遂に単独皇帝になりますが、ここで大切なのは先立つ三一三年です。

この年にローマ帝国におけるキリスト教の公認が宣言されました。キリスト教を信仰してもよい、それを理由に不利益を被(こうむ)ることはないという、いわゆる「ミラノ勅令」です。

　コンスタンティヌス自身は臨終の直前に洗礼を受けて、キリスト教徒になって死ぬんですが、それは最後の最後になってからの話で、ここでは公認した、公人の態度として、まず認めたという段階です。ただキリスト教に相当な魅力を感じていたこと、のみならずキリスト教を帝国のために役立てたいと考えていたことは間違いないと思います。

　それじゃあ、その魅力とは何か。どんなふうに帝国の役に立つのか。

　キリスト教は、まあ、ユダヤ教からそうなんですが、一神教なんですね。一神教ですから、神さまは一人、頂点はひとつ、最終的にはひとつに収斂(しゅうれん)していく発想です。ところが、ローマの宗教はといえば、伝統的に多神教なんですね。

　ローマだけじゃありません。ギリシアも、そうでした。というより、ローマの神々は、ほとんどがギリシアの神々の焼き写しです。ギリシアの主神ゼウスは、ローマではユピテル（ジュピター）になります。海神ポセイドンはネプトゥヌス（ネプチューン）とか、美の女神アフロディーテはウェヌス（ヴィーナス）というふうに、ローマふうに名前を変えているだけですね。

基本的には同じで、いずれにせよ古代は多神教の世界です。本当に色々な神さまがいる。空に神さま、海に神さま、地底にまで神さまとか、どこにでも神さまがいるわけです。

まあ、日本の八百万の神みたいなものですから、感覚的にはわかりますね。世界の宗教を見渡すと、実は一神教のほうが少なくて、ほとんどが多神教なんですね。仏教にしても、ヒンドゥー教にしても、多神教です。

世界帝国たらんとするローマは、沢山の異民族も支配していくわけですが、それも大半が多神教の人たちです。山だったり岩だったりを畏れる自然崇拝もあれば、雷とか風、雲を敬う自然現象崇拝もありますが、いずれにせよ多神教で、一神教というのはキリスト教、あとはユダヤ教だけだったと思います。

ディオクレティアヌス大帝の皇帝崇拝なんかにしても、多神教の世界だから強要できたものです。もともと沢山の神がいるんだから、もう一人ぐらい神さまが増えても、別に大した問題ではないんですね。

しかし、キリスト教徒には問題です。皇帝崇拝なんて絶対に認められない。さきほどキリスト教徒は容易に棄教しないといいましたが、それも一神教であるがゆえの求心力の強さなのかもしれません。他に神さまがいるわけじゃありませんから、ひとつ失えば、もう終わってしまうんですね。

コンスタンティヌス大帝が魅力を感じたのは、この求心力だったのではないかと思います。**キリスト教の求心力を、帝国をひとつにまとめる求心力に、皇帝に全てを収斂させる求心力に転化できるとすれば、これほど役に立つ宗教もないわけです。**

つまるところ、ローマ帝国の精神的な支柱ですね。一神教の世界観というのは、一点集中の世界観と、非常に相性がいいわけです。

バラバラの神さまを信仰していて、バラバラの地域に住んでいれば、必ずしもローマである必要はない、なんて思うかもしれません。ローマ市民権も皆に与えられ、特別ありがたいものでもなくなれば、ローマ帝国に寄せる帰属意識も希薄になります。だから二分割にも、四分割にもしながら、支配の手を密に伸ばさなければならなくなる。

キリスト教はローマ市民権とは違います。市民権は人が与えるものですから、理屈でわかる。わかるから畏怖しない。比べると、宗教は違うんですね。人間に信仰する心があるかぎり、神さまがありがたくなるときはありません。

その神さまがキリスト教では一人、そこに皇帝が係わることができれば、政治組

織のみならず、精神的な構造においても、帝国はひとつにまとまっていく。まさしくひとつに向かう発想、ユニヴァースの発想です。ローマが世界帝国になるためには、一神教の支えを欠くことはできない。コンスタンティヌス大帝は、そのことに気づいたのではないかと思います。

キリスト教が公認された所以ですね。コンスタンティヌス大帝は、東西統一を遂げた直後の三二五年に、ニカイア公会議も開催します。このとき試みたのが、教義の統一です。

キリスト教も歴史が長くなり、キリスト教徒も増えていくとなると、どうしても諸説分かれてしまいます。最も問題になるのが父なる神と子なるイエスの位置づけで、簡単にいえばキリストは神なのか人間なのかということです。

神なんだ、父と子は同質なんだと唱えるアタナシウス派が、このニカイア公会議で正統とされました。これに聖霊を加えて、「父と子と聖霊の御名において、アーメン」と唱える、三位一体説になるわけですね。

かたわら、イエスは人間だとするアリウス派は異端とされ、やがて帝国から追放されてしまいます。厳しすぎるようにも思われますが、そこまでしなければならなかった。キリスト教を一枚岩の宗教にしなければならなかった。さもなくば、帝国の統治には役立てられない。そういうことだったと思います。

一神教的な世界観によって、集権的な国家観を補強するという思考が、それだけ明確になっていたんですね。とにかく、ひとつにまとめたいと、コンスタンティヌス大帝の狙いはそれに尽きます。

ひとつの帝国、一人の皇帝。ひとつの宗教、一人の神

西の皇帝が東の皇帝に勝ち、ローマ帝国が再統一した経緯はありますが、西に支配されるようで、東にすれば面白くない。それが高じて再分裂なんてことにはならないように、大帝は遷都を決断します。

コンスタンティヌスですから、コンスタンティノポリスと名づけますが、それまでローマ人にはビザンティウムと呼ばれていた都市ですね。今はイスタンブールになっている、黒海の出口、ボスポラス海峡にある要衝です。

別な言い方をすれば、東なんですね。そこに遷都をして、西が支配しているわけじゃないと、東の反感を慰撫(いぶ)する。そこまでして、なんとか帝国の統一を維持したいと、まさに四苦八苦したのがコンスタンティヌス大帝なわけです。溺れる者は藁(わら)

をもつかむではありませんが、キリスト教を役立てたいと考えたのも、それですね。三三七年、死ぬ間際に洗礼を受けて、自分もキリスト教徒になって、もう縋(すが)る思いだったわけです。

しかし、やはり状況は厳しかった。コンスタンティヌス大帝の死後、すぐまた帝国は分割されます。それも息子が争って、二分、三分していきます。

キリスト教も安泰ではありません。三六一年に即位したのがユリアヌス帝です。辻邦生先生の『背教者ユリアヌス』という小説がありますが、そのユリアヌス帝です。何が背教者かというと、キリスト教からみて背教者なわけで、つまりキリスト教なんて俺たちの宗教じゃないと、昔の多神教だったローマの神々を取り戻そうという運動をするわけです。極端な反動はユリアヌス一代で終わりましたが、それはさておき、キリスト教も、ローマ帝国も、一体どうなってしまうのか。

ここで現れるのがテオドシウス帝です。三七九年に東の皇帝として即位すると、再び帝国の統一に取り組みます。そのために三九二年、やはり精神的な支柱が欲しいということで、帝はキリスト教を国教化します。

コンスタンティヌス大帝のときは公認でしたが、それに留まらないテオドシウス帝はキリスト教を国教化し、さらに他の宗教の禁止まで打ち出したのです。宗教は一神教のキリスト教がひとつだけ。国家は集権的なテオドシウス帝が一人だけ、こういう図式を作るんですね。そのうえで三九四年、なんとか帝国の再統一に漕ぎつけるわけです。

ひとつの帝国、一人の皇帝。ひとつの宗教、一人の神――最終的に一に収斂していく、一に向かう、要するにユニヴァースの世界観です。それゆえに、ユニヴァーサル・ヒストリーたる自負を持てる。

アレクサンドロス大王、ローマ帝国、そしてキリスト教と努力を積み重ねたあげくの完成型がみえてきましたね。これが古代における到達点です。

世界の歴史を見渡してみると、いろんな時代、いろいろな地域に覇権を築いた国、あるいは勢力はみつかります。しかし、どこか脆い。長続きしない。いつかの時点でバラバラに崩壊するわけです。

そういう国の宗教というのは、やっぱり多神教なんですね。他者に対して寛容といえば寛容、フレキシブルといえばフレキシブルなんですが、やはり我こそ世界、その事績こそ世界史たらんとするときには、弱さになっていくのかなと。

ローマ帝国が長く続いたというのは、その弱さをキリスト教という一神教で克服したからなんですね。アレクサンドロス大王は世界征服は考えたけれど、そのあとの国造りが頭になかった。いや、あったかもしれないけれど、世に出す前に死んでしまった。

ローマの場合は皇帝を擁して、帝国というシステムを築き上げた。アレクサンドロスの国よりは遥かに強固だったけれど、やはり限界があって、政治は混乱してしまうし、あるいは分裂してしまう。

そこでキリスト教という一神教を、この世界を補強する柱として付け加えた。**世界という発想、帝国という形、一神教という観念、この三点セットがユニヴァーサル・ヒストリーには必要だった**わけです。

しかしながら、現実は厳しい。テオドシウス帝のときは帝国の統一が成ったんですが、これを維持するという仕事は、やはり並の皇帝の手には余ります。三九五年、テオドシウス帝が死ぬと、その息子たちの手によって、あれよという間に帝国は分けられます。

長男アルカディウスが東の皇帝、次男ホノリウスが西の皇帝になるんですが、ローマ帝国の東西分裂は、ここで決定的になってしまいます。

それ以後も再統一の試みはあったけれど、果たされることはありませんでした。

さらにゲルマン民族の大移動が本格化して、ローマの版図に侵入してきていました。一人の皇帝では国境防衛にも容易に手が回らないんですね。

ひとつの帝国、一人の皇帝。ひとつの宗教、一人の神——ユニヴァースに必要な答えを出すことはできたけれど、それを実現するまでにはいかなかった。帝国は東西二つに分かれてしまう。これが古代の限界だったというべきでしょうか。いや、文字通りの世界帝国、世界統一なんて、実現不可能なのだということかもしれません。

「古代ローマ帝国」は古代で滅んでいない!

三九五年、ローマ帝国の東西分裂——以後は東ローマ帝国と西ローマ帝国に分かれた、と教科書にも書いてあります。そのうちの西ローマ帝国は四七六年、ゲルマン人傭兵(ようへい)隊長オドアケルに滅ぼされた、とも書かれていますね。

オドアケルはローマに雇われていたゲルマン人ですけれど、自立してイタリアを席巻する勢いを示したんですね。そのままロムルス・アウグストゥルス帝を追い出したので、西ローマ帝国は滅亡したと。

その当否はさておくとして、教科書的にはここで古代史は終わり、という感じがありますね。ここから先は中世史だ、というような。

これ、受け入れていいんでしょうか。そもそも、中世という時代設定が妥当なのかどうかという問題があります。あるいは古代、中世、近代の三区分がどうかといいますか。

元を辿ると、十五世紀、十六世紀のヨーロッパです。ルネサンスと呼ばれる時代で、近代の始まりですね。「ル（再び）」の「ネサンス（誕生）」ということで、文芸復興と訳されたりしますが、いずれにせよ、何が再び生まれたのかというと、古代なんですね。

それが文芸だとしても、古代の文芸です。古代ギリシア・ローマの芸術であるとか、文学であるとか、哲学であるとかを蘇らせる、人間性あふれる文化を復活させる、そういう運動がルネサンスです。

基本的な認識として、古代は光り輝く素晴らしい時代だった。それを復活させたから、近代も光り輝いている。しかし、その間の時代、真ん中に挟まっている時代だから中世と呼ぶことにするんだけれど、それは暗かったと。「暗黒の中世」なんて言い方もされますね。そういう、非常に恣意的で、しかもネガティブな発想から生まれた設定なんです。

その中世が古代ローマ帝国の滅亡から始まるといわれれば、それとして説得力があるような気もしますが、これが時代を分ける画期として妥当性があるかどうかとなると、やはり疑問です。

まずもって、滅んだのは、本当に滅んだとしてですが、西ローマ帝国だけなんですね。東ローマ帝国は滅んでいない。それどころか、自ら東の但し書きを外して、単独のローマ皇帝、統一ローマ皇帝と名乗っているほどです。

どういうことかといいますと、オドアケルは四七六年、確かにロムルス・アウグストゥルス帝を廃しましたが、そのあと東ローマ皇帝ゼノンに使いを送って、その代官としてイタリアを支配することにしているんですね。

さらにゼノンはユリウス・ネポスという者を、西ローマ皇帝の位に就けます。西ローマ、滅んでませんね。西の元老院も、政務官も、まだあります。オドアケルは引き続き西ローマ皇帝の代官になるんですね。

ところが、四八〇年にユリウス・ネポスが暗殺されたので、ゼノンは東皇帝、西皇帝の位をふたつながら廃止して、自ら全土の単独ローマ皇帝になることにしたんです。

もちろん、形ばかりといえば形ばかりです。皇帝ゼノンは結局オドアケルを討伐するんですが、その実行を命じたのが東ゴート王のテオドリックです。今度はテオドリックが、イタリアに東ゴート王国を建てたということになっていますが、これも皇帝の代理、皇帝に委任を受けたイタリア王として統治しているんです。

まあ、それも形ばかりで、実質はやはり東ゴート王国ですし、西ローマ帝国の版図は他の地域でも、西ゴート、ヴァンダル、ブルグンド、フランク、ランゴバルドと、ゲルマン諸民族の王たちが群雄割拠する体（てい）になります。政府機関は形ばかり、いや、ほどなく形としても絶えてしまいます。

それでも東ローマ帝国のほうは残っている。古代ローマ帝国は滅んでいないはずなんです。四世紀にゲルマン民族の大移動が始まって、ローマ帝国はどんどん国境を破られていましたが、それは主に帝国西部のほうなんですね。帝国東部も無関係ではなかったけれど、比べれば影響は大分少なかったんです。

東ローマ帝国——どこにいったかと探してみますと、四七六年の西ローマ帝国滅亡で古代史は終わりというような教科書では、まあ、教科書にもよりますけれど、そのあとインド史になってみたり、中国史になってみたりしたあと、再びヨーロッパ史に戻ったときには、そこは中世史ですからね、もうなくなっているんです。そんなはずはないと探して、みつかるのがビザンツ帝国ですね。このビザンツ帝国というのが、東ローマ帝国です。

どうして「ビザンツ」かというと、首都が今のイスタンブールで、その前はギリシア語でコンスタンティノポリスと呼ばれていたところです。コンスタンティヌス大帝に因んだ命名ですが、その前の名前がギリシア語のビザンティオン、ラテン語のビザンティウム、英語にしてビザンツなんです。

ほじくり返したものですね。誰がほじくり返したかというと、後世の歴史家です。古代、中世という時代区分に合わせるため、古代のものは東ローマ帝国、中世のものはビザンツ帝国と呼び方を変えたんです。しかし、同じものなんですよね。その時代に暮らしていた人たちは、自分の国をビザンツ帝国と呼んだことなんか、一度もないわけです。

やはりローマ帝国です。滅びたなんて意識は皆無です。皇帝もいるし、元老院もある。実際、コンスタンティノポリスの都も古代のままで、白亜の円柱が並ぶ建物があり、広場があり、神殿があり、公衆浴場があり、まさに遷都された第二のローマなんです。

西ローマ帝国が消滅した頃で人口二十万、それから二世紀ぐらいで六十万まで増えますから、滅びるどころか、ますます栄えているんです。

キリスト教を公認したコンスタンティヌス大帝のお膝元ですから、キリスト教の大伽藍も建ち並んでいました。これまでの三総大主教区がアンティオキア、アレクサンドリア、そしてローマですが、ローマ以外は版図にある。それに五世紀半ばにはコンスタンティノポリス、エルサレムと加わりましたが、それもこちらにあるわけです。キリスト教の継承という意味では、むしろ本流です。

もとより亜流という意識はなく、もうローマ以上といいますか、かえって自分たちこそ、本流なんだと考えていたでしょうね。ローマ帝国はローマ帝国なんですが、場所は広い意味でのギリシアなんですね。

文化的な先進地で、版図には学術都市アテネがあり、ベリュトス、今のベイルートですが、そこも法学の研究の拠点になっている。文化以前にギリシア世界、ヘレニズム世界を支配しているわけですから、アレクサンドロス大王の王国の継承者でもあるんです。

東ローマ皇帝は、ラテン語の称号は「インペラートル」ですが、ギリシア語の称号は「バシレウス」を好んで用いました。アレクサンドロスが用いた「王」の称号ですね。古代ローマの直系であるのみならず、古代ギリシアの直系でもあるということです。

それなのに時代区分は中世だからと、わざわざビザンツ帝国なんて呼び方をする。それほどまでに時代区分に固執しなければならないなら、いっそ古代ローマ帝国ならぬ中世ローマ帝国と呼ぶことにしましょうか。

「中世ローマ帝国」は東を守るために西を手放した

東ローマ皇帝、いや、東も西もなくローマ皇帝なんだ、帝国全土の支配者なんだ。その意識を捨てることなく、六世紀には具体的な行動を起こした皇帝がいます。ユスティニアヌス一世、五二七年に即位したユスティニアヌス大帝ですね。

西のほうに遠征して、北アフリカのヴァンダル王国を討伐して、北アフリカ、イベリア半島の南端までを版図に組み入れ、また東ゴート王国を滅ぼして、イタリアを取り戻す、ローマを手に入れるということまでやりました。イベリア、ガリアまでは取れませんでしたが、ローマ帝国の再建も夢物語ではないというところまでは遂げたんですね。

かの『ローマ法大全』、かかる命名自体は十六世紀に行われ、つまり後世にローマ法を伝えた金字塔なわけですが、その編纂をトリボニアヌスという法学者に命じたのも、「中世ローマ帝国」のユスティニアヌス大帝です。

首都に聖ソフィア寺院を建立し、聖職者には免税特権を与えるなど、帝国の精神的な支柱としてのキリスト教も、しっかりと保護しています。まさに意識は全ローマ帝国の支配者なわけです。しかしながら、なんですね。

東西ローマの統一——これ、コンスタンティヌス大帝とか、テオドシウス大帝とか、名君が出たときは成ります。しかし、その後が続かずに、またバラバラになる。

ユスティニアヌス大帝は五六五年に亡くなりますが、その後も同じで、さらに統一が進むどころか、イタリアにランゴバルド王国を建てられ、スペインを西ゴート族に取られと、帝国の西部分を再び手放していくことになります。

やっぱり東ローマ帝国でいるしかない。いや、ただ東ローマ帝国でいるのも、楽でない。西帝国にかまけていれば、東帝国が手薄になってしまうからです。

東からはササン朝ペルシアが攻勢に出て、シリアやエジプトに侵入してくる。ゲルマン民族は来ませんでしたが、こちらにはスラヴ民族が北から下りてきます。遊牧民のアヴァール人もですね。これがドナウ河を越えて、バルカン半島に下りてきます。それのみか六二六年にはペルシアと組んで、コンスタンティノポリスの包囲にかかるわけです。

東ローマ帝国は本格的な討伐の軍を起こさざるをえなくなります。ヘラクレイオス帝は六三一年まで遠征に忙殺されました。なんとか平定したと思うや、六六〇年に今度はブルガール人がやってきます。このトルコ系遊牧民とスラヴ民族たちに、六八一年にはブルガリア王国を建国されてしまう。

ブルガリア王国も後に征服して、再び版図に組み入れるんですが、かくのごとくで東ローマ帝国を護持するだけでも、やはり容易でないんですね。

とはいえ、裏を返せば東ローマ帝国でいることは、変わらずにできている。東ローマ帝国が、古代ローマ帝国のままでいられなくなったわけではありません。それが皮肉でなく中世ローマ帝国に変わらざるをえなくなったとすれば、ペルシアの圧力、スラヴ民族の侵入などとは比べ物にならない、巨大な衝撃に襲われたからです。

さきほどから繰り返していますように、強いて古代とか中世とかいう意味はないのですが、状況を一変させてしまう時代の画期は、確かに訪れました。いつかというと七世紀、実は七世紀のはじめに、もう始まっています。

なにかというと、イスラム帝国の興隆に他なりません。

第四章

巨大な衝撃！ イスラム世界が突如出現する

——「西・東・イスラム」という三世界の図式とは？

ムハンマドは最も新しい預言者

西洋史の見方、西洋史観とでもいいますか、それでは、どうしても見落とされがちになる歴史があります。

自分たちの歴史ばかり肯定したい、よくみせたい、偉くみせたいと思いますから、その都合で無視されたり、過小評価されたり、あるいは恣意的に位置づけられたりする歴史があるわけです。

勝手にビザンツ帝国なんて呼ばれる、東ローマ帝国なんかも一例ですね。しかし、それ以上に正しく評価されていないのが、これから話すイスラム教の誕生、そしてイスラム帝国の興隆なんだと思います。

西ローマ帝国が滅んだくらいで大騒ぎするなというくらい、物凄いインパクトがある出来事、まさしく世界を変えた、時代を大きく動かした大事件です。派手な言葉ばかり並べていても仕方ありませんね。論より証拠と、具体的な史実をみていくことにしましょう。

まずはイスラム教の誕生から。創始したのが英語にいうマホメット、最近はアラビア語でムハンマドといわれるほうが多いですね。このムハンマドの生涯を辿ることから始めたいと思います。

ムハンマドは五七〇年頃、メッカに生まれました。紅海沿岸のヒジャーズ地方、そこにある小都市ですね。今はサウジアラビアに含まれていますが、当時は実質的に国といえるようなものはなくて、人々は部族、部族で暮らしていました。

ペルシアとか、東ローマとか、そういう大国はあったけれど、いずれも遠いんですね。二国はシリアやエジプトを巡って争いますから、軍隊が来るようなことはありました。しかし、常駐するわけではありませんから、ヒジャーズ地方はほとんど無政府状態です。やはり頼りは自分の部族だけ。部族、部族で暮らしていくしかない。そういう状況のアラビアに、ムハンマドは生まれたわけです。

ほとんど砂漠というなかに、たまにオアシスがあってという土地ですから、農業が盛んにできるわけでもありません。無政府状態にもなるわけで、大国には手間をかけて支配する旨味（うまみ）はないとみえるんですね。

こういう土地の生業（なりわい）といえば、商業です。砂漠というのは、ただ渡るだけで大変ですから、これを越えて商品を運んでいくという営為には、非常な付加価値がつくんですね。カルタゴ人、ユダヤ人、そしてアラビア人のようなセム系の人たちが、おしなべて商業が得意なのも、この砂漠という故地の環境ゆえかもしれません。

ムハンマドも商人になりました。ラクダの隊商を組んで、砂漠を渡り、商品を運んでいく。本当に普通の商人として生きたんですね。

神の啓示を与えられたのは、六一〇年頃、四十歳のとき突然にです。それまでは土着の多神教ですね、これにムハンマドも普通に帰依していました。啓示が下りたのは、洞窟で瞑想しているときだとされますが、全く関係ない宗教で瞑想していたわけです。

そこに突如、神の啓示が下りたと。実際に来たのは誰かというと、大天使ガブリエルです。

大天使ガブリエル――そう聞きますと、まず大天使、天使ですね。それはキリスト教のものじゃないかという気がします。さらにガブリエルという名前ですね。アラビア語ではジブリールですが、それもともとはキリスト教の名前じゃないのかと思ってしまいます。

どういうことなんだろうと首を傾げてしまいますが、つまるところは同じ神、同じ天使なんです。ユダヤ教、そこから生まれたキリスト教、そしてイスラム教、全て一神教です。その神は、ヤーウェ、エホバ、アッラーフと言語によって発音は変わるんですが、全て同じものを指しているんですね。

さきほど神の啓示といいましたが、この啓示を受ける人、神さまからのメッセージを受け取る人を、預言者といいます。未来のことをいいあてる予言者じゃなく、神の言葉を預かる人という意味で預言者ですね。イスラム教の数え方では、全部で二十五人います。

アブラハムとか、箱舟のノアとか、十戒のモーゼとかも預言者ですね。後に続いた預言者が、イエスです。キリスト教では、イエスは神の子、神と同質ですから、預言者ではなく神という位置づけなんですが、イスラム教では先行の預言者だとしています。最後の預言者が、ムハンマドなんだということです。

いわれてみれば、さほど奇妙な話ではありませんね。三宗教とも発祥の地が、ほぼ同じエリアです。ウル（現・イラク南部）にいたユダヤ人がカナン（現・イスラエル）に移り、そこでキリスト教も起こります。イスラム教がメッカ（現・サウジアラビア）ですので、全く同じ地域ではないものの、そんなに離れているわけではない。

全て中近東ですね。このエリアにもともと一神教的な伝統があって、それを三宗教とも継いだと考えるのは、むしろ無理がない気がします。

実際のところ、イスラム教徒はユダヤ教徒やキリスト教徒を「啓典の民」と呼ぶわけです。同じ神さまの教えを聞いている人なんだという意味ですね。ただ自分たちはムハンマドという最も新しい預言者から神さまの言葉を伝えられている、要するに自分たちの宗教は最新のアップ・グレード・ヴァージョンなんだということです。

イスラム教徒の言い分としては最新というより最善、ユダヤ教やキリスト教の段階で間違えたものもあった、それをより純粋な一神教の形にした、アブラハムの宗旨に立ち返らせた、というふうになりますが、いずれにせよ最も恵まれているんだとの自負があるわけです。

一神教アレルギーによる迫害

そのムハンマドが受けた啓示、神の言葉が「クルアーン」です。これも英語で「コーラン」というより、アラビア語のほうが一般的になってきていますね。ムハンマドは最初に啓示を受けてから、死ぬまでに何度となく預言の機会を与えられているんですが、それらがまとめられたものということです。

このクルアーンにハディース、ムハンマドの言行録みたいなものですね、これが加わって、イスラム教の経典になっています。キリスト教でも新約聖書はイエスの言行録ですね。それと同じです。

同じといえば、ムハンマドが生きている間に弟子たちが集まる、イエスの十二使徒よろしく、メッカに一種の信仰共同体ができます。布教の開始が六一二年ですが、それから十年ほどで二百人ぐらいまで増えたとされます。

イエスの場合はユダヤ教の社会、一神教の世界があって、そのなかで過激派とか、食み出し者とかみなされました。ムハンマドの場合は多神教が普通という社会のなかです。それを全否定しながら、一神教を打ち出したんです。

当然の成り行きといいますか、とんでもない連中だと、メッカで嫌がられることになります。ユダヤ教徒やキリスト教徒の存在は知っていて、そういう人たちの信仰なんだという感覚もあったようです。先祖伝来の宗教を捨てて、どうして余所者の信心に打ちこんでいるんだと、ますます非難されるばかりになります。

やはり迫害が起こります。五千人規模の小さな町なのに、ムハンマドに従う者たちとは結婚を許さないとか、最終的には食糧を売らないということまであって、もう生死にかかわるような迫害ですね。

ムハンマドたちは困りました。ぜんたいどうしたらいいのか。そのときメッカの北三百キロのところに、メディナという町がありました。当時はヤスリブと呼ばれていましたが、後のメディナです。

ここにもムハンマドの教えは広まっていて、信者も百人ほどになっていましたが、メッカのようには迫害されていなかったというんですね。なぜかというと、メディナにはユダヤ教徒が住んでいました。そのため一神教に対するアレルギーが、メッカほど強くはなかったようです。

このメディナなら受け入れてもらえるだろうと、ムハンマドたちメッカの信仰共同体は移住を決断します。六二二年七月のことで、これがヒジュラ、聖遷（せいせん）と訳されますが、イスラム暦の始まりの年になります。

一口に移住といいますが、部族、部族で暮らしていた地域であり、時代ですから、大変なことですね。メッカに二百人ほどいた信者のうち、信仰を捨てずにメディナに移っていったのは、ほんの七十人ほどだったといわれます。移住先の信者と合わせても百七十人、本当に小さな集団から、イスラム教徒は歩みを始めることになったわけです。

略奪が生計手段だった

移住したメディナで、ムハンマドはそこにいたユダヤ教徒と話す機会があったそうです。そのとき初めて創世記、ユダヤ教の聖書、旧約聖書のなかにあるんですが、その創世記の記述を教えられたといいます。

出てくるのが預言者アブラハムで、その息子イサクがユダヤ人の祖になります。しかし息子はもうひとりいて、愛人というか、ハガルという女奴隷が産んだ子供なんですけれど、そのイシュマエル、アラビア語ではイスマーイールですが、これがアラビア人という偉大な民族の祖になるだろうと、旧約聖書に書いてあるんですね。

アブラハムまで戻れば皆同じだという根拠ですが、これをムハンマドはメディナで初めて知りました。やっぱそうなんだと、いよいよ自信を深めたといいますが、不思議ですね。まさに神がかり、宗教の始まりって、こうなんだろうなと思います。ムハンマドというのは、物凄く説得力のある指導者だったでしょうね。

移住したメディナでは、信仰生活は順調そのもの、どんどん充実していったようです。ただ経済生活といいますか、現実の暮らしですね。余所の土地に移って、簡単にいえば、生計の手段がないわけです。

メッカから七十人と来て、メディナにいた百人ほどは、「援助者（マンサール）」と呼ばれますが、最初のうちは協力します。しかし、自（おの）ずと限界がありますね。七十人の面倒を百人でみるというのは、やっぱり容易でないんです。もともと豊かな土地でなく、メディナにしても砂漠という厳しい環境は変わりないわけです。

ムハンマドたちはムハンマドたちで、何らかの手段で生計を立てなきゃいけない。そこでやるのが、アラビア語で「ガズー」といわれる営みですね。

何かというと、要するに略奪目的の襲撃です。砂漠を余所の部族の隊商が渡っていく。それを襲撃して荷物を、つまり金品であるとか家畜であるとかを奪い、お金に換えて、その上がりで生計を立てるんです。

それは犯罪じゃないか、という気もします。わけてもムハンマドたちは宗教を奉じる集団ですからね。しかし、現代の道徳観を押しつけても意味がありません。商業と略奪、山賊行為、海賊行為は紙一重なんだと、よくいわれますけれど、ことにアラビアの伝統、習慣からしてみると、もうまっとうな生計手段なんですね。

それも含めて商業というか、途中で襲われる危険があるから、物を運んでいくことに価値が生まれ、運んだ先で高く売れるという理屈もあるわけで、取ったり取られたり、お互い端から織りこみ済みなんです。

だから、ムハンマドたちはガズーに出ると。誰を襲ったかというと、自分たちを迫害したメッカの隊商、裕福でも知られるメッカの隊商ですね、これを好んで標的にします。メッカもやられっぱなしでは済まなくなりますね。メディナとメッカの抗争の体になるのは、もう時間の問題です。

なぜ信仰共同体は征服事業を始めたのか

六二四年三月、ムハンマドに率いられてメディナを出立したのは、メッカから来た信徒、メディナの信徒、合わせて三百人ほどの郎党、といいますか、もう軍勢でした。メッカの隊商を襲うつもりでしたが、メッカのほうも察知して、千人ほどの軍勢を出します。バドルの泉の辺で激突した、いわゆるバドルの戦いで、これがムハンマド側、メディナ側の圧勝に終わります。

ムハンマドは戦いに勝利して、メッカから奪ったものをメディナに持ち帰ります。戦利品として分配されますから、メディナの信仰共同体も潤いますね。そうなると、これまで無関心だった人たちも、あそこの仲間になると良いことがあるんじゃないかと興味を持つようになります。かくてイスラムの信仰共同体が、徐々に大きくなるんですね。

話を戻しますと、メッカとの抗争は六三〇年一月に最終段階を迎えます。抗争というか、もう文字通りの戦争になって、ムハンマドの軍勢がメッカに攻め入り、それを征服してしまいます。なんというか、ちょっと次元が違う話になってきました。

最初は信仰共同体を守るためでした。メディナに移ると、その共同体が生きていくために、今度はガズーに乗り出す。とりわけメッカを標的にしているうちに、それまでの確執もあって、**隊商の襲撃、略奪に留まらない、地域と地域の抗争に発展していく。最終的にメッカ征服になる。つまり征服事業になる**わけです。

かかる展開が開祖のムハンマドが生きている間に起こります。ムハンマドは宗教的な指導者ですけれど、同時に政治的な指導者といいますか、支配者、権力者としての顔も持つことになる。しかも、それがどんどん大きくなっていくんですね。

周辺の大国が支配に積極的でない、権力の空白地帯であり、無政府状態だったことが幸いした、ともいえるかもしれません。メディナに逃れたムハンマドが、生まれ故郷のメッカを取り戻した。まだメディナとメッカ、その程度の権力者なんですが、本当に小さい部族が群雄割拠している状態なので、それだけで頭ひとつ抜け出した体になります。

アラビアの第一人者という格好ですね。そのアラビアは、メディナとメッカの関係からもわかりますが、近隣部族と不断に争い合う、もう一時も油断ならない社会でした。そんな緊迫した日々を、誰も送りたいわけがありませんね。

ムハンマドが台頭した、アラビアの権威者だ、諸部族の調停者を頼める、となれば、ムハンマドを頂点に置いて、アラビアを平和な世界にしたいという動きになります。**諸部族がムハンマドと個々に結びつくことで、政治的、宗教的な共同体ができていく**わけです。

イスラム特有の政治と宗教の結びつきが、すでにはっきり認められますね。ムハンマドは六三二年に亡くなりますが、それまでにアラビア半島の統一さえみえてきました。

神がかり的に大発展したイスラム帝国

ムハンマドの死後ですが、歴史では正統カリフ時代とされています。

ムハンマドが作ったイスラムの信仰共同体、これを維持していかなければならない。そのために指導者が必要だ。ムハンマドの権威の継承者を置かなければならない。そこでムハンマドの周囲にいた人たち、血縁の者もいれば、そうでない者もいますが、いずれにせよムハンマドの傍(そば)にいて、創成期からイスラム教を支えてきたような人たちが、その信仰共同体を維持するために指導者の座に就くわけです。

アッラーフの使徒の後継者、ムハンマドの後継者ですね。これが「カリフ」と呼ばれました。

六三二年に就いた初代カリフが、古参信徒のアブー・バクルです。平和を望む諸部族は、アラビアの権威者になった晩年のムハンマドと個々に結びついていった、というのはさきほど話した通りなんですが、あくまで個々にムハンマド個人に結びついていたんですね。

ムハンマドが死ねば、共同体から離れていく部族が出ても、おかしくありません。要するにムハンマド個人のカリスマでやってきた部分が多分にあったわけですね。

離れていく、離教するという意味で、アラビア語の「リッダ」と呼ばれた現象ですが、そういった人々、そういった部族を、もう一回イスラムの信仰共同体に結び

●ムハンマドと正統カリフの系図

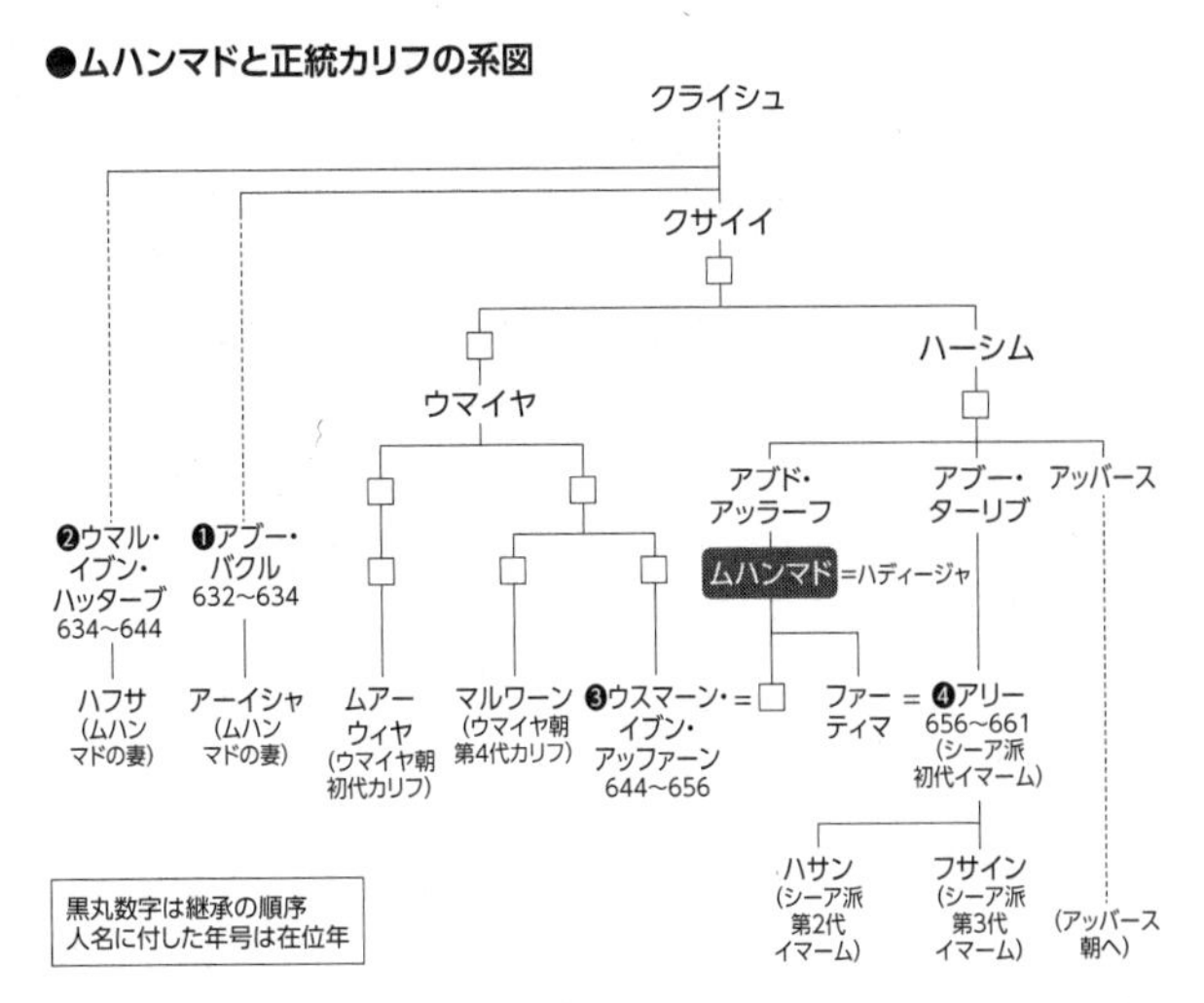

つける、あるいは離れないようつなぎ止めるというのが、初代カリフ、アブー・バクルに課せられた仕事でした。

場合によっては武力まで使いながら、信仰共同体を維持する、アラビア半島の統一を達成する、そのプロセスが進行します。怪我の功名といいますか、ムハンマド時代はゆるやかな結びつきだったものが、ここで強固に構築されていく、アラビア半島がイスラムの信仰共同体であると同時に統一的な政治体としても、一気にまとまっていきます。

この統一アラビアで、次は何をやっていくか。六三四年に二代目カリフになったのが、初代の盟友、同じく古参信徒のウマル・イブン・ハッタープですが、この人は外に出ていくことを始めました。

どうして外に出ていくかというと、アラビアはやはり産業に乏しいんですね。ムハンマドがそうだったように、生計を立てるには砂漠を渡る商業をするか、その隊商を襲うガズーをするかくらいしかないと。しかし、アラビアを統一してしまうと、もうアラビアのなかでガズーはできなくなるわけです。そこで外に出ていくしかなくなると。

これが物凄い勢いなんですね。二代目カリフが即位した六三四年、イスラム軍はもうシリアに乗りこんでいます。東ローマ帝国領ですね。六三六年にパレスティナ北部で行われたヤルムークの戦い、ここでローマ軍を撃破して、六三八年にはエルサレムを占領します。

続いてエジプトに侵攻し、六四二年にはこちらのアレクサンドリアも占領します。このとき建てた新都がフスタートで、後のカイロですね。ここぞと勝ち誇るイスラム軍ですが、相手は東ローマ帝国だけではないというから驚きます。

もうひとつの大国、ササン朝ペルシアですね。こちらにも侵攻して、六三五年、ダマスクスを落とし、さらに六三七年、カーディシーヤの戦いでペルシア軍を大敗させて、首都クテシフォンまで陥落させます。六四二年、ニハーワンドの戦いで再びペルシア軍を破り、なんたることか、ササン朝を事実上の滅亡に追いこむわけです。

ヒジュラから僅(わず)かに二十年、メディナの三百人にすぎなかったイスラム共同体が、今やアラビア、シリア、エジプト、メソポタミア、ペルシアと拡大しました。圧巻のスピード、イスラム教徒でなくても神がかりと思うほどの大発展です。

六四四年、第三代カリフになったのがウスマーン・イブン・アッファーンですが、なおも勢いは止まりません。六四七年、アフリカもエジプトから西に進むと、ベルベル人と東ローマ帝国の連合軍を破って、今のチュニジアを征服します。最終的には今のリビア、トリポリですね、あのあたりまで進みます。

六四九年にはキプロス島を取り、小アジア、アルメニアのほうにも進出していきます。ペルシアのほうでもササン朝の残党の掃討がてらで、六五〇年にペルセポリス、六五一年にホラーサーンと進撃します。

第四代カリフのアリーは、即位した六五六年から内戦に見舞われて、外に進出できませんでした。六六一年、第三代ウスマーンと同じウマイヤ家のムアーウィヤが、ウマイヤ朝を興すわけです。同じくカリフを称しますが、ここからは世襲の王朝になっていきます。

ちょっと時代が変わった感がありますが、征服は止まりません。ウマイヤ朝の初期、例えば六六七年には、シチリア島まで攻めこみます。六七四年からはコンスタンティノポリスですね、これを包囲しています。さすがに落とせませんでしたが、東ローマ帝国の都にまで迫るわけです。

イスラム信仰共同体、いや、宗教と政治が一体化していますから、もうイスラム帝国といってよいと思います。ムハンマドから百年足らずで、大袈裟でなく爆発的な拡大ですね。宗教の伝播としてみても、例えばキリスト教の拡大より速いくらいです。征服事業としても、これを上回る前例となると、アレクサンドロス大王の世界征服くらいでしょう。

まさしく世界征服——イスラム教徒たちも古のアレクサンドロスのことは意識していた、覇業の故事のことは頭にあったと思われます。というのも、**イスラム教が伝播したのは、まさしくアレクサンドロスが征服した土地なんですね。ギリシア文化が伝えられたヘレニズム世界でもあります。またイスラムもその直系なんです。**

実際、アレクサンドロスは——アラビア語でイスカンダルといいますが、余所の人間という感覚ではありません。ユダヤ教も、キリスト教も、自分たちイスラムの先行宗教で、余所ではない。同じようにアレクサンドロスも、ギリシア文化も、余所ではないんですね。

ムハンマドの「クルアーン」でも、アレクサンドロスを指すと思われる人物が取り上げられているくらいです。アレクサンドロスは、やはりアイドルなんです。

世界征服、世界統一の意識があり、それをまとめる帝国とそれを支える一神教がある。ユニヴァースの三点セットは、思えばイスラム帝国にも備わっていたわけです。それは、くしくもローマ帝国と同じ構造なんですね。

ローマの場合は何百年とかけて、ひとつひとつ揃えていきましたが、イスラム帝国の場合は一時に揃えて、恐るべき効率で一気に建設まで遂げました。それも一過性のブームといいますか、歴史のハプニング的な建設ではありません。版図の増減があり、内的にも多くの変化を被る(こうむ)ることになりますが、それでも消滅することなく存続します。なるほど、ユニヴァースたる条件を全て満たしていたわけです。

これこそ世界史の画期だと思います。ローマ帝国というユニヴァースに加えて、もうひとつイスラム帝国というユニヴァースが生まれたからです。ローマ帝国、さしあたりは東ローマ帝国のことですが、これが古代帝国でなく中世帝国に変わらなければならなかったとすれば、このイスラム帝国の出現にこそ促されたものなのです。

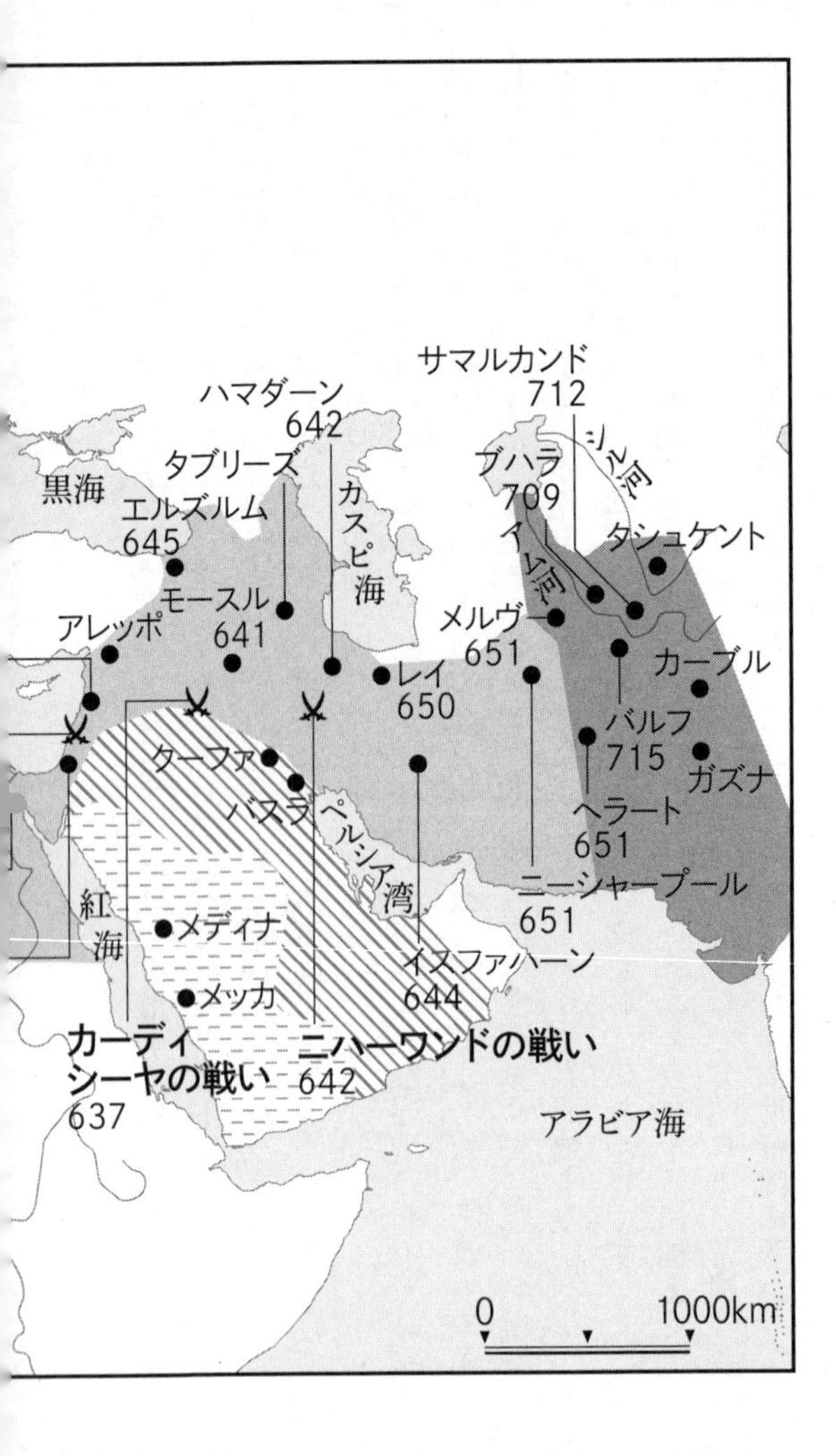

サマルカンド
712
ハマダーン
642
タブリーズ
ブハラ
709
シル河
黒海
カスピ海
エルズルム
645
タシュケント
アム河
モースル
641
メルヴ
651
アレッポ
カーブル
レイ
650
バルフ
715
ターファ
ガズナ
バスラ
ペルシア湾
ヘラート
651
ニーシャープール
651
紅海
メディナ
イスファハーン
644
メッカ
カーディシーヤの戦い
637
ニハーワンドの戦い
642
アラビア海
0
1000km

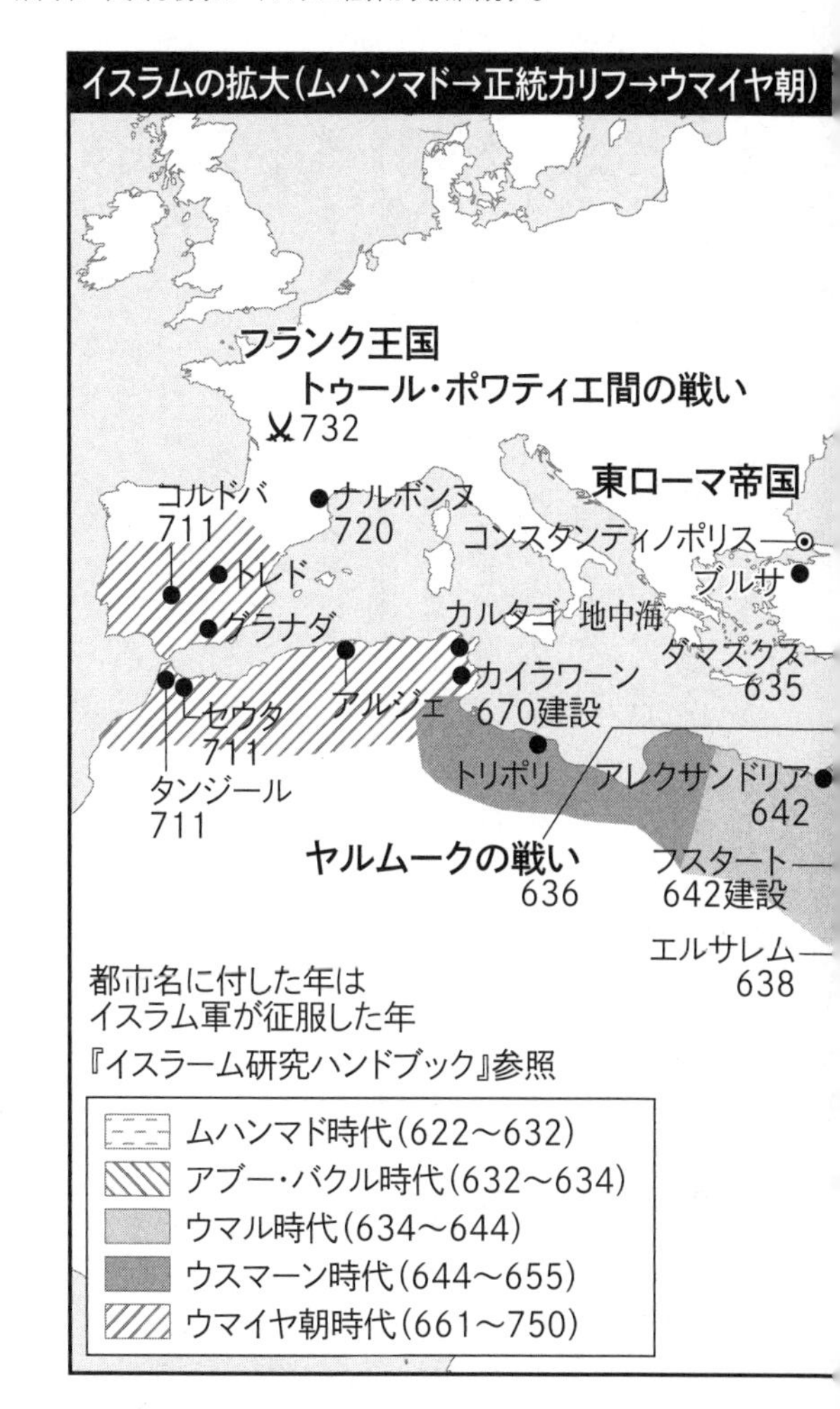
イスラムの拡大（ムハンマド→正統カリフ→ウマイヤ朝）
フランク王国
トゥール・ポワティエ間の戦い
732
東ローマ帝国
コルドバ
711
ナルボンヌ
720
コンスタンティノポリス
トレド
ブルサ
グラナダ
カルタゴ
地中海
ダマスクス
635
カイラワーン
670建設
アルジェ
セウタ
711
トリポリ
アレクサンドリア
642
タンジール
711
ヤルムークの戦い
636
フスタート
642建設
エルサレム
638
都市名に付した年は
イスラム軍が征服した年
『イスラーム研究ハンドブック』参照
ムハンマド時代（622～632）
アブー・バクル時代（632～634）
ウマル時代（634～644）
ウスマーン時代（644～655）
ウマイヤ朝時代（661～750）

イスラムの脅威が東ローマ帝国を進化させた

イスラム帝国の興隆――東ローマのほうは、さぞや仰天したでしょうね。というのも、いきなりなわけです。直前までイスラムなんて、影も形もなかった。文字通り、ある日、突然という感じでシリアに、さらにエジプトにと、自分の領土に乗りこんでこられる。いや、ペルシアに行ったかと思いきや、昨日まで自分の宿敵だったササン朝が、もう滅ぼされている。なんなんだ、このイスラムというのは――狼狽（ろうばい）しているうちに、帝国が一変してしまったというのです。

例えば、地中海ですね。それをローマ帝国は「マーレ・ノストラ（我らの海）」と呼んでいて、なるほど東西南北の沿岸は全て征服していました。その西のほうはゲルマン民族に取られた、いや、取り返さなければならないなんてやっているうちに、その東も、その南も、イスラム帝国に綺麗に取られてしまったんです。

気がつけば、自分の帝国はバルカン半島と小アジアしかなくなっている。いや、これすら、安泰でない。前にいいましたが、コンスタンティノポリスが包囲されていますからね。イスラム軍に首都まで脅かされているわけです。

時代の荒波というべきでしょうか、東ローマとてササン朝ペルシアのように滅ぼされても、あるいは仕方なかったかもしれません。しかし、ここがユニヴァースなんですね。東ローマには我こそ世界たらんとする自負がある。このユニヴァースを守るために必要ならばと、国家の大改造も辞さないわけです。

例えば、テマ制です。世界史の教科書にも出てきますね。東ローマ独自の制度として発展した、軍管区制のことです。アルメニアコイ、アナトリコイ、オプシキオン、海軍テマのカラビジアノイ、さらにトラキア、ヘラス、シチリアと、八世紀にかけて次々と設定されていきます。

それまでの属州に替わる、新たな地方管区ですね。テマの長官のことをストラテゴスといいまして、元は「将軍」くらいの意味です。これが軍政のみならず民政まで統括する、この集権化を通じて、効率的に各テマの防衛を果たしていくという改革です。

テマ長官が強くなれば、相対的に皇帝は弱くなる。中央の統制が利かなくなって、帝国が分裂するんじゃないか。心配もしてしまいますが、皇帝は全国の徴税権を手放しませんでした。中央から離れると、給料が来なくなる。地方は簡単に分離独立なんてできませんね。中央政府はしっかりと財務を握ることで、帝国の統一を図ったわけです。

いずれにせよ、古代ローマ帝国とは違う、まさに中世ローマ帝国の制度ですね。このままではやっていけない、国制改革を断行しなければならない。かかる危機意識が東ローマ帝国を新時代の勢力に生まれ変わらせたわけです。イスラム帝国の興隆が時代の画期をもたらしたという所以(ゆえん)です。

イスラムの勢いは止まりません。小アジア、北アフリカと攻め続け、八世紀に入ると、再びコンスタンティノポリスを囲みます。七一七年から七一八年にかけて、ウマル二世がカリフのときですが、これを東ローマ皇帝レオン三世が撃退しました。元はアナトリコイのテマ長官だったという皇帝ですね。

迎えた決戦が七四〇年、小アジアで行われたアクロイノンの戦いです。東ローマ軍は、そこでイスラム軍を破りました。百年も戦い続けた末に、ようやく初勝利を挙げて、ここにイスラム帝国の進撃を止めたわけです。

イスラムにすれば一敗にすぎませんが、こちらにも事情がありました。ウマイヤ朝も内紛続きで、要するに末期に近づいていました。七五〇年、とうとうアッバース朝という新しい政権が生まれます。こちらも新王朝として地固めを行わなければならない。帝国の拡大よりも、その維持と充実が大事ということで、ヒジュラ以来の激動は七四〇年から七五〇年を境に、ひとまず終わりということになります。

なぜヨーロッパの中心が内陸に移ったのか

いや、一件落着と行く前に、もうひとつ。ローマ帝国も西のほうは、どうなっていたのでしょうか。

イスラム帝国発祥の地は遠いので、その影響も西ローマ帝国の版図までは及ばないかと思いきや、そんなことはありません。地図を開くと、一目瞭然です。侵食されたのはアフリカでした。

イスラム軍が今のエジプト、リビア、チュニジアと進出したことは触れましたが、ウマイヤ朝の時代に入ってからも、西進は続きました。六九八年にはカルタゴを破壊、さらに進んで、ちょうど七〇〇年です。イスラム軍は大西洋岸に達します。西のほうでも地中海の南岸は、綺麗に取られてしまったのです。

そこで、どうするのか。もう終わりかといえば、そうはなりません。今のジブラルタル海峡ですね、そこを越えて、次はイベリア半島に乗りこみます。七一一年、ワリード一世というカリフの時代の話で、今のスペインを横断するイスラム軍は七一二年にトレド、七一三年にセビリア、七一四年にサラゴサと制圧していきます。

　七二〇年には、もう今の南フランス、ナルボンヌですね、このローマ人が建てた植民市に攻め入りました。七二一年にはトゥールーズ、トロサといったかつての西ゴート王国の都を陥落させ、七二五年にはフランス東部、もうアルプスの麓も近いリヨンに達してしまいます。

　西までは及ばないどころか、かなり奥まで攻めこまれていますね。西は無関係ではなくて、見方によれば東ローマよりも深刻な被害を受けています。このままではササン朝ペルシアのように、イスラム帝国に滅亡させられてしまいます。東ローマのように、どこかで止めなければならない。その決戦が七三二年に行われた、トゥール・ポワティエ間の戦いでした。教科書にも出てくる有名な戦いですね。地図上でトゥールやポワティエをみれば、もうパリの手前です。こんなところまで進まれて、なんとか勝利することができたのですが、ときにイスラム軍を止めたのは誰だったのかと。

　ここで西ローマ帝国に話を戻します。西ローマ帝国は滅亡したというなら、さしあたり西ヨーロッパでも構いません。このエリアには今もイギリス、フランス、スペイン、イタリア、さらにオランダ、スイス、ドイツと錚々（そうそう）たる国々がありますね。

この西ヨーロッパの歴史学で長く唱えられてきたことには、ヨーロッパというのは、ギリシア・ローマの要素とゲルマンの要素が合わさって生まれたんだと、中心地が地中海世界からアルプスを越えた内陸に移動したのも、それゆえなんだと。

ゲルマン民族大移動の影響はあるでしょうね。決定的とさえいえますが、別に中心地を移動させる必要はありません。ゲルマン人たちがイタリアに来ればいいだけで、実際に東ゴート族とか、ランゴバルド族とかは、イタリアに来ていますね。それなのに結果論でいえば、中心地は内陸に移っていると。

これ、移した、ではなくて、移された、移さざるをえなくなった、ということですよね。つまるところ、イスラム帝国ができ、地中海がローマの内海でなくなりました。**南岸のアフリカを失くして、北岸のヨーロッパだけになったので、勢力圏の軸がずれた、より北に軸足を動かさざるをえなくなった**ということです。

なんだか面目ない話ですね。イスラムにやられたなんて、世界の先進国を揃える西ヨーロッパのプライドにかけて、認めるわけにはいきません。だからゲルマン、ゲルマンと、ことさらに北の要素を西ヨーロッパの歴史学では強調することになるわけです。

イスラムからヨーロッパを守ったフランク族の英雄

ヨーロッパ世界の形成を、あくまで内的な要因に促された事象にする。外的な要因は関係ない。つまりイスラムに負けたからじゃない。それどころか、イスラムに勝ったんだと。じゃあ、誰が勝ったんだ、そのヨーロッパには誰がいたんでしょう。

七三二年、トゥール・ポワティエ間の戦いでイスラム軍に勝利したのは、宮宰のカール・マルテルに率いられるフランク王国の軍隊でした。

フランク王国というのは、ゲルマン民族のひとつ、フランク族が建てた国ですね。このフランク族はじめゲルマンの諸民族が、西ローマ帝国の版図に自分たちの国を、どんどん建設していました。

フランク王国、東ゴート王国、西ゴート王国、ブルグンド王国、ランゴバルド王国と、一見したところ、もうゲルマン人の天下のようにみえます。しかし、そこに住んでいたのは、ゲルマン民族だけなのでしょうか。

西ローマ帝国に侵入する。土地を押さえて、ここは自分たちの国だと宣言する。

しかし、それまでの住民を追い出したわけではない。それまでの住民というのは、つまりはローマ人です。ローマ市民なんですね。

入植したローマ人もいるでしょうし、もともと属州ガリアや属州ヒスパニアに住んでいた人たち、民族的にいうとケルト人ですが、そういう人たちもローマ市民になっていたと思われます。かなりの程度まで混血も進んでいたでしょうが、いずれにせよ、そこはローマ帝国でしたから、ローマ人が住んでいたわけです。そこにゲルマン民族がやってきて、俺たちが支配する、俺たちが支配者なんだと宣言したんです。

余談ながら、支配者というのは、だんだんと洗練されて、王侯貴族になりますね。ですから、西ヨーロッパの王侯貴族というのは、おしなべてゲルマン民族の末裔です。フランスとかスペインとか、いわゆるラテン系の国々でも、王侯貴族はゲルマン人の末裔なわけです。髪の色も、目の色も、体格まで違う。見た目から別人種なわけですから、貴族と平民の差というのは、日本とかアジアで感じる以上に大きなものだったでしょうね。

さておき、ゲルマン諸民族が支配者になって、何をしたか、何ができたか、ですね。

フランク族、東ゴート族、西ゴート族、ブルグンド族、ランゴバルド族と、みんな○×族ですね。ゲルマン民族の大移動で、帝国の国境に押し寄せられたローマ人からしたら、未開の野蛮人くらいに考えていたかもしれません。そうまで悪くいわないとしても、○×族であって国ではない。国家というような高度な構造物を築いたことはないんですね。

戦闘力が高ければ戦争に勝てるし、戦争に勝てば国は獲(と)れるけれど、それを支配していく、国として治めていくのは別なわけです。実際のところ、ゲルマン人は文字が書けない、数字も知らない、これじゃあ難しいですね。誰かに頼らなければならないと探したとき、いたのがキリスト教、というか、その教会だったんです。

キリスト教は宗教ですから、その土地からローマ帝国が引き揚げても、ローマ帝国そのものが滅びたとしても残ります。西ローマ帝国が滅んでも、後の版図にキリスト教は残っていたんですね。

支配者が変わったからといって人々の信心が変わるわけではありません。激動の時代を迎えたとなれば、その不安から輪をかけて信仰に縋(すが)りつく。キリスト教徒が残るなら、教会もなくなりません。国はなくなっても、教会はなくならないんです。

それでは教会に何ができるかということですね。聖職者ですから、概して知的レベルは高い。読み書きもできるし、計算だって苦手ではなかったでしょう。それにもまして、教会が行う聖務なんですね。

例えば、聖職者が信徒に与える秘蹟というものがあります。子供が生まれれば、洗礼の秘蹟が与えられます。男女が夫婦になるときは、式を教会で挙げますね。これも結婚の秘蹟です。臨終にも秘蹟があります。海外ドラマなどで、たまにみますね。神父さんを呼んで、最後の懺悔をするというようなシーン。死ねば、当然ながら葬式も教会でやる。

全て宗教儀礼です。同時に出生届、婚姻届、そして死亡届にもなっていますね。洗礼簿といいますが、キリスト教の教会は事実上の戸籍も握っていたわけです。

これ、ゲルマン民族は欲しいですね。教会の協力を得られれば、自分たちの王国としたところを、うまく治めていくことができます。ところが、いつもいつも良好な関係を築けるわけではないと。

それというのは、前章でも話したとおり、三二五年にコンスタンティヌス大帝が開いたニカイア公会議で、キリスト教の諸派のなかでも、アタナシウス派が正統とされていたんですね。ローマ帝国の版図にある教会は、基本的に全てアタナシウス派です。

異端として排除されたのがアリウス派でしたが、こちらも宗教ですから、やはり国など関係ない。ローマ帝国で禁止されると、アリウス派の聖職者たちは、今度は国境の外にいたゲルマン人に布教したんですね。

ゲルマン人もキリスト教を受け入れていないわけではなかったのですが、その大半がアリウス派でした。しかし、ローマ帝国の国境を破ると、そこにいたのはアタナシウス派のキリスト教徒だったのです。これでは良好な関係なんか、とても築けるわけがありません。

さて、どうしたらよいか。アタナシウス派の正統信仰を受け入れれば、うまく提携できますね。いち早く実行したのが、フランク族でした。初代のフランク王がクローヴィスで、四八一年に即位して、いわゆるメロヴィング朝を開きました。この王が四九六年に洗礼を受けて、アタナシウス派、つまりは今もありますね、ローマ・カトリック教会に改宗したんです。

こうなると、強いですね。○×族が建てた○×王国というものが、軒並み短命で消失していくなか、フランク王国だけは国家として続いていきます。のみならず、他を圧倒して、他を征服しながら、あれよという間に版図を拡大していく。それもこれも国家として安定していたから、カトリック教会の下支えがあったからの話だったんですね。

フランク王国が最も大きな力を集められる、フランク王国が最も強い軍隊を作れる、イスラム軍とも戦えると、かくて挑んだのが七三二年、トゥール・ポワティエ間の戦いだったわけです。

ここで撃退できたために、イスラム帝国の拡大はスペインまでで食い止めることができました。ほどない七五〇年にウマイヤ朝が倒れて、イスラム軍の進撃が小休止になった事情もありますね。

カール大帝は「ローマ皇帝」となった

ほぼ時を同じくして、フランク王国の王朝も交替します。七五一年、宮宰カール・マルテルの息子であるピピン三世（小ピピン）が、メロヴィング朝を倒して、カロリング朝を創始するんです。

そのまた息子、ドイツ語でカール、フランス語でシャルルですが、この七六八年に即位した二代目が、カロリング朝の最盛期を築いたといわれています。他のゲルマン諸国を征服し、それらをフランク王国に併呑(へいどん)して、今の西ヨーロッパにあたる地域に、強大な統一国家を打ち立てたんです。

この王は八〇〇年、さらに皇帝の冠を受けます。ドイツ語でカール・デア・グローセ、フランス語でシャルルマーニュといわれる、つまりはカール大帝のことですね。しかし、これ、なんの冠だったんでしょうか。

カール大帝は教科書的にはフランク皇帝と呼ばれています。フランク王国も以後はフランク帝国です。しかし、フランク皇帝の冠があるんだったら、最初からそれを被(かぶ)ればよさそうなものですよね。

実を明かしますと、これ、「西ローマ帝国」の冠なんです。文書に現れる称号は「インペラートル・ロマノールム」ですから、西すらつかない、ただの「ローマ皇帝」です。カール大帝はフランク皇帝ではなくて、ローマ皇帝になったんです。

東ローマ帝国は変わらずありますから、東ローマ皇帝は嫌がります。いや、実をいうと、東西合同のプランも浮上していました。東ローマのほうの皇帝が、エイレーネという女性だったんですね。

カールと結婚すれば、夫婦皇帝でローマ帝国を統一できるという構想で、実際に交渉の使節も送り出したんですが、八〇二年、コンスタンティノポリスで政変が起きて、エイレーネは廃位されてしまいました。クー・デタで財務大臣から皇帝になったニケフォロスが、カールの西ローマ皇帝の位を断固否認したわけです。

それでも西は西でローマ皇帝を名乗る。こちらではローマ帝国が復活したんだという理屈です。いや、好んで敵を作ることはない、進んで東ローマ皇帝の恨みを買いたくはないと、カール大帝は戴冠に乗り気でなかったともいわれます。中身はフランク王国ですからね。余計な飾りをつけることに、さほどの魅力も感じなかったんでしょう。

それでは誰が乗り気だったかといえば、カトリック教会が積極的に進めた話でした。八〇〇年の戴冠も十二月二十五日、クリスマスといいますか、キリストの生誕祭ですが、わざわざ特別な祭日を選んで、ローマのサン・ピエトロ大聖堂で行われました。それも冠を与えたのは、ローマ教皇レオ三世だったという話なんです。

見方を変えて、ここで教会の立場になってみますと、西ローマ帝国の滅亡というのは、やはり困ったことですね。かわりに○×族が次々とやってきて、これと新たに協力関係を築いたとすれば、それは教会としても○×族が便利だったから、外敵から守ってくれるからです。要するに用心棒みたいなものなわけです。

しかし、用心棒というのは扱いが難しい。そのなかでフランク族だけは例外的に善良で、この場合はカトリックの洗礼を受けたという意味ですけれど、安定的な関係を築くことができた。キリスト教を国教と定めてくれた、かつてのローマ帝国と同じですね。それなら、いっそ本物のローマ帝国にしてしまえということです。

なぜ皇帝は教皇に逆らえないのか

わざわざ復活させてまで、ローマ帝国にしなくてもと思ってしまいますが、キリスト教にはキリスト教の事情があります。

こちらのカトリック教会ですね。ローマ教会とも呼ばれるように、ローマ教皇を頂点とするヒエラルヒーを整えていきます。ところが、東ローマ皇帝とコンスタンティノポリス総大主教は、その首位性を認めない。自分たちのほうが正統だと、こちらはオーソドックス、ギリシア正教会を名乗るようになります。

元を辿ればローマ帝国が東西に分裂した四世紀から、様々に対立が始まって、キリスト教の東西教会は決裂したり、関係を修復したりを繰り返してきたんですね。それが八世紀になって、東ローマ皇帝レオン三世が七二六年に出した聖像禁止令を巡って、また緊張関係になっていました。

東ローマはコンスタンティノポリス総大主教のみならず、さっきの女性皇帝エイレーネも圧力をかけてきます。女性が皇帝になることを、ローマ教会は認めないと打ち上げましたから、これまた対立の種になりますね。

ここで折れれば、カトリック教会はギリシア正教会に服属させられた格好になる。困窮したローマ教皇が思いついたことは、こちらでも皇帝を立てればいいと、その武力を後ろ盾に東からの圧力を撥ね返せばいいと。

かくて西ローマ帝国の復活に運んでみると、もうひとつ考えさせられますね。つまり、古代から何が変わったんだろうと。西ローマ帝国が滅んでも、その版図にはキリスト教、カトリック教会は残っていました。聖務を通じて国家としての役割を代替できる組織ですから、いってみれば文官による文治は滞らなかったと。

変わったのは軍官と軍隊です。ローマ人が指揮するローマ軍から、フランク族が戦うフランク軍に変わって、それが支配者の座に就きますから、変わったといえば変わりました。復活した西ローマ帝国は、古代ローマ帝国ではなくて、東ローマ帝国と同じように、やっぱり中世ローマ帝国なんです。

とはいえ、全てが一変したわけではない。キリスト教とカトリック教会という下半分は変わらず、フランク族という上半分だけが変わった。古代のユニヴァースは西のほうでも、部分的にはその命脈を保ち続け、それが新たな力を手に入れて、力強く蘇ったというわけです。

フランク軍がイスラム軍を撃退し、それを率いたカロリング家から出たカールが、ローマ皇帝に戴冠したというのは、一連の再生劇の総仕上げのようなものだったんですね。

それにしても、なんとも特異な歴史ですね。イスラム帝国のカリフは、宗教的指導者＝政治的指導者ですね。東ローマ帝国のほうは政治的指導者としての皇帝がいて、宗教的指導者としてのコンスタンティノポリス総大主教を従えています。これは古代から変わっていません。

そこで中世の西ローマ帝国です。皇帝が政治的指導者であることは間違いありませんが、宗教的指導者であるローマ教皇ですね、これは政治的指導者でもあるわけです。誤解を恐れずにいえば、皇帝は武官の長、教皇は文官の長という格好です。そもそも新しいユニヴァースの形成は双方の協力、どちらが上、どちらが下というのでない、対等のパートナーシップで遂げられているわけです。

カール大帝の帝冠からして、ローマ教皇レオ三世が与えたものです。皇帝でも、王でも、ヨーロッパでは戴冠式はキリスト教の大聖堂で行う、戴冠は聖職者の手で

●カール大帝の戴冠式

フランク国王カールが、サン・ピエトロ大聖堂にてローマ教皇レオ３世から「ローマ帝国皇帝」の帝冠を与えられた。
画：ジャン・フーケ。フランス国立図書館蔵。

行われる、それが当たり前のようになっていますが、よくよく考えると奇妙ですね。

キリスト以前は当然ありえませんが、以後の、例えばキリスト教を公認したコンスタンティヌス大帝だって、聖職者から皇帝にしてもらったわけじゃありません。カールの戴冠は明らかにおかしいんですが、これが決まり事になっていくんですね。

カトリック教会が強いはずです。少し後の話で、中世ヨーロッパは皇帝権と教皇権が対立している、と教科書にもありますね。二つの中心を持つ楕円的世界、というような形容もされますが、日本人の感覚からすると、ちょっと理解できませんね。

それも、そもそもの帝国起ち上げのプロセスから考えれば、さもありなんという気がしてきます。実力行使できる軍官といえども、文官を容易に敵に回せないんですね。東ローマのほうでも、軍隊を握るテマ長官たちを、徴税権を把握した皇帝が押さえていましたね。

同じ理屈で、西ローマでは皇帝が押さえられます。カトリック教会は強い。皇帝も、このあとは王も、全て押さえこもうとします。これを少しずつ克服して、いわゆる政教分離が完全に達成されるのは、千年も後の話になります。

東ローマ、西ローマ、イスラムの三世界史

ともあれ、西ローマ帝国は復活しました。世界征服の意志と、それを治める帝国と、それを支える一神教の三要素を揃えて、まさにユニヴァースとして復活、我こ

そユニヴァーサル・ヒストリーを作るんだという宣言がなされたわけです。

とはいえ、あくまで観念ですね。観念ですからキリスト教は強力ですが、世界征服など夢のまた夢ですし、帝国も俄か仕立ての砂上の楼閣にすぎません。本当に砂上の楼閣で、フランク族で西ローマ帝国を復活させた、大帝国ができたと喜んだのも束の間で、カール大帝の孫の代、つまり大帝の子ルードヴィッヒ一世（ルイ一世）の息子たちの代には、もう分裂してしまうんですね。

八四三年のヴェルダン条約で、まず中央フランク、東フランク、西フランクに分けられます。どうしてこんな真似をしたかというと、ルードヴィッヒ一世、またはルイ一世には、崩御の時点で生きていた息子が三人いたからです。土地は財産だから、自分の死後は息子たちに均等に分ける。これ、メロヴィング朝の時代から、そうなんですね。

カトリック教会と提携して、せっかく建てたフランク王国も王の代替わりで分裂を繰り返して、結果的に王家が弱くなって、かわりに辣腕の宮宰が全部をまとめる試みをして、あげく自ら王になって、カロリング朝を建てますが、やっぱりフランク族の感覚は変わらない。皇帝にまでなっているのに、帝国を維持しなければならない、なんて頭はない。

八七〇年のメルセン条約で、後継者の絶えた中央フランクのアルプス以北部分が、東西フランクに分けられます。これが後に東フランクがドイツ、西フランクがフランス、中央フランクのアルプス以南が後にイタリアになるわけですが、帝国の分裂は変わりませんね。

帝冠はといえば、はじめ中央フランクが、後に東フランクが受け継いでいきます。東フランクでは、王家の直系が絶えると、有力諸侯のザクセン公が九一九年に王位を継ぎます。そしてオットー一世、オットー大帝が九六二年に皇帝に戴冠するわけです。ローマ教皇ヨハネス十二世が進めたものでしたが、もう古の西ローマ帝国を彷彿(ほうふつ)とさせるものではありませんね。

それからは、あっちが皇帝になり、こっちが皇帝になり、それでも名乗りは変わらずローマ皇帝です。教科書に出てくる神聖ローマ皇帝はビザンツ皇帝と同じで、歴史家の勝手な命名にすぎませんが、実質的にはドイツの君主にすぎなくなります。

十五世紀からは「ドイツのローマ皇帝」なんて名乗りますから、いよいよドイツなのか、ローマなのか、どこなんだといいたくなります。かたや、フランスやイギリス、スペインといったような国を治める、皇帝の下の王たちですね、これらが指

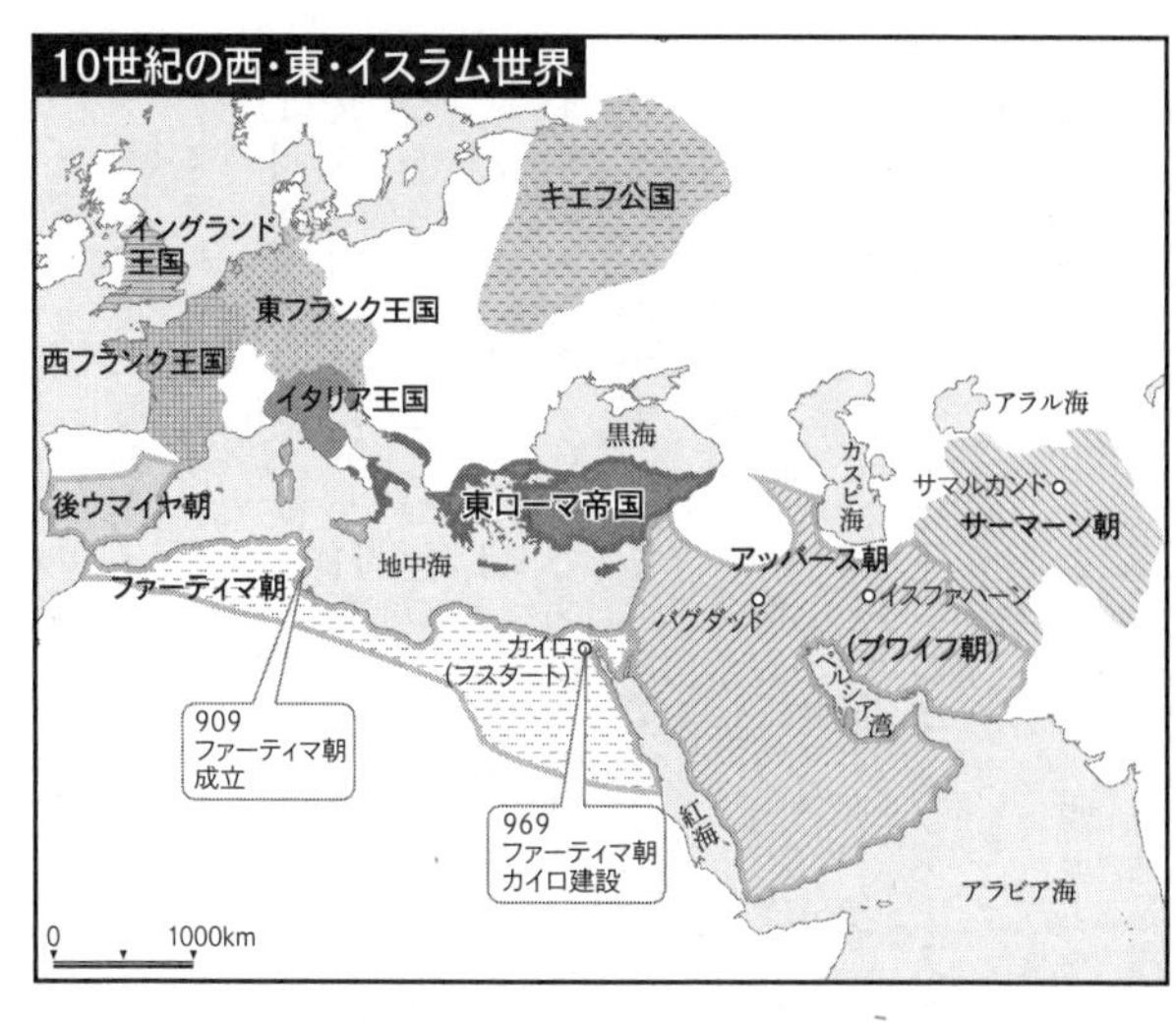

導的な立場を取り始めます。とはいえ、それらも全て含めて、ユニヴァースなんですね。

　ローマ教皇という他方の指導者には変わらず服しているユニヴァースでもありますが、これが明確な意識をもって、ユニヴァーサル・ヒストリーを歩み始めた。**ローマ帝国を継ぐものとして、キリスト教を奉じる社会として、イスラム帝国に屈せず、東ローマ帝国に服さず、我こそは世界を征服する、いつか統一してやるんだと、強烈な自意識を獲得した。**ここが重要なんだと思います。

　世界史の図式が現れましたね。ローマ帝国というユニヴァースは、キリスト教という一神教の支えを得たところで、皮肉にも東西に分裂してしまいました。そこに現れるのがイスラム教であり、この一神教とともに爆発的な拡大を示したイスラム帝国でした。

ローマ帝国と同等の、いや、それ以上に完成度の高いユニヴァースですね。このイスラムの猛威に襲われながら、堪えて凌いだのが東ローマ帝国というユニヴァースであり、もうひとつ西ローマ帝国というユニヴァースです。

この三ユニヴァースは自らを主に据えた世界観を持ち、自らの足跡こそはユニヴァーサル・ヒストリーであるとの自負を譲りません。それが必ずしも現実でなく、それどころか現実はあるべき姿から程遠い体であったとしても、それぞれの意識としてはそうなのです。

誰にも屈さず、誰にも譲らず、歴史の終着点においては、我こそ勝者になっている、要するに我こそ世界を征服する、我こそ世界を統一すると考えている。**かかる強烈な自意識を有する三つのユニヴァースが、八世紀から九世紀にかけて、とうとう出揃った**のです。

言葉にすれば、東ローマ帝国、西ローマ帝国、イスラム帝国の三ユニヴァースです。なお観念としては不変であり、世界観が崩壊することはないとはいえ、歴史の進展においては、あるいはローマでなくなり、あるいは帝国でなくなることもありません。それぞれの域内さえ、常に政治的な統一が果たされていたわけではありません。それらのことを加味するなら、東世界、西世界、イスラム世界の三ユニヴァースというべきでしょうか。

東世界史、西世界史、イスラム世界史——この三ユニヴァーサル・ヒストリーを合わせたものが、総体としての世界史、ワールド・ヒストリーなのだと、それが私の考え方なのです。

第五章

なぜ、十字軍戦争は「世界大戦」となったのか

――皇帝と教皇の思惑が三世界を揺り動かす

他も羨むイスラム世界の大繁栄

東世界、西世界、イスラム世界が並立しましたが、八世紀半ばからしばらくの間は、それほど大きな交錯もなしに、それぞれが発展する道を歩みます。

常に戦っているわけではない。いや、激しく衝突した時代があったからこそ、その後には静かに距離を置いている時代が続く。それが一種の歴史の法則なのかもしれませんね。

とはいえ、東世界、西世界、イスラム世界の三世界ですね、並列はしていますが、同列であったかといえば、また別な問題になります。東世界、西世界とも、なんとか自分を守れたのみでしたから、いかにも分が悪いですね。

勢いがあるのは、やはりイスラム世界でした。その豊かな活力が、この時期は外的発展から内的充実に向かったというべきかもしれません。前章でも話しましたように、爆発的な膨張が止まったのは、ウマイヤ朝が倒れて、アッバース朝が建てられた時期ですね。このアッバース朝イスラム帝国が、歴史に特筆されるべき繁栄を謳歌しました。

もう本当に世界の中心というほどの繁栄ですね。大袈裟でなく東世界なんかみすぼらしくみえるくらい、西世界にいたっては野卑に感じられるくらい、イスラム世界は燦々と光り輝いていたわけです。

まず版図を確かめますと、東は中央アジアですね、シル河の辺まで帝国に組み入れられています。西は北アフリカの西端までです。今の国でみますと、カザフスタンの南端、ウズベキスタン、トルクメニスタン、ロシア南端、ジョージア、アゼルバイジャン、アルメニア、イラン、イラク、クウェート、バーレーン、カタール、アラブ首長国連邦、オマーン、イエメン、サウジアラビア、ヨルダン、イスラエル、レバノン、シリア、トルコ、エジプト、リビア、チュニジア、アルジェリア、モロッコにわたります。

ウマイヤ朝の時代はイベリア半島まで広がっていたわけですが、ここには七五六年、アッバース朝の正統性を認めず、ウマイヤ朝の後継を称する勢力、後ウマイヤ朝が建ちました。まあ、イベリア半島も変わらずイスラム世界ではありますね。

東西六千キロ、東世界、西世界と比べても倍以上の広さで、まずは世界帝国の名前に遜色ありません。

アッバース朝イスラム帝国の都がバグダッドでした。ウマイヤ朝の時代の都ダマスクスから移されたのですが、こちらはほぼ完全な人工都市でした。今もイラクの首都ですが、もともとはバグダッド村でしかなかったのです。チグリス河の辺という立地に目をつけたのが、第二代カリフのマンスールで、七六二年から四年の工事で、ほぼゼロから築き上げたんですね。

これが歎息（たんそく）もので、「円城（ムダウワラ）」と呼ばれた通りに、直径二千三百五十メートルの完全な円を描く縄張りになっています。外郭が円をなす城壁になっているわけですが、これが三重だったといいます。このなかにカリフの宮殿、モスク、役所の建物、役人や軍人の宿舎と置かれて、壮麗なまでに整然たる人工都市だったわけです。

その四門は世界に通じていました。北東のホラーサーン門からはイラン、中央アジア、さらに中国に向かえます。南東のバスラ門からは街道がペルシア湾に導きます。そこからは海路でインドや東南アジアに出られると。南西のクーファ門から延びる街道では、イラク南部、さらにメディナ、メッカに行けましたし、北西のシリア門からはシリア、エジプト、さらに北アフリカに向かうことができました。

全ての道はローマ——ならぬ、全ての道はバグダッドに通じるですね。

城壁の外側は、商人街になっていました。交通の便に恵まれたバグダッドは、商

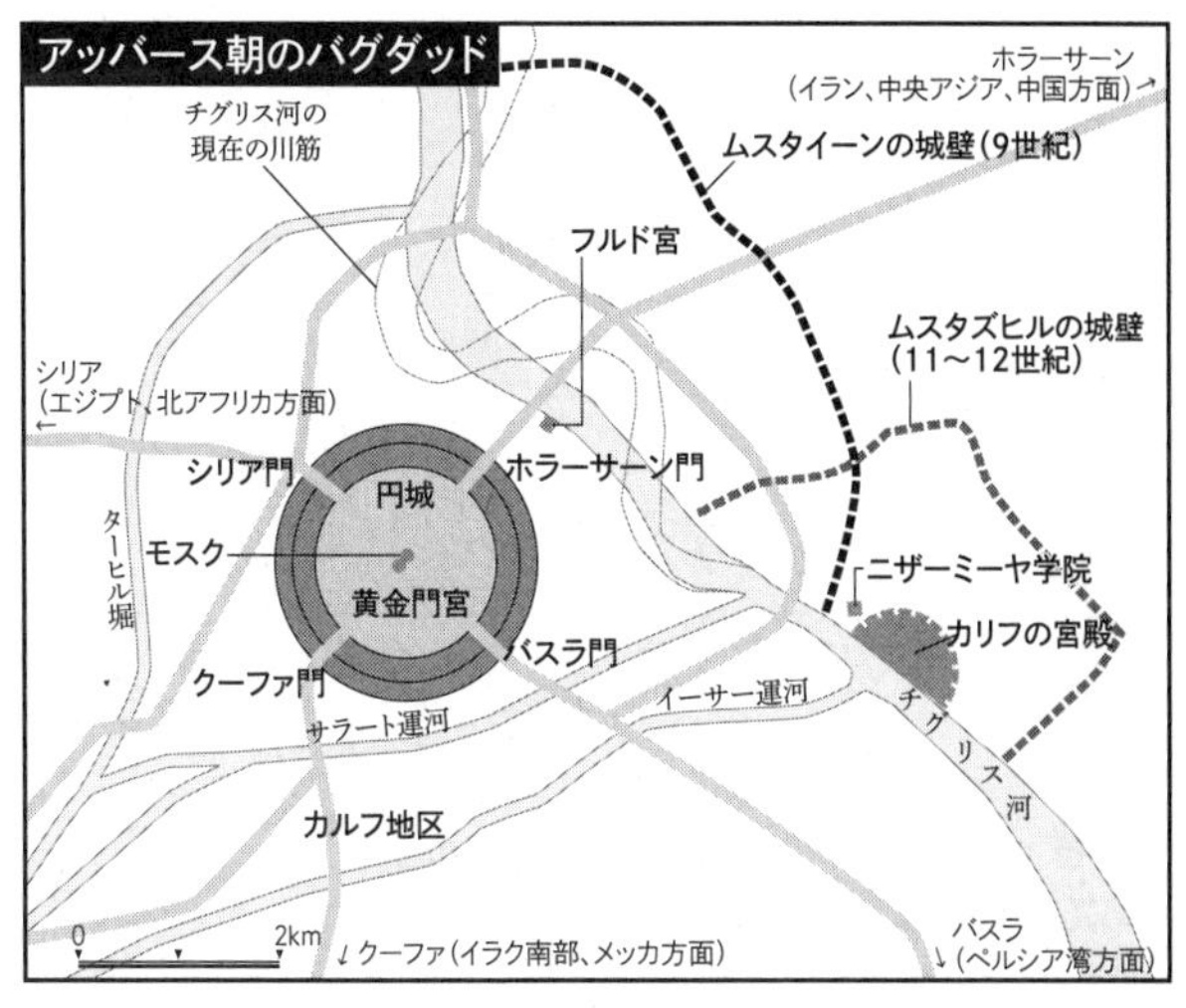

業の一大中心地でもあったわけです。アラビア人、イスラム教徒といえば、商業ですね。アッバース朝の繁栄を支えたひとつが、莫大な商業利益でした。

騒ぐような話でないと思われるかもしれませんが、例えば西ローマ帝国のほう、西世界ですね、こちらでは貨幣経済そのものが未発達でした。イスラム帝国の場合は、東ローマの金貨流通、ササン朝の銀貨流通を受け継いで、自前でもヌビア、さらにアフリカ内陸から産出される金、イラン東部の銀を使って、貨幣を鋳造していました。

貨幣が流通すれば、農村の物品が

都市に集まりますね。為替手形まで使われていたというのは、貨幣の持ち運びも困難な遠隔地との交易も、普通に行われていたからです。イスラム帝国も広いですが、のみならず中国からは絹や陶磁器、インドや東南アジアからは香辛料という風に、商品は外国からも持ちこまれたし、またそれを東世界、西世界に送り出すということもやっていたわけです。

バグダッドといえば、バグダッドの商人シンドバッドですね。まさしくアラビアンナイトの世界そのものです。ディズニーアニメなんかにも、金色に輝くような豪華な街並とか、金糸銀糸が光沢の生地に縫いこまれた華やかな衣装とか、色とりどりの宝石が嵌(は)めこまれた装身具、細密な装飾が施された家具調度にいたるまで、思えばアッバース朝の栄華がここぞと描き出されているわけです。

九世紀から十世紀にかけて、バグダッドの人口は百万を数えたといいます。コンスタンティノポリスの六十万を超えて、文字通り世界最大の都です。もう圧倒的ですね。

イスラム教徒が爆発的に増えた理由

イスラム帝国はカリフ、この宗教的指導者が政治的指導者でもあります。同じようにイスラム教徒であること自体が、ローマ帝国でローマ市民権を持つことと同じだったといいますか、イスラム教徒であれば、少なくともイスラム帝国内は往来が自由なんですね。

生涯一度はメッカに巡礼せよとも命じる宗教ですから、社会そのものが旅に好意的といいますか、旅人に便宜を図る慣習にもなっています。商業、交易が発展するはずですね。

とはいえ、それまでイスラム教徒というと、ほぼアラビア人に限られていました。イスラム帝国というのも、アレクサンドロス大王や帝政までのローマ、あるいはゲルマン民族のそれと同じで征服王朝、支配者がアラビア人という国だったんですね。

これがアッバース朝の時代に変わりました。イスラム教徒であれば、アラビア人でなくとも役人や軍人にどんどん登用していくシステムに変えたんですね。

となれば、イスラム帝国の版図では、イスラム教に改宗しない手はないとなります。とりわけイラン人といいますか、ペルシア人ですね。その改宗が大幅に進みました。イスラムの版図が爆発的に増えたのはウマイヤ朝の時代までですが、イスラム教徒の数が爆発的に増えたのは、むしろアッバース朝の時代だったんですね。

文化レベルが飛躍的に高まったのも、アッバース朝の時代です。わけてもギリシア文化の受容と研究が、カリフの肝いりで進められました。どうしてギリシアなのかは、もうおわかりですよね。

イスラム帝国はもともとヘレニズム世界、アレクサンドロス大王の征服した土地なわけです。セレウコス朝があったシリア、プトレマイオス朝があったエジプトも、東ローマ帝国から奪いました。そのアレクサンドリアこそ、ギリシアの学問の中心地になっていたんですね。

やはり第二代カリフのマンスールの時代から、ギリシア語からアラビア語への翻訳事業が始まります。哲学者アリストテレス、天文学者プトレマイオス、数学者エウクレイデス、いわゆるユークリッドですね。それらを皮切りに組織的な翻訳が行われて、これを土台にイスラム帝国では、哲学、天文学、占星術、医学、薬学、数学と、諸科学が大きく発展したわけです。

これら文化的発展には、紙も大いに貢献しました。それまではパピルスか羊皮紙で、手間も金もかかりました。比べると、紙は安いし、軽いしで、便利この上ないのですが、その技術がなかった。

製紙法がイスラム世界に伝わったのが七五一年で、中国の唐からでした。版図を広げたあげく、タラス河の辺で高仙芝という将軍が率いる唐軍と激突することになったのですが、やっぱりイスラム軍は強い。撃破して、多くの中国人を捕虜にすると、そのなかに紙漉き工もいたんですね。それで製紙法を手に入れた。強さは文化にも寄与するということです。

高度な文化があるところは魅力的にみえますね。これが、さらなるイスラム教の伝播を助けます。諸科学とイスラム神学は常に整合的というわけではないのですが、合わせて先進国なんだと、余所は憧れを抱くわけです。欧米文化に惹かれて、キリスト教徒になった日本人も多くいるかと思いますが、それと同じですね。

イスラム帝国に征服されるわけではない。政治的に統合されてはいない。それでもイスラム教を受け入れる。イスラム世界に加わっていく。そういう国や地域も増え始めます。

例えば、トルコ人ですね。そういうと、今のトルコ人、小アジアのトルコ人を思い浮かべると思いますが、トルコ人、トルコ系の人といったほうがいいかもしれませんが、とにかくもともとの発祥は中央アジアなんですね。

今のトルコ人だけでなく、アゼルバイジャン人とか、ウズベク人とか、トルクメン人、キルギス人、カザフ人を含めたトルコ系の人たちですね。その中央アジアにもイスラム教が伝わって、遅くとも十一世紀にはイスラム教徒が増えるということになっています。イスラム世界は、より大きく広がる可能性さえ孕んでいたということです。

ブルガリアとロシアが東世界の一員に

他の二世界はどうなっていたでしょうか。

まずは東世界、東ローマ帝国からみていきますと、イスラム軍に侵攻され、版図の半ばを奪われ、これでは駄目だと国制改革を断行して、なんとか持ち堪えたという話まではしました。一度は自信喪失に追いこまれたでしょうが、それを三世紀ほどかけて取り戻していったような感じです。

まずは首都の再建です。コンスタンティノポリスは度重なる包囲攻撃で、なにより人口が激減していました。これでは戦後復興もできないとなって、皇帝コンスタンティヌス五世は七五五年、ギリシア各地、わけてもエーゲ海の島々に暮らす人々に呼びかけて、首都移住政策を進めました。都といえば、勝手に人が集まってくるような気がしますが、このときのコンスタンティノポリスは誰も寄りつかないほど荒廃していたんですね。

それも九世紀に入る頃には持ちなおして、八二九年に即位した皇帝テオフィロスの時代には、コンスタンティノポリス城塞の新規造営事業も始まります。同時に文化学芸の振興にも力が入れられて、やはりギリシア、そしてローマの古典研究ですね、これが進みます。九世紀半ばに始まる帝朝に因んで、歴史的に「マケドニア朝ルネサンス」と呼ばれる動きです。

四囲の状況として、楽になったわけではありません。東から、あるいは南から来るイスラム帝国は止めた、いや、止めたとはいうけれど、今度は海から攻められて、クレタ島を取られたり、シチリア島を占領されたりと、九世紀に入っても局地的な抗争は起こります。加えて、これとは別に北から来る脅威もあるわけです。

例えば、ブルガリアです。ブルガール人は中央アジアにいたトルコ系の遊牧民ですが、これがバルカン半島の北、黒海西岸ですね、このあたりを征服して、住んでいたスラヴ人と混血して、勢力を拡大していたわけです。

西ローマ帝国のゲルマン人と同じですね。国境を破ろうとするので、東ローマ軍は撃退にかかりますが、どうして、容易な相手ではありません。

七六二年、アンキアロスの戦いでは皇帝コンスタンティヌス五世が勝利します。ところが、八一一年にはクルム・ハン――中央アジアの遊牧民という出自が窺える称号で、ブルガリアの君主は「ハン」を名乗っていたんですね。このクルム・ハンが率いるブルガリア軍に撃破されて、皇帝ニケフォロス一世が戦死に追いこまれてしまいます。

クルムは勝利の美酒をニケフォロスの頭蓋骨で飲み干した、なんて凄い逸話も伝えられています。ブルガリア軍にはさらに進撃されて、いよいよ八一三年にはコンスタンティノポリスを包囲されます。しかし、八一四年にクルム・ハンが急死したので、なんとか停戦の運びとなりました。

命拾いしましたね。いや、このときもトラキア国境を改めさせられ、それからもマケドニアを荒らされと、ブルガリアには手を焼かされています。こうした新手の脅威には、どう対処していったらよいのか。

鍵となったのが、やっぱりキリスト教でした。

東ローマ帝国にあってキリスト教は、東も西もないローマ帝国の頃から変わることなく、国教として国家に守られるという位置づけです。西のように教会組織が新しい支配者を助ける、帝国の基盤になるというようなプロセスはありませんから、コンスタンティノポリス総大主教が皇帝に恩を売るということも、ましてや対立するなんてこともありません。密接にかかわりながら、二人三脚でやっていくというのが、もう古代から一貫した体制だったわけです。

このキリスト教ですね。国教と定めたのはローマ帝国だけですが、土台が宗教ですから、国境など関係なく広まります。いや、勝手に広まるだけじゃなくて、九世紀からは東ローマの教会が別して積極的になって、北方布教の試みを始めるんですね。

少し後の九世紀後半の話になりますが、「スラヴ人の使徒」と呼ばれる、メトディオスとコンスタンティノスの修道士の兄弟なんかも活躍します。モラヴィア、ブルガリア、セルビアにまでも出かけていって、この場合はギリシア正教ですけれど、キリスト教を広めようとするわけです。

キリスト教化が進めば、本山というか、総大主教はコンスタンティノポリスにいるわけですから、東ローマ帝国にしても全くの外敵という感じではなくなります。

クルム・ハンの曾孫にあたるボリスですが、直系ではなかったので、はじめは修道士になれ、勉強してこいといわれて、コンスタンティノポリスで長じました。このボリスが八五二年、ブルガリアの君主の座に就くことになると、まずハンではなくて王、アレクサンドロス大王の称号と同じ、東ローマ皇帝のギリシア語での名乗りと同じ、バシレウスを名乗りました。のみならず、八六四年には民人もろともキリスト教の洗礼を受けるということをしたんです。

東ローマ帝国が核となる、ひとつの世界、東世界に、周辺地域が包含されていく。その歩みが始まったとみてよいかと思います。

もっとも、以後は政治勢力として敵対しないということではありません。ブルガリアにしても、キリスト教を受け入れて、文化的にも高まって、かえって自信を深めたか、王の名乗りをさらに皇帝、カエサルの訛り（なま）でツァールという称号でしたが、これに変えて、十世紀が始まる頃には我こそ東世界の代表と勢いづきます。

わけても、シメオンという傑物がブルガリア皇帝になったときで、九一七年のアケロオスの戦いで東ローマ軍を破ると、九二二年にはハドリアノポリスを占領し、さらにマケドニア、トラキアと席巻していきます。残すはテッサロニキ、そしてコンスタンティノポリスだけとなった九二四年に、東ローマ皇帝は再び停戦を引き出すんですすね。

ブルガリアに貢納金を支払うという屈辱的な条件でしたが、九二七年にはシメオンが亡くなります。継いだ息子のペータルが、改めて東ローマ皇帝ロマノス一世と和平を結んで、争いは落着します。

ブルガリア皇帝を名乗る権利を認めろと突きつけるのは、依然高圧的ですが、ロマノス一世の孫娘を妃に迎えたい、ブルガリア総主教座を作りたいと、ペータルは勝者の立場にして、なお東世界に地歩を固めようとするわけです。

それはロシア人なども同じです。スラヴ人も、東スラヴ人になりますが、九世紀の半ば頃から国を興すようになって、それと同時に南に下りてくるようになります。

とりわけ八八二年にキエフ公国が成りますと、今のウクライナですから、黒海のすぐ北で、近いですね。九一〇年代のオレーグ、さらに九四〇年代のイーゴリと、キエフ公が軍勢を率いて、コンスタンティノポリスを襲撃するなんて事件を、たびたび起こすようになります。

しかし、それも九五七年、キエフ女公オルガがキリスト教の洗礼を受けると、また別な展開になるわけです。コンスタンティノポリスの宮廷に盛大な歓迎で招き入れられ、皇帝コンスタンティヌス七世が代父、ゴッドファーザーといいますか、洗礼親を務めて、オルガ女公にヘレーネという皇妃に因んだ洗礼名を授けたのですが、こうなると、もう家族ですね。

東ローマ皇帝とキエフ公は、キリスト教の理屈からすると、霊的な親子なわけで、この関係の政治的な波及は当然あります。九八七年、キエフ公ウラジーミルが皇帝バシレイオス二世の妹を妃に迎え、九八八年にはキエフ総主教座ができ、九八九年には全ての民人をキリスト教徒にすると進むわけですから、もうロシアも東世界の一員ですね。

かつてのローマ帝国のように、全て軍事力で征服する、そのまま政治的に支配するということではありません。キリスト教を媒介にして、合わせて皇帝の権威というものを再建し、改めて求心力を発揮しながら、スラヴ人はじめ周辺の諸国、諸民族を従えていく。**東世界という自らが中心となるユニヴァースを、しっかりと構築していく。東ローマ帝国はこういう流れに持っていった**わけです。

再建した東世界にセルジューク・トルコが襲いかかる

いや、政治的な支配も取り返していきます。東ローマ帝国は十世紀に入ると、守勢から徐々に攻勢に転じていくといいますか、拡大路線さえ歩み始めるわけです。

まずはイスラム世界への逆襲ですね。九三四年、東ローマ軍は小アジアのメリテネを制圧、さらにエデッサに進みます。九六〇年にはクレタ島に遠征して、九六一年には全島の奪還に成功します。余勢を駆ってキプロス島を攻め、タルソス、キリキアと上陸し、九六二年にはシリアに足を踏み入れ、アレッポまで征服してしまいます。

少し置いて、九六九年にはアンティオキア、九七四年にはメソポタミアに進んで、ニシビス地方を制圧、九七五年にはパレスティナに下りて、ナザレ、カエサレアを占領し、一時はエルサレムに迫るわけです。東ローマ帝国、強いですね。

九七六年に即位したのがバシレイオス二世ですが、この皇帝が九八六年から始めたのが、ブルガリア三十年戦争です。かつて無類の強さを示し、東ローマ帝国に貢納金の支払いまで強いた、あのブルガリアですね。バシレイオス二世は一〇一八年までかかって、ブルガリア帝国を完全征服してしまいます。

東ローマ帝国の西国境は再びドナウ河に達しました。バシレイオス二世は東でもカフカス地方に軍を進めて、アルメニア、ジョージアあたりの諸勢力を屈服させることで、やはり国境を押し上げています。

世界征服、世界支配を目指すユニヴァースとして、すっかり自信を取り戻しましたね。ここから、さらにどういう展開をみせるかと思いきや、十一世紀半ばくらいから徐々に失速していきます。

ひとつがノルマン人の来襲です。直接的にはフランスのノルマンディから来たのですが、さらに辿れば今のノルウェー、スウェーデン、デンマークのあたりに由来する、要するにヴァイキングの末裔（まつえい）です。

ロベール・ギスカールという野心家ですね、これに率いられた一団が南イタリア、ユスティニアヌス大帝が征服して、東ローマの版図に組み入れた地域ですが、そのプーリア地方やシチリア島を征服せんと動き出したわけです。

もうひとつ、騎馬遊牧民族ペチェネグの問題がありました。国境を侵犯して、マケドニア、トラキアと荒らして回りますが、まあ、それまではブルガリアが引き受けてきた厄介（やっかい）です。ブルガリアを征服したことで、東ローマ帝国が直面することになっただけ、といえなくもありません。

しかし、最大の問題は、やはりイスラム勢力でした。イスラム帝国ではありません。栄華を極めたアッバース朝ですが、早ければ九世紀から衰退期に入ります。カリフの地位が形骸化して、方々でアミールと呼ばれる将軍が事実上の自立を始めていたのです。

エジプトには別にファーティマ朝が建ち、北アフリカからシリアにかけた版図を持って、これも独立した勢力になりました。要するに分裂です。これだけの広域で政治的な統一を維持するというのは、やはり非常な困難なんですね。

全体として団結することができず、東ローマの逆襲も、それゆえ可能だった面がなくはないのですが、イスラム教徒は今やアラビア人だけでも、それにペルシア人を加えただけでもありません。

新たに台頭してきたのが、トルコ人でした。セルジューク・トルコという、セルジューク家に率いられた一派ですね。これが中央アジアから移動して、アッバース朝の版図を席巻すると、小アジアに進出してきたわけです。

東ローマ帝国と衝突したのが、一〇七一年、マンジケルトの戦いでした。この戦いでアルプ・アルスランのトルコ軍に東ローマ軍は大敗、皇帝ロマノス・ディオゲネスは捕虜に取られてしまいます。

いわゆるセルジューク・トルコが、ここで大版図を築きます。一〇七七年には分派までが、小アジア、アナトリア半島の東部に、ルーム・セルジューク朝と呼ばれる国を建てます。「ルーム」というのは「ローマ」で、東ローマから国を奪い、我こそローマの後継者なのだという意味が込められています。

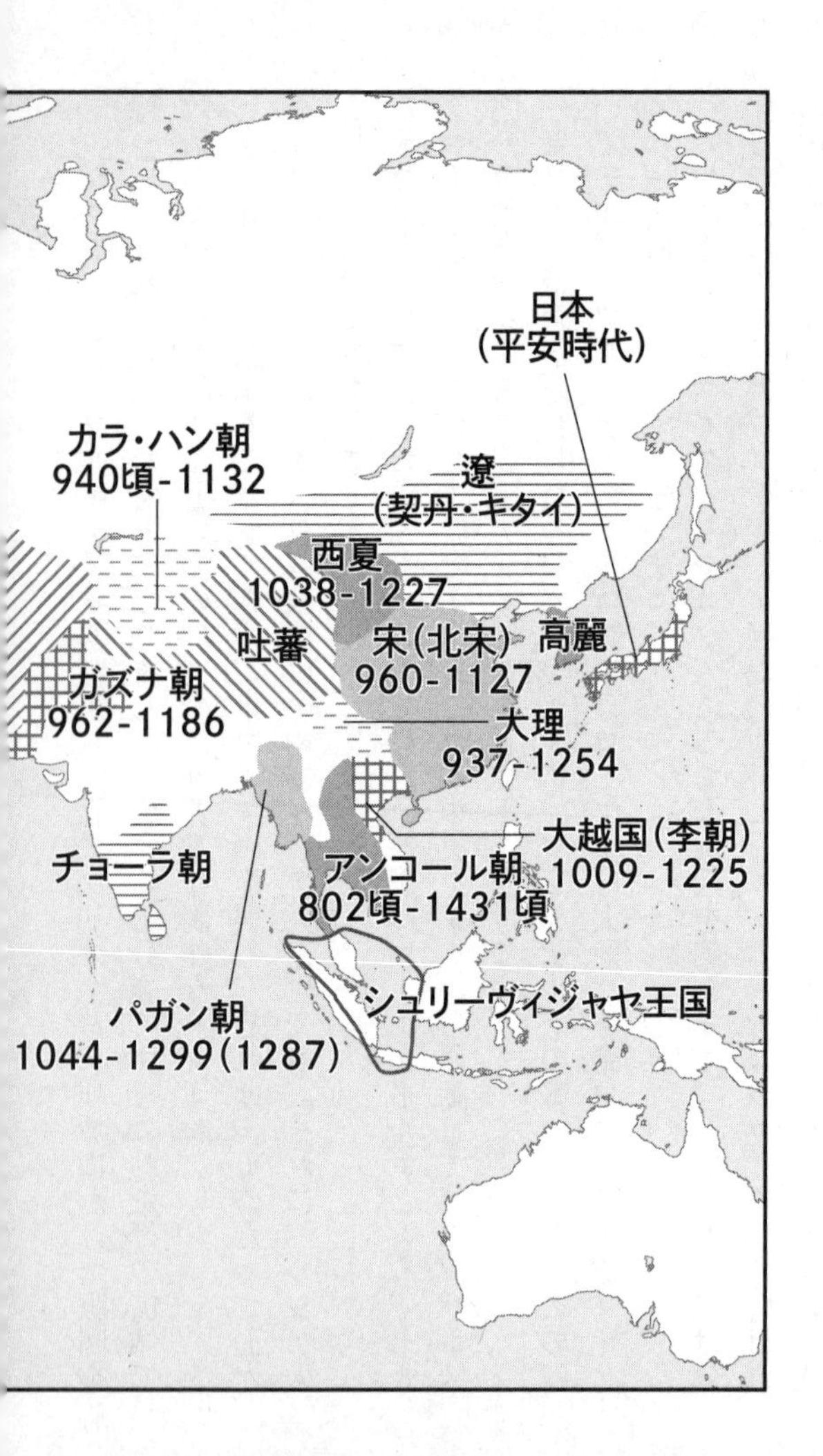
日本
(平安時代)
カラ・ハン朝
940頃-1132
遼
(契丹・キタイ)
西夏
1038-1227
吐蕃
宋(北宋)
960-1127
高麗
ガズナ朝
962-1186
大理
937-1254
大越国(李朝)
1009-1225
チョーラ朝
アンコール朝
802頃-1431頃
シュリーヴィジャヤ王国
パガン朝
1044-1299(1287)

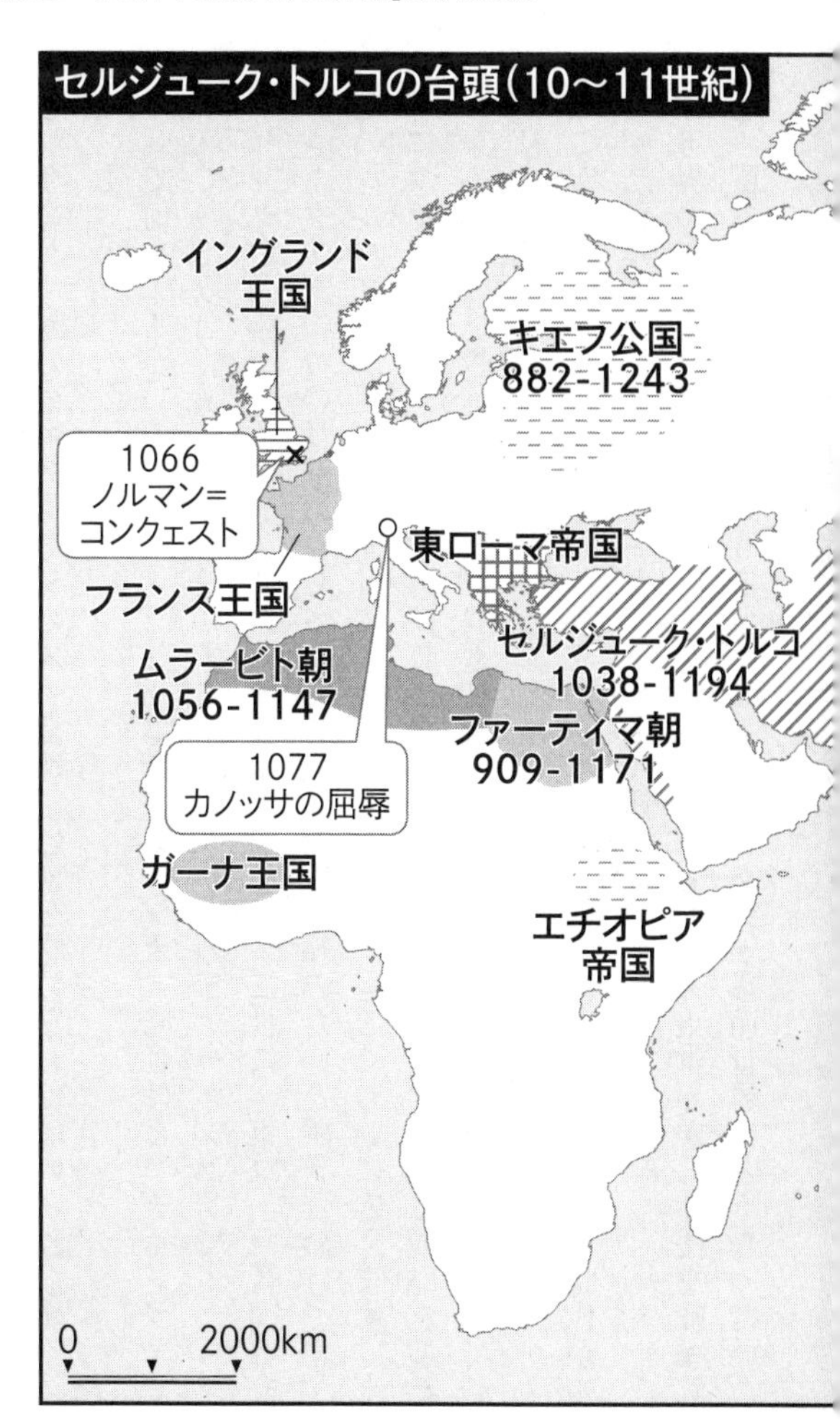
セルジューク・トルコの台頭（10～11世紀）
イングランド王国
キエフ公国
882-1243
1066
ノルマン＝
コンクェスト
東ローマ帝国
フランス王国
セルジューク・トルコ
1038-1194
ムラービト朝
1056-1147
ファーティマ朝
909-1171
1077
カノッサの屈辱
ガーナ王国
エチオピア
帝国
0
2000km

もう押される一方です。東ローマ帝国ではウマイヤ朝に襲われた、かつての悪夢が蘇っていたかもしれません。今度こそ新たなイスラム帝国に併呑(へいどん)されてしまうかもしれないと、時の皇帝アレクシオス一世は、恐怖を感じないではいられなかったことでしょう。

それで何をするか。一〇九五年三月、皇帝アレクシオス一世はピアチェンツァで開かれていた教会会議に使節を送ります。北イタリアのピアチェンツァですから、カトリックの会議ですね。そこでローマ教皇ウルバヌス二世に、東ローマ帝国はセルジューク・トルコの脅威にさらされている、救援を頼みたいと訴えたわけです。

そのウルバヌス二世が大真面目に、いや、大真面目すぎるくらいに応えます。十一月にフランスのクレルモンで再び教会会議を開いて、東ローマ帝国は受難を迎えた、東方キリスト教徒が危険だ、異教徒の手からエルサレムを取り戻せと、全てのカトリック教徒に訴えかけたわけなんです。

ここから何が始まったかというと、十字軍です。歴史に名高い十字軍の時代が始まり、二百年ほど続くわけですが、その前に西世界ですね。

三世界のなかでは最も非力で、また文化レベルも低い。東世界から応援を頼まれても、困るのではないかと思うほどなのですが、あれから西世界はどうなっていたでしょうか。

西世界に誕生した封建国家とは？

西ローマ帝国が再興なるも、フランク族のフランク王国として、つまりは王の子供の相続財産として、ほどなく三分されてしまったと、前章で話しました。東フランクがドイツに、西フランクがフランスに、中央フランクがイタリアになるんだとも触れましたが、これも後々そうなるという話で、すぐにではありません。それどころか、ドイツだの、フランスだの、イタリアだのとしてまとまることさえ、夢のまた夢という状態です。

まず君主が替わります。カロリング朝が断絶してしまうんですね。最初に中央フランクの王ですが、八七五年には絶えて、しばらくは東フランク王カール三世が兼ねましたが、八八八年からは君主不在、いても名目上の存在にすぎず、イタリア半島は群雄割拠の体になります。

東フランクのカロリング朝も九一一年に断絶しました。有力者の選挙でフランケン公コンラートが王位に就きますが、それも一代で絶えて、あとはザクセン朝、ザーリアー朝、ホーエンシュタウフェン朝と移り変わります。西フランクのカロリング朝は九八七年まで続きましたが、そのあとはやはりカペー朝に替わっています。

前章でも触れたように、帝冠ははじめ中央フランクが、後に東フランクが受け継ぎました。カロリング朝が絶えてからも同じですが、皇帝は実質的に東フランク、つまりドイツの君主にすぎなくなります。いや、ドイツの君主でさえないから、深刻なわけです。

皇帝は土台が役職です。東ローマ帝国でも政変で何度も交替します。王にせよ、中央フランクのように王がいなくなるのでなく、単に王朝が替わるだけなら、そんなに問題ではないのかもしれません。

帝国なり、王国なりが機能し続ければ、それで構わないわけですが、西世界で深刻だったのは、皇帝や王の弱体化が進んだことで、いずれの国でも大公や公、伯の自立という現象が起きたことです。

大公や公は東フランクに多くて、もともとは部族の長、ザクセン族やバイエルン族の指導者ですね。うちひとりが王になっていたわけです。伯はラテン語でコーメスといいます。フランス語のコント、英語のカウントの語源ですが、元はローマ帝国の地方官ですね。

日本史にいう○×国司、○×守、○×守護のようなものですが、室町時代に守護の独立という現象が起こりますね。役人にすぎない守護が、幕府が弱くなると、その任地で自立を強めて守護大名になる。幕府の権威でなく実力に頼む部分が大きくなって、遂には戦国大名になる。

これと同じようなプロセスが、九世紀のヨーロッパ、特に西フランクで起きたわけです。フランドル伯、シャンパーニュ伯、アンジュー伯など、十世紀には出揃います。王位に就いたカペー朝も、元はパリ伯の家なんです。

大公、公、伯などが自立すれば、国はバラバラになりますね。日本の戦国時代と同じ、アナーキーな社会です。これでは困る、なんとか世を秩序立てたいと用いられたのが封建制です。封主は封、大体が土地で、領地領国のことですね、これを封臣に与える。この御恩と引き換えに、封臣は封主に仕え、具体的には軍役を担う。つまりは奉公です。

土地を与えたとはいいますが、与えられる以前に実力で、つまり勝手に分捕(ぶんど)ったものです。しかし、それでは後ろめたい。他から攻められる口実にも使われる。そこで上から与えられたという体裁を整えるわけですが、ともあれ、この封建制です。

封主と封臣の個人的な関係、御恩と奉公の一点でのみ結ばれている絆、この頼りない関係を王と伯、伯と大領主、大領主と領主、領主と騎士というふうに、何列にも、何段階にも結ぶことで、かろうじて国を秩序立てている。このゆるやかなまとまりが封建国家、この時代の帝国であり、王国なんですね。

教皇がもうひとりの世界の指導者となった

一応の頂点が、皇帝です。内実はドイツの一諸侯にすぎなくても、帝国の支配者として、ローマ皇帝を称していました。しかし、これぞ西世界に独特な特徴ということになりますが、帝国も、王国も、半分でしかないわけです。もう半分の国、国といって悪ければ公的秩序は、カトリック教会によって担われているんですね。

率いるのがローマ教皇ですが、このカトリック教会が意欲的に教階制度、いわゆるヒエラルヒーですね、これを固めていました。頂点がローマ教皇で、それを選挙する枢機卿(すうききょう)、その下に大司教、司教、司祭、助祭と序列を設けて、きっちり構築された見事なピラミッド構造です。

中央としてのローマ教皇庁、地方としての大司教区や司教区、末端としての小教区と階層をなしながら、西世界にあまねく隙間なく網をかけていきます。帝国が三王国に分かれようが、中身がバラバラになっていようが、フランク王国に含まれなかったイングランドであろうが、スコットランドであろうが、デンマークであろうが関係なく、全てにカトリック教会は行き渡っていたわけです。

これは強いですね。その教皇がもうひとりの世界の指導者として、皇帝と並び立っている。これが西世界の構図だったんです。一応の王すらいないイタリア半島なんかでは、諸勢力や諸都市が誰に従うか、誰を頼みにするかとなったとき、のみならず、その内部で権力闘争をやる場合でも、常に皇帝派（ギベリン）と教皇派（ゲルフ）に色分けされることになります。

そもそもは西世界を成り立たせるための協力関係だったわけですが、その両者の関係も常に良好というわけにはいきません。皇帝と教皇は並立の関係だからこそ、主導権争いは熾烈（しれつ）になります。何か折り合えない問題があれば、それを火種に深刻な対立に突き進んでいったりもします。

ひとつが叙任権闘争ですね。聖職者を任免する権利は、原理的には教会に、ローマ教皇にあるわけですが、皇帝は、それは王や大公、伯も同じですが、自領内の聖職者は自分で任免したい。教会こそ統治の鍵だと了解していればこそ、そのポストには自らの意を体現できる人物を置きたいんですね。

一〇七五年、教皇グレゴリウス七世は君主に聖職者の叙任を禁止します。異を唱えたのが皇帝ハインリヒ四世で、一〇七六年、教皇の廃位を狙いましたが、逆に破門を宣告されてしまいます。これを解いてもらうために、翌一〇七七年、ハインリヒは教皇がいるカノッサ城、北イタリアの山中ですが、そこに出向いて、雪のなか、粗衣で、裸足で、三日も許しを請うたあげく、ようやくグレゴリウスに容れられました。

有名な「カノッサの屈辱」と呼ばれる事件です。これでローマ教皇の優越が明らかになりました。西世界の指導者は皇帝でなく教皇だと、ひとまず雌雄が決したわけです。これが一〇七七年で、ここからインノケンティウス三世（在位：一一九八―一二一六）の時代にかけてが、ローマ教皇の最盛期だといわれます。

ここでようやく話を十字軍に戻しますと、東ローマ皇帝アレクシオス一世が救援が欲しいと求めた一〇九五年は、まさしくローマ教皇の最盛期に当たります。救援、つまりは軍事的な援助ですから、普通に考えれば皇帝に頼みそうなものですが、そうではなくて別して教皇に頼んだというのも、そういう背景があったわけです。

十字軍は教皇の勝手な思い込みから始まった

それにしても、十字軍は始まりました。事情通のアレクシオス一世にして、なお仰天させられたと思われます。救援を呼びかけたといっても、どうも兵力を貸してほしい、傭兵を送り出してほしいと、その程度の話だったようなんですね。

それまでも聖地巡礼は行われていて、一〇九〇年にフランドル伯ロベールというフランスの諸侯が来たと。そのとき五百人の騎士を派遣してほしいと頼むと、翌年には送り出されてきて、非常に重宝したと。ローマ教皇に頼めば、もっと送ってもらえるんじゃないかと。それくらいの気持ちで持ちかけた話が、とんだ大事になってしまったわけです。

大真面目といいますか、ローマ教皇は大張り切りですね。東ローマが受難だといえば受難なんですが、それにしてもエルサレムの解放なんて一言もいっていない。確かにイスラム教徒に奪われていましたが、三百年から昔の話なわけです。

さらにいえば、東方のキリスト教徒は別に困っていません。イスラム帝国でも、トルコ人が建てた国でも、エジプトのファーティマ朝下でも、イスラム教に改宗しろとは強制されませんし、「啓典の民」とも尊重されていたんです。

いきなり十字軍を説いたローマ教皇——常識知らずの田舎者が勝手な思い込みから暴走したようなものですが、これが罷り通るのが、この時代の西世界ですね。教皇の指導力の強さが改めてわかります。あるいは社会全体が身のほど知らずなのだといいますか。

やはり、ユニヴァースとしての自負心が強いんですね。自分たちこそやらなければいけないんだ。**自分たちがイスラム教徒を倒すという偉業こそ、未だ刻まれざる世界史の正道なんだ。そう信じて疑わない自意識ひとつで、直接的な利害があるわけでもない遠国に、わざわざ武器を担いで出かけていくというのです。**

少し具体的な経過を追ってみますか。第一回十字軍ですね。一〇九六年四月、最初は本当に宗教的熱狂からで、隠者ピエールとか、「持たざる騎士ゴーティエ」とか、無名の徒たちです。四万人を数えたともされる民衆十字軍が東方に向かいました。しかし、これは、あえなく惨殺されて終わります。

十二月に出発したのが、下ロレーヌ公ゴドフロワ・ドゥ・ブイヨン、ボードワン・ドゥ・ブーローニュ、トゥールーズ伯レイモン、ボエモンド・デ・ターラントたちに率いられた、騎士たちの十字軍でした。

この騎士たちが奮闘します。一〇九八年、まずユーフラテス河上流でエデッサを陥落させて、ボードワン・ドゥ・ブーローニュがエデッサ伯を称するわけです。続いてアンティオキアを落とし、ボエモンド・デ・ターラントがその公となります。一〇九九年七月十五日にはエルサレムを奪取して、キリスト教徒によるエルサレム王国の建国となりました。エルサレム王になったのが、下ロレーヌ公ゴドフロワ・ドゥ・ブイヨンですね。海岸部ではトリポリ伯領が建てられ、こちらではトゥールーズ伯レイモンがその主に収まります。

シリアからパレスティナにかけた海岸に、いわゆる十字軍国家が並びました。こんな国まで建てられて、イスラム世界は完全にやられてしまいましたね。

不意を衝かれたということもあったでしょう。こんな非常識な企てが実行されるなんて、イスラムの人々も目のあたりにするまでは、恐らく本気にしなかったんでしょうね。ただ、あれだけ強かったイスラム帝国が、こうも一方的に破られてしまいました。

やはりアッバース朝は衰退期に入っていたんですね。アミールたちが割拠している内情から、イスラム帝国は団結できない。セルジューク朝、ルーム・セルジューク朝、ファーティマ朝と、他にも独立の勢力がある。ローマ教皇の一声でガッとまとまり、大挙乗りこんできた十字軍を迎えては、どうしても勢い負けしてしまいます。

　とはいえ、イスラム世界も平和惚(ぼ)けといえば平和惚けだったわけで、こんな暴挙——キリストのためだといいますが、イスラムの人たちからみれば暴挙そのものですね、こんな真似をする輩(やから)がいるとわかれば、おとなしくはしていられません。

　アミールのひとり、ダマスクスを拠点にするザンギーという人が、新たにリーダーシップを取るようになって、十字軍国家の破壊とパレスティナの奪還に動き始めます。されて堪(たま)るかと、西世界からは第二回十字軍ということで、今度は皇帝とフランス王がやってきます。

　その後に現れるのがサラーフ・アッディーン、イスラム最大の英雄とされる、いわゆるサラディンです。ザンギー、その息子のヌール・アッディーンに仕えていたクルド人で、アラビア人でも、ペルシア人でも、トルコ人でもありません。イスラム世界では反主流なんですが、この期(ご)に及んではイスラムの大義の下、力を結集していくしかないんですね。

　サラディンはファーティマ朝に替わるアイユーブ朝を建てます。エジプトを足場にシリアまで手に入れて、文字通りイスラム世界の第一人者になります。そのうえで圧倒的な軍勢を集めて、とうとうエルサレムの奪還を遂げるんですね。また聖地を奪われて、キリスト教徒も黙っていられません。第三回十字軍が用意され、フランス王とイングランド王が海を渡り——というふうに繰り返される戦いに、二百年の歳月が費やされていったわけです。

十字軍戦争という名の世界大戦

この十字軍の戦いは、キリスト教徒とイスラム教徒の全面対決といわれてきました。しかし、そもそもの発端はローマ教皇に対する東ローマ皇帝の声かけだったわけです。東ローマ皇帝、東ローマ帝国はぜんたいどこに行ってしまったのか。一連の動きにかかわっていないわけではありません。例えば十字軍国家の建設についても、全く無関係というのではない。

聖地は異教徒に渡せないとして、元は東ローマ帝国の版図ですから、東ローマ皇帝に返すのが筋じゃないか、同じキリスト教徒なんだから問題ないじゃないか。そう思わないでもありませんが、西から来た十字軍士たちは無論のこと、それは東ローマ皇帝も言い出しません。

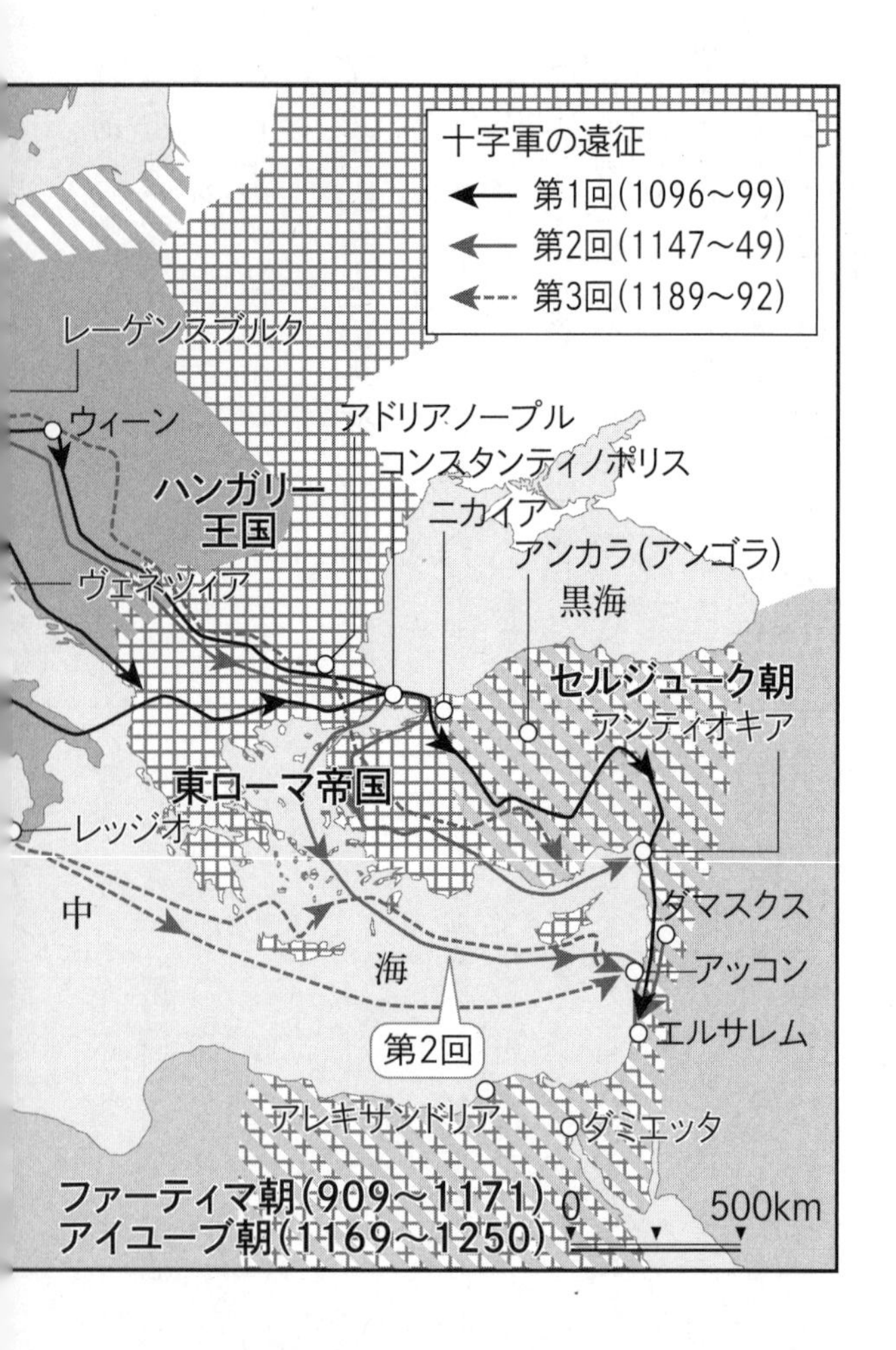
十字軍の遠征
第1回(1096～99)
第2回(1147～49)
第3回(1189～92)
レーゲンスブルク
ウィーン
ハンガリー
王国
ヴェネツィア
アドリアノープル
コンスタンティノポリス
ニカイア
アンカラ(アンゴラ)
黒海
セルジューク朝
アンティオキア
東ローマ帝国
レッジオ
ダマスクス
中
海
アッコン
エルサレム
第2回
アレキサンドリア
ダミエッタ
ファーティマ朝(909～1171)
アイユーブ朝(1169～1250)
0
500km

十字軍戦争と三世界の争い①

ただ第一回十字軍のときには、これに乗じてアレクシオス一世が小アジアのニカイアを奪還しています。十字軍士がアンティオキア公領を建てた土地も、もともと東ローマ帝国でしたので、簡単に手渡すわけにはいかない。皇帝が用いたのが西世界の封建制で、アンティオキア公に自らを封主と認めさせ、東ローマ帝国の属国、あるいは衛星国という形を整えました。

それからも一一六九年には、エルサレム王と共同でエジプト遠征を行っています。一一七六年には、ルーム・セルジューク朝の版図にも侵攻します。**東ローマ皇帝はイスラム教徒に奪われて日が浅い、まだ自領だという意識が強く残る土地だけ、十字軍に乗じて、ちゃっかり取り戻そうとしている**わけです。

東ローマ皇帝は現実的というか、冷静というか。熱狂的な十字軍に比べるほど、温度差が感じられる動き方ですね。実際のところ、東皇帝は大変な話になったと驚くのみならず、十字軍については迷惑げな態度も示しています。

十字軍は西から来るわけですから、パレスティナに行くため、東ローマの領内を通行したいと望みます。これを東皇帝は嫌がるわけです。よくぞキリスト教徒のために来てくれた、なんて歓迎する様子はあまりない。通行を許すとしても渋々ながらで、ときには十字軍を警戒して、東ローマ軍を出動させたりもします。

キリスト教徒とイスラム教徒の対決という、単純な図式ではありませんね。さきほど世界史というのは、三世界史なんだ。三つのユニヴァースが成立して、それらが並立しているんだ。そういいましたが、この十字軍の時代というのは、その闘争に三ユニヴァースが全て参加しているわけです。

攻めこんだり、取り返したり、奪おうとしたり、守ろうとしたり、それぞれに立場や意図は異なりながら、三ユニヴァースが全て参加している。**しばらく別々に歩んできた三世界が、ここで互いに交錯して、三つ巴（どもえ）の戦いを繰り広げる。三世界が直接対決した、つまりは世界大戦ということになる**かと思います。

いや、それでも三つ巴ではないだろう、やはりキリスト教徒対イスラム教徒で、三世界が参加していたとするなら、二対一の戦いだろうといわれるかもしれません。二のほう、どちらもキリスト教の東世界と西世界は、単なる温度差の問題だろうと。

確かに温度差にすぎない局面もあります。しかし、あからさまに敵対する場面もある。例えば、一二〇二年に始まる第四回十字軍ですね。ヴェネツィア艦隊が西方から十字軍の兵士を乗せていって、イスラム教徒を倒しにいくはずが、途中で予定を変更して、あろうことか東ローマ帝国の都コンスタンティノポリスを攻めるんで

十字軍の遠征
第4回(1202～04)
第6回(1228～29)
第7回(1248～54)
第8回(1270)
ドイツ騎士団領
マインツ
ウィーン
ヴェネツィア
ハンガリー王国
コンスタンティノポリス
第4回
黒海
ニカイア
アドリアノープル
ルーム・セルジューク朝
東ローマ帝国
アンカラ(アンゴラ)
アンティオキア
中
第6回
ダマスクス
海
アッコン
第7回
エルサレム
アレキサンドリア
ダミエッタ
アイユーブ朝(1169～1250)
マムルーク朝(1250～1517)
0
500km

十字軍戦争と三世界の争い②

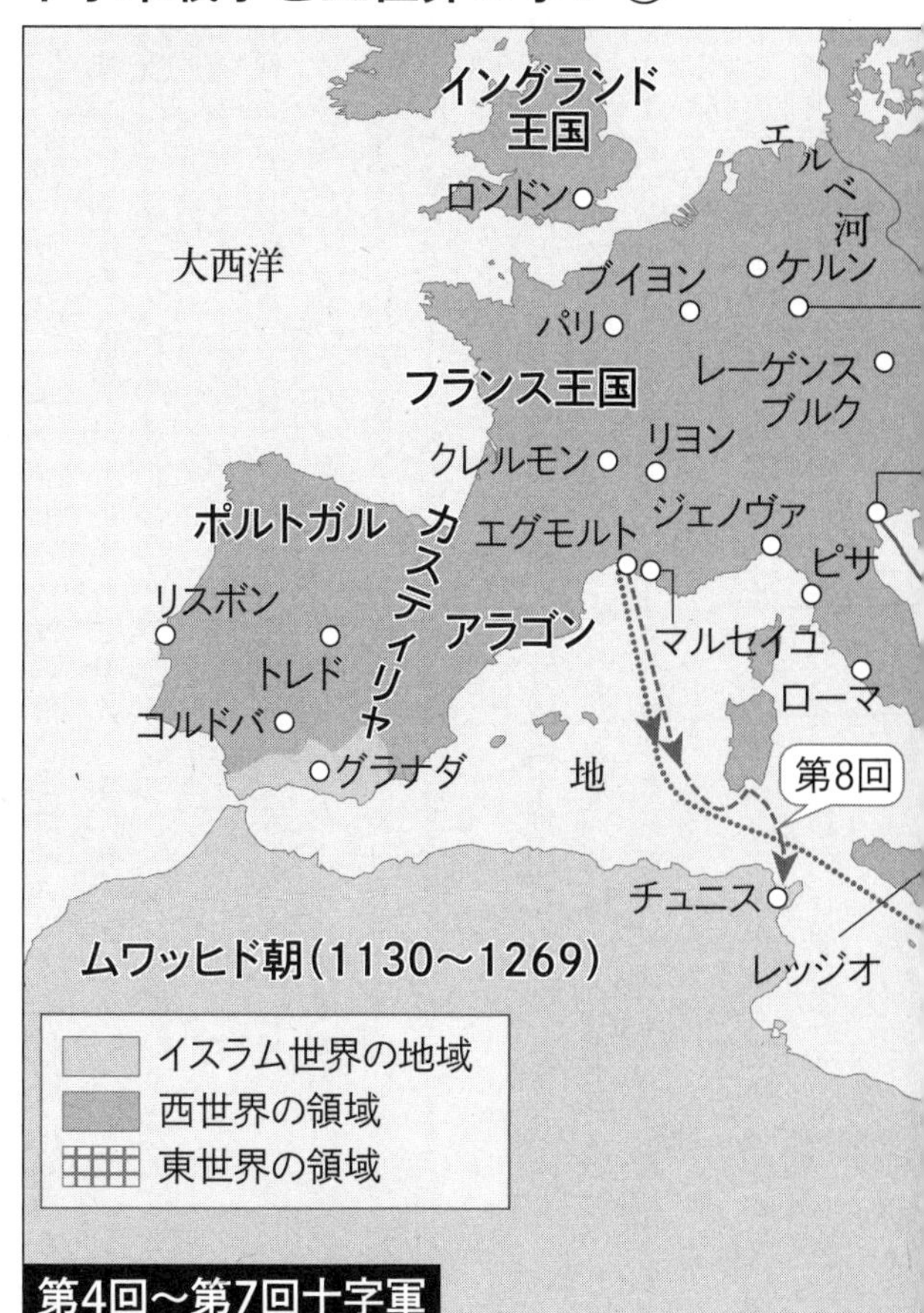

すね。

一二〇四年、コンスタンティノポリスは陥落します。キリスト教徒に陥落させられてしまったのです。それだけじゃありません。十字軍士のなかから、フランスの諸侯のひとり、フランドル伯ボードワンを選んで、なんと皇帝の座に就けてしまう。

いわゆるラテン皇帝であり、ラテン帝国の成立ですね。実際には「コンスタンティノープル皇帝」とか、「ロマニア」とか呼んでいたようなのですが、いずれにせよ西世界が東ローマ帝国を滅ぼしました。他にもテッサロニキ王国、モレア侯国、アテネ公国と建てて、イスラム教徒から奪ったときと同じに、やはり十字軍国家を築くわけです。

東ローマ帝国はキリスト教の国ですから、滅ぼす理由なんかありませんね。あったのはカトリック教会でなくギリシア正教会だから、滅ぼしても構わないという理屈でしょうか。いずれにせよ、同じキリスト教徒として、組になっているわけではありません。

少なくとも東世界からすれば、敵以外の何物でもありません。実際のところ、ここから東世界にとって、敵はイスラム世界でなく、専(もっぱ)ら西世界ということになります。東ローマ帝国ですが、首都は攻め落とされましたが、完全になくなったわけじゃなく、皇室ゆかりの者が亡命政権を作るんですね。

逃れた先がニカイア、トレビゾンド、エペイロスの三カ所で、つまりは三つの亡命政権です。東ローマ再興を目指して、実際に目的を遂げていくのが、小アジアのビテュニア地方に、廃位された皇帝アレクシオス三世の娘婿、テオドロス一世を擁する、いわゆるニカイア帝国でした。

ニカイア帝国はイスラム教徒とは戦いません。敵はラテン皇帝、滅ぼすべきはラテン帝国ということで、十字軍士を討伐しての捲土重来（けんどちょうらい）こそ、専らの悲願とするわけです。一二四六年にテッサロニキを落とし、一二六一年にコンスタンティノポリスの奪還を果たし、それはミカエル八世の時代に遂げられましたが、もはやキリスト教徒とイスラム教徒の戦いじゃありませんね。

西世界から来た十字軍ですが、これはイスラム世界と戦い続けるかといえば、これまた簡単には答えられません。一二二八年に始まる第六回十字軍は、皇帝フリードリヒ二世が率いたものですが、この人は外交交渉でエルサレム入城を勝ち取ります。イスラム教徒と敵対するのでなく、むしろ友好関係を築こうというスタンスですね。

もちろん、教皇グレゴリウス九世は激怒して、フリードリヒ二世に破門を宣告します。皇帝と教皇の争い再びというわけですが、教皇の絶頂期はすぎて、今度は皇帝も折れません。争いを激化させたあげく、敵の敵は味方の理屈で、イスラム教徒と結ぶ。そういう側面もないではなくて、西世界も一枚岩ではないわけです。

第七回、第八回の十字軍は、フランス王のルイ九世が率います。後に列聖されて、聖ルイ、アメリカで都市名になっているセント・ルイスですね、そうなるほど敬虔な人でしたので、まっとうなキリスト教として振る舞いました。

現在のエジプトに行き、チュニジアに行きと、イスラム教徒と戦ったわけですが、そのイスラム教徒のほうですね。こちらはアイユーブ朝からマムルーク朝に替わった、つまり政変が起きていたわけで、足並が揃っていませんでした。イスラム世界も一枚岩であり続けるのは難しいんですね。

三ユニヴァースが三すくみの戦いを繰り広げるなか、それぞれのユニヴァースのなかにも対立構造があるために、利害関係は複雑になり、現象としては混沌たる戦いになる。それこそが世界大戦というもので、○対×などと単純明快な図式で描ける戦争など、結局のところ小さな戦争であったり、あるいは大きな戦争を説明していたとしても、実態を浮き彫りにしたというより、何者かの意図で無理に図式化したものにすぎないのでしょう。

さておき、十字軍の二百年は、人類史上で初めて世界大戦といいうる二百年だったと思います。最後は西世界が体力切れで引き揚げる、東世界はかろうじて命脈を保つ、そしてイスラム世界ですが、最初こそ苦杯を舐めさせられたものの、それを順当に逆転して、キリスト教徒を追い払う、元の支配を取り戻すという結末になっていきます。

十二世紀、十三世紀の時点での地力の差が出たといいますか、三世界の優劣はその通りだと思うのですが、一方で世界大戦が終結したというのは、三世界ともそれどころではなくなったという事情がありました。

世界大戦――世界史に占める意義から世界大戦といいましたが、実際の規模としてはまだ小さい。地中海の東岸で、勝ったの、負けたの、チョコチョコやっていただけです。こんな争いが無意味に思えてくるほどに大きな大きな衝撃、まさにワールド・クラスのインパクトですね、それがそのとき突如やってきたわけです。

モンゴル人の来襲ですね。

第六章

モンゴル帝国がふたつのグローバル帝国を生んだ

──ローカルからグローバルへ、その一

世界を震撼させた「モンゴル・ショック」

テムジン、後のチンギス・ハンはユーラシア大陸のほぼ中央、モンゴル高原のデリウン・ボルダクに生を享けました。生年は一一五五年か一一六一年か一一六二年、もしくは一一六七年だとされています。諸説あって確定できないほど、よくわからない生まれということです。それでも、この人物が生まれたことの結果は、重大なわけです。

モンゴルを統一したテムジンが、チンギス・ハンを称したのが一二〇六年のことです。ここから東西への侵略が始まります。一二一一年には金に侵攻、チンギス・ハンは一二二七年に亡くなりますが、覇業は子孫に受け継がれます。孫のフビライ・ハンが南宋を滅ぼし、一二七一年に国号を元として、一二七九年までに全土を統一するわけです。

西でも勢いは止まりません。一二一九年に西アジアに侵攻、一二二〇年にホラズムを滅ぼし、一二二四年にはチンギス・ハンの三男オゴタイが、今の中国新疆ウイグル自治区の北部にオゴタイ・ハン国を建てます（近年の研究では、オゴタイ・ハン国はなかったともいわれていますが）。

一二二七年、トルキスタンでは次男チャガタイがチャガタイ・ハン国を興します。一二三六年、さらなる西征の途についたのがバトゥ（チンギス・ハンの長子ジョチの子）で、一二四三年にキプチャク・ハン国を今のウクライナからロシア南部にかけて建てます。一二五八年にフラグ（チンギス・ハンの末子トゥルイの子）が今のイランにイル・ハン国を建てて、覇業はようやく止まりますが、地図なんかで確かめますと、改めて歎息（たんそく）してしまいますね。

日本海沿岸から黒海沿岸まで、南では地中海沿岸、北ではポーランドやハンガリーの手前まで届いて、文字通りユーラシア大陸を跨（また）ぐ大帝国です。

テムジンの生誕から中国統一まで数えても、百十年とか百二十年とか。ほぼ一世紀で、これだけの大帝国を打ち立てるんですから、物凄い話です。イスラム教が生まれてからの百年も驚異的だったんですが、モンゴル帝国も劣らず驚嘆に値します。

こちらの小さな三世界はといえば、あっという間に間近まで迫られて、もう地中海の辺（ほとり）で十字軍をやっている場合でも、十字軍と戦っている場合でもなくなるのは道理ですね。

オゴタイ・
ハン国
元
(1271～1368)
エミール
カラコルム
高麗
1259服属
アルマリク
金
1234滅亡
大都
西夏
1227滅亡
サマル
カンド
元寇
日本
鎌倉
成都
デリー
ラサ
大理
1254服属
南宋
1276降伏
パガン
大越
スコータイ朝
パガン王国
1299(1287)滅亡
ジャワ遠征
シュリー
ヴィジャヤ
マジャパヒト王国

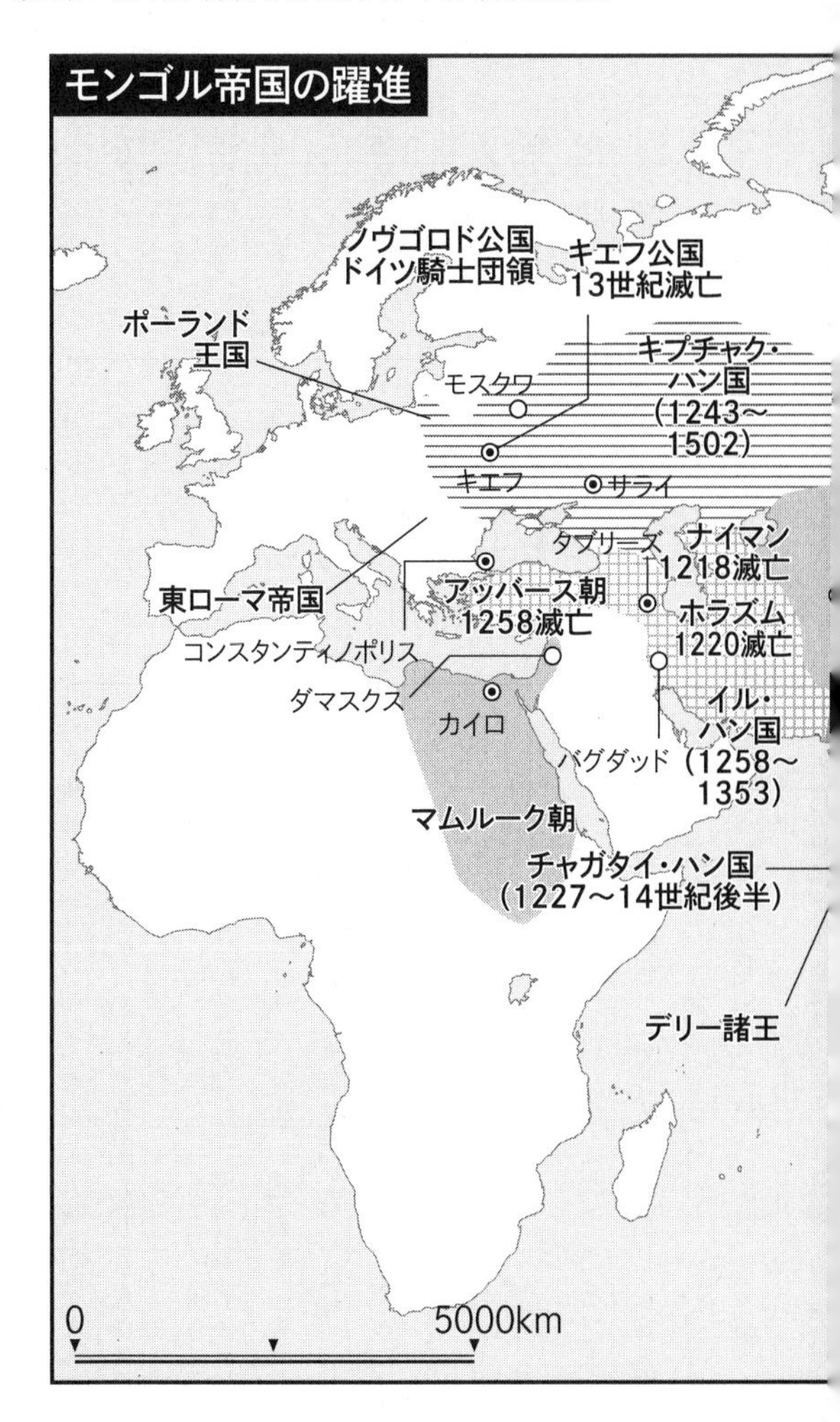
モンゴル帝国の躍進
ノヴゴロド公国
ドイツ騎士団領
キエフ公国
13世紀滅亡
ポーランド
王国
キプチャク・
ハン国
(1243～
1502)
モスクワ
キエフ
サライ
タブリーズ
ナイマン
1218滅亡
アッバース朝
1258滅亡
ホラズム
1220滅亡
東ローマ帝国
コンスタンティノポリス
ダマスクス
カイロ
イル・
ハン国
(1258～
1353)
バグダッド
マムルーク朝
チャガタイ・ハン国
(1227～14世紀後半)
デリー諸王
0
5000km

まさに背後を襲われたイスラム世界ですが、このときはあのイスラム帝国を築いたアッバース朝でした。すでに弱体化はしていたんですが、これがモンゴル人の来襲で引導を渡されてしまいました。ルーム・セルジューク朝もモンゴル人の支配下に置かれ、シリアからエジプトにかけたマムルーク朝が、なんとか踏ん張るという体にまで追いこまれます。

東世界のほうはというと、東ローマ帝国は襲われませんでしたが、ギリシア正教圏に組み入れられていた北のスラヴ民族、とりわけロシア人ですね、これが「タタール（モンゴル人）の軛」と呼ばれるモンゴル人の支配に苦しむことになります。

西世界も肝を冷やします。一二四一年のワールシュタットの戦いですね、モンゴル軍にポーランド西部まで来られて、ポーランド、ドイツの連合軍で迎え撃つんですが、一方的にやられてしまいます。「ワールシュタット」というのは、ドイツ語で「死体の山」という意味です。

だから肝は冷やしたんですが、征服されたり、国を建てられたりということはありませんでした。実害が少なかったせいか、西世界ではモンゴル人と同盟しようなんて声も上がります。負けて十字軍を終えましたから、格好つかないといいますか、モンゴル人と組んで、再び聖地を取り返そうという発想ですね。まあ、実現はしませんでした。

モンゴル帝国に話を戻しますと、これが仮に現代まで続いていたなら、それこそ実にわかりやすく、モンゴル史イコール世界史になったんだと思います。文字通りの世界帝国です。一時的にせよ、これだけ広大な版図を築いたのは、真実モンゴル帝国だけです。しかし、一時なんですね。

元が九十七年、オゴタイ・ハン国が八十六年、チャガタイ・ハン国が百五十年強、キプチャク・ハン国が二百五十九年、イル・ハン国が九十五年と、それぞれ長短あるわけですが、ユーラシア大陸を跨ぐ大帝国だった時代は百年ほどです。

元のハンが大ハン、大ハンだけハーンで、他はハンだったともいいますが、とにかく元の皇帝が諸ハン国の宗主ということになっています。とはいえ、これを統一国家といえるかというと疑問がありますし、それに実質的には別々な国になっていました。

そこで、ひとつ消え、またひとつ消えとなって、モンゴル帝国は歴史の流れのなかで消失してしまいます。なんらかの形で継承した国、継承したと称する国を含めても、現代までは残っていないわけです。

モンゴル帝国はなくなりました。だから、モンゴル帝国が建設されたということには、何の意味もないのか。ただの歴史のハプニングにすぎないのか。一瞬だけの大ショック、ただ、ああ、びっくりしたなあというだけの事件なのか。

私はそうではないと思います。一瞬とはいえ、世界帝国が、本当にグローバルなサイズを有する世界帝国が、現実に現れたという歴史の意味は、やはり大きい。結論から先にいいますと、**モンゴル帝国はローカルな歴史がグローバルな歴史に転化していく契機といいますか、きっかけ、架け橋になってくれた**と思うわけです。

これまで世界帝国だの何だのといってきましたが、古代にしては、中世にしては、科学が発達する前の時代にしては、という留保が常につきました。あるいは将来性を含めた、結果論からの評価において、世界帝国だったというべきですか。別な言い方をすれば、西世界、東世界、イスラム世界は、いずれもユニヴァースではありますが、未だ現実より観念が勝る段階に留まっています。世界を征服する、世界を統一するなんて、頭で考えていたとしても、現実は物淋しい。所詮はユーラシア大陸の西部を、三つ巴で取ったり取られたりしているにすぎない、ローカル勢力なんですね。

つまりはローカル・ユニヴァースです。このままでは三つの歴史を合わせても、世界史は論じられません。三世界史で世界史をなすためには、それぞれがグローバル・ユニヴァースにならなければならない。一瞬のモンゴル帝国のように、グローバル勢力になる必要があるのです。

そうなるために、まず意識が変わらなければならない。世界観が変わらなければ、始まらないと思います。

モンゴル軍というのは、まさに異世界から来た軍団ですね。そのことも三世界にとっては、大きなショックだったと思います。というのも、世界といえば、意識にはヨーロッパ、アジア、アフリカしかないわけです。

ヨーロッパがギリシアやバルカン半島、アジアが小アジアとペルシア、アフリカがエジプトとそれに連なる北アフリカ沿岸というのが、古代ギリシア人の発想で、つまりは地中海沿岸だけです。十字軍の時代になると、さすがに世界観も広がって、そこから外側にといいますか、内陸のほうに大きくなる感じですが、所詮は発展形といいますか、基本的には古代ギリシアのままです。ユーラシア大陸の西部しかないわけです。

モンゴルというのは、この地理感覚からすれば完全な外側ですね。全く知らないわけではない。その向こうにも人が住み、国が建てられ、世界が広がっているということは、ぼんやりとはわかっていた。インドも、中国まで、あることは知っていたけれど、ほとんど夢の国ですね。そこからモンゴル人は来たわけです。

しかも圧倒的な現実です。もう夢でも幻でもありません。三世界は自分たちが知らない世界があることを知ったんですね、世界はもっと広いんだと意識が変わった。**モンゴル帝国はローカルとグローバルを隔てる垣根を壊して、見通しをよくしてくれたん**です。

一二七五年、大都（現在の北京）という元の都ですね、そこを訪ねたイタリア人が、有名なマルコ・ポーロです。とにかく大袈裟だ、こいつは大法螺吹きだということで、「イル・ミリオーネ（百万男）」と綽名されましたが、そのマルコ・ポーロが著した『東方見聞録』ですね。これが西世界では大ヒットになりました。広い世界に対する関心が、しごく高まっていた証左です。

後に現実にも大きな意味を持ちますが、さしあたり起きたのは意識の変化です。とはいえ、それが専らなのは西世界だけで、東世界、わけてもイスラム世界では、モンゴル人は現実の変化ももたらしました。襲撃し、征服し、占領し、国まで建てたわけですからね。

モンゴルの支配で広がったイスラム世界

まずはイスラム世界です。

モンゴル人の襲来は確かに大きな打撃でした。それも敗戦とか、破壊とか、収奪とか、一過性のダメージに留まりません。国まで建てられてしまいました。ところが、**そうして長期に及んだということが、逆にイスラム世界の拡大に寄与することになっているんですね。**

モンゴル帝国も中央アジアからインド、中東にかけて建てられた諸ハン国、あるいは自称モンゴル後継国家の多くが、その後イスラム教国になっているわけです。

少し具体的にみていきますと、まずイル・ハン国（一二五八―一三五三）です。今のイランのあたりに建てられた国ですが、これが弱体化していたアッバース朝を最終的に滅ぼしました。このイル・ハン国は、アム河からエジプト国境まで、往時のササン朝ペルシアが築いた最大版図にも匹敵する、大きな国になっていくわけですが、七代ガザン・ハン（在位：一二九五―一三〇四）の時代に、イスラム教を国教にすると定めました。

チャガタイ・ハン国（一二二七―十四世紀後半）はイル・ハン国の東、中央アジアに建てられた国ですが、これも十三世紀半ば頃から、チャガタイの子孫がイスラム教徒になって、どんどんイスラム化していきます。最後はチムールに征服されて終わりました。

　このチムールは、一三三六年、チャガタイ・ハン国の西側の、西トルキスタンに生を享けました。チンギス・ハンの末裔を称するこの男が一三七〇年、サマルカンドに自立したのを皮切りに、中央アジアからイラン、イラクにいたる帝国、チムール帝国（一三七〇―一五〇七）を築き上げていくんですね。

　チャガタイ・ハン国とイル・ハン国を統一、チムールはキプチャク・ハン国にまで遠征しています。北インドに侵攻して、デリーのトゥグルク朝を滅ぼし、シリアに遠征して、マムルーク朝からダマスクスとアレッポを奪いと、まさに大暴れです。

　モンゴル帝国の再興を目指すと打ち上げるだけあるというか、先祖だというチンギス・ハンを彷彿とさせる覇業で、ほんの三十年間で大帝国になりますが、これも中身はイスラム教の国でした。

　このチムールの直系子孫だというのが、一四八三年生まれのバーブルです。アフガニスタンのカーブルを拠点に自立しますが、そこからインドに攻めていって、一五二六年に建てたのがムガル帝国でした。

チムールがチンギス・ハンの末裔なら、バーブルもモンゴルの系譜ですね。ムガル帝国というのは、モンゴル帝国の訛りです。インドのモンゴル帝国というと変な感じですが、そういう名前なんです。

このバーブルが初代皇帝で、北インドを統一したのが三代アクバル大帝（在位：一五五六―一六〇五）です。五代シャー・ジャハーン（在位：一六二八―一六五八）は、世界遺産のタージ・マハルの造成で有名ですが、これはイスラム様式とヒンディー様式の融合ですね。

ヒンディー様式は地元インドにあるとして、イスラム様式はバーブルの征服王朝の一党が持ちこんできたものです。バーブルはイスラム教徒、その末裔も然りで、ムガル帝国もイスラム教徒が支配する国なわけです。

こんな感じで、ハン国のその後の動きをみていくと、百年後、二百年後には、多くがイスラム教の国になっています。イスラム世界というローカル・ユニヴァースが、モンゴル帝国の覇業を介して、グローバル・ユニヴァースの規模に近づいているわけです。

そういうと、モンゴル人さまさまという印象です。征服して版図が増えれば、そこがイスラム世界になる。その後の版図も政治的に固められた、がっちりイスラム教が守られたという意義も小さくない。とはいえ、その前段として実をいえば、すでにイスラム教の伝播、イスラム教徒の進出はあったんですね。

イル・ハン国は当然です。もともと住民はイスラム教徒で、モンゴル帝国とはいえ、そこに建てられた征服王朝ということです。その支配者であるモンゴル人が、イスラム教徒になったということです。

モンゴル人――戦争は規格外といいますか、本当に強かったんですが、これという文化を持っていたわけではない。イスラムの高度な文化に取り込まれるのは道理ですね。

宗教もチベット仏教ですから、多神教です。沢山の神を認める感覚で、イスラムの神を認めたところ、これが厳格な一神教だったので、それまでの神は捨てなければならなくなった。結局はイスラム世界の一員になったという話です。

イスラム教は中央アジアのほうにも広がっていった、トルコ系の人々を多くイスラム教徒にしていったと、それは前でも触れました。チャガタイ・ハン国なども、住人はイスラム教徒で、イル・ハン国と事情は変わりません。

モンゴル帝国からチムール帝国へ

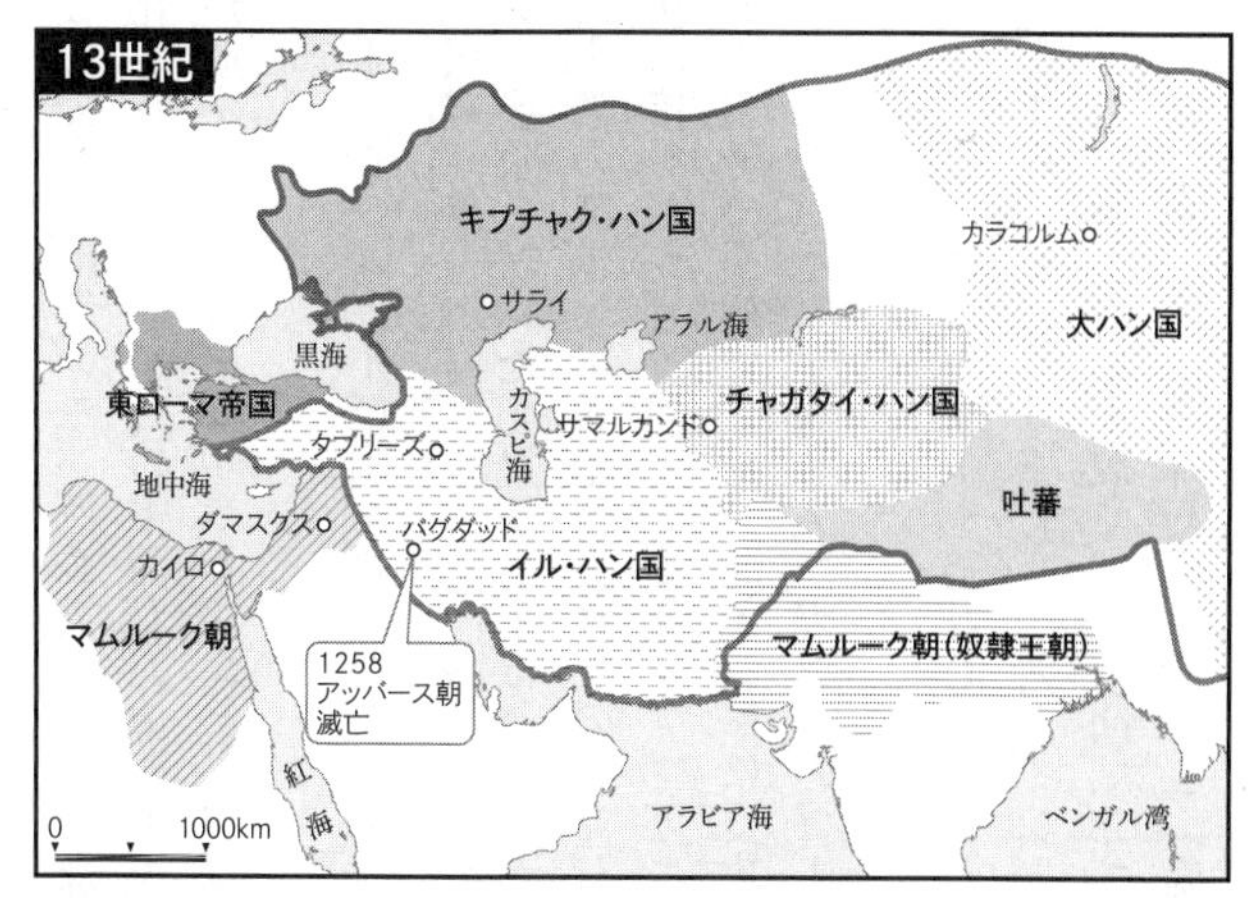

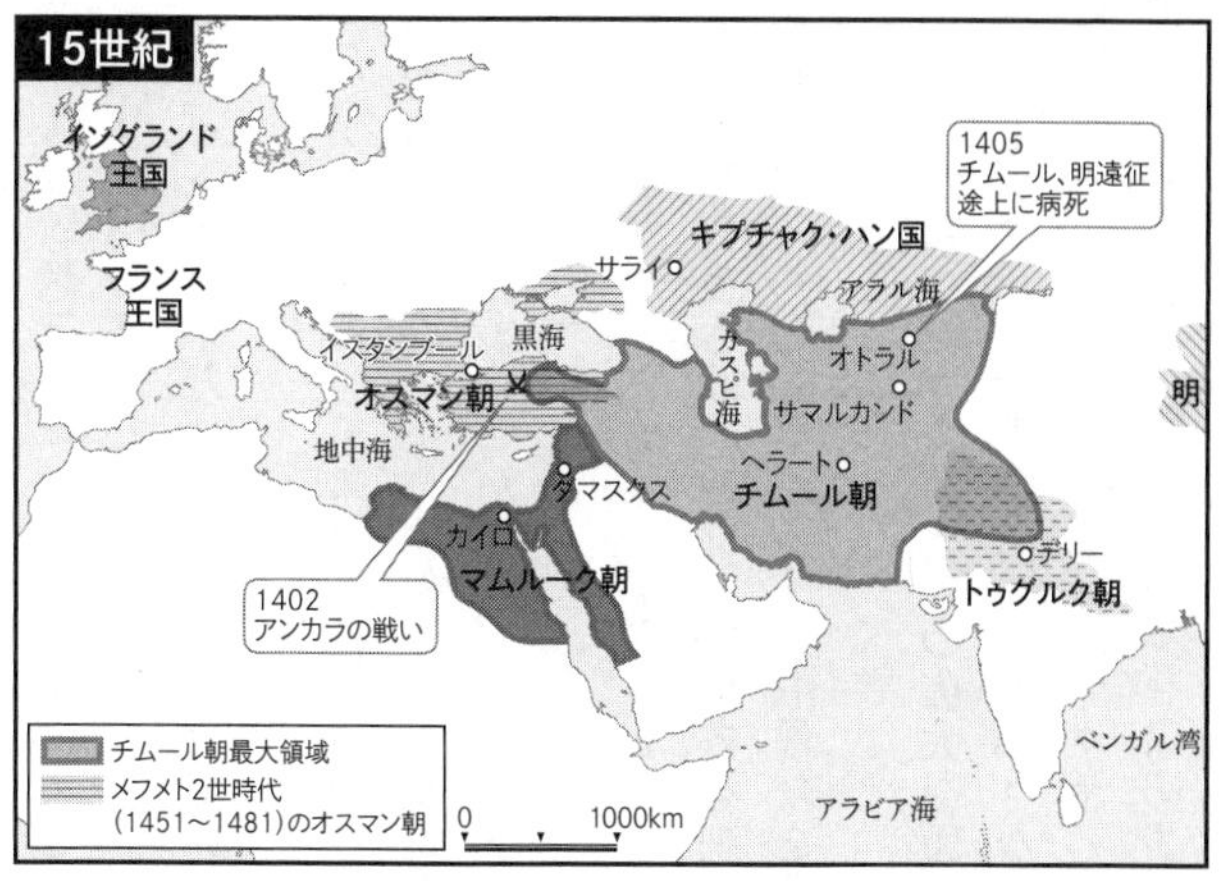

ここでも支配者のモンゴル人が、ほどなくイスラム教徒になっていきます。この感化されたモンゴル人の末裔が、チムールであり、バーブルであったわけです。混血が進んで、チムール、バーブルとも、ほとんどトルコ系だったともいわれています。

バーブルがムガル帝国を建てたインドはどうかというと、イスラム教徒はやはり早くから接触してきています。もう八世紀の初めには、ウマイヤ朝のイラク総督がインド征服を試みた記録があるほどですが、さすがにうまくいかずに、スィンド地方に少数のアラビア人が留まれたのみでした。

次の接触がガズナ朝、つまりはアフガニスタンのガズナを拠点とする、トルコ系マムルークの王朝でした。北インドに侵攻して、このときはパンジャブ地方を制圧します。続いたのが同じアフガン系のゴール朝で、一一七五年からインド侵攻を開始しました。

一一九二年にはデリーを落として、ペシャワルからベンガル湾までの広大な領域を支配することになりました。西北インドはラージプート諸王朝、つまり小さな王家による分割支配の地域で、一致団結して抵抗することにはならないんですね。

いずれにせよ、十二世紀にはイスラム勢力が北インドに確たる地歩を占めました。ゴール朝ですが、征服した西北インドの統治を、トルコ系マムルークのアイバクに委ねます。このアイバクが自立して開いたのが、奴隷王朝（一二〇六―一二九〇）です。

以後、ハルジー朝（一二九〇―一三二〇）、トゥグルク朝（一三二〇―一四一四）、サイイッド朝（一四一四―一四五一）、ロディ朝（一四五一―一五二六）と、王朝は替わりながら、イスラム教徒の支配が三百二十年続きます。デリー・スルタン朝と呼ばれる時代です。

最後のロディ朝を倒したのがムガル朝ですが、ムガル朝に先がけて、北インドは三世紀もイスラム王朝が支配していたことになります。

ムガル朝の版図は、デリー・スルタン朝の諸王朝より大きくなって、その長期政権としての安定感も従前とは比べものになりません。支配の強化という意味では、モンゴル人の末裔が大いに寄与しているのですが、その土台となったのは、やはり先がけて果たされていた、イスラム勢力の進出だったわけです。

イスラム教も広まりましたが、インドでは他でみるほど圧倒的にはなっていません。それを強制しないというのが、イスラム国家の基本的なスタンスですから、向こうから改宗を望まないかぎり増えないんですね。

ヒンドゥー教の高度な文化があるところでは、イスラム教が浸透するにも限界があったようです。インドは最後まで君臣が同化することのない征服王朝を戴く国として、イスラム世界の一員になりました。

イスラム教はなぜ砂漠を越えたのか

やはりイスラムは強いですね。西世界の十字軍や、東世界と戦っている間にも、自らの世界を着々と広げていたわけですから、世界大戦とはいいながら、イスラム世界の横綱相撲だったのかもしれません。

イスラム教が広まったのは、中央アジアや北インドだけではありません。アフリカのほうでも、イスラム世界は拡大を続けていました。そもそもアフリカ北岸、地中海沿岸ですね、これは大西洋まで、ウマイヤ朝、アッバース朝の時代から、イスラム帝国の内でした。

地方政権もいくつか生まれます。チュニジアに発してエジプトに拠点を移していくファーティマ朝、さらにズィール朝、アルジェリアのハンマード朝等々と、支配王朝の興亡はありましたが、イスラム世界であることは変わっていません。

この北アフリカを出発点にして、さらにイスラム教が伝播、イスラム世界が拡大しているんですね。どこに広がったかといえば、スーダンです。今もスーダンという国がありますが、もともとはサハラ砂漠を越えた帯状地帯をスーダンといいました。

何が楽しくて、わざわざサハラ砂漠を越えるのか。すでにして愚問ですね。イスラム教徒といえば、商人です。物を運びにくいところに運んでこそ、商売の旨味(うまみ)がある。ラクダのキャラバンを組んで、砂漠を渡っていく。隊商活動が盛んなわけです。

そこでイスラム文化も入っていく。イスラム文化というのはレベルが高いものですから、文化的に未成熟な土地は、あっという間に染められます。のみならず、政治的な支配が打ち立てられることもあります。

例えば、モロッコのムラービト朝ですね。建国が一〇五六年で、マラケシュを首都に栄えますが、これが一〇七六年に南に軍を発して、ガーナ王国を攻め滅ぼします。西スーダンの国で、同じアフリカでも、こちらはネグロイドの王国になりますが、さておき、その征服は、この地にイスラムの支配が確立されたことを意味します。

ムラービト朝は滅びて、ムワッヒド朝が後を継いで、十二世紀にはアルジェリアのハンマード朝を降して、アルジェリア、そしてチュニジアまで合わせて支配します。

西スーダンのほうでは、十三世紀にマリ王国（一二四〇―一四七三）が建ちました。やはりネグロイドの王国ですが、イスラム世界であることは変わりありません。交易都市トンブクトゥ（マリ共和国の世界文化遺産）は、サハラ縦断貿易とメッカ巡礼の拠点として有名でした。

最盛期の王マンサ・ムーサ（在位：一三一二―一三三七？）は、特にイスラム文化の導入に熱心でした。豪華なメッカ巡礼旅行をしたことでも有名です。まさにイスラム教徒のスルタンといった感じですね。

マリ王国のあとは、十五世紀にソンガイ王国になりますが、これも変わらず西スーダン最大のイスラム国家です。西スーダンほどではないにせよ、中央スーダン、東スーダンにもイスラム教は伝播していきました。サハラ南縁にあるのがチャド湖ですが、その周辺でも十一世紀末にはイスラム教が伝わっていたといわれています。

隊商の活動とメッカ巡礼――やはり、これが大きいですね。イスラム教徒に旅を促し、往来を盛んにし、結果としてイスラム世界を不断に広げるのですから。

インド洋はまさにイスラムの海だった

十四世紀の北アフリカ、今のモロッコ北部タンジールに生まれた、イブン・バトゥータという大旅行家がいます。その三十年に及ぶ旅も、隊商の活動とメッカ巡礼を旨とするため旅人に手厚いという、イスラム世界の特質に支えられたものだといえます。

イブン・バトゥータは隊商に同行して北アフリカを横断、進んだシリアから南下して、当然のごとくメッカ巡礼を果たしています。また北上して、イル・ハン国やキプチャク・ハン国にも足を延ばします。

いったん故郷に帰り、そこからサハラ砂漠を越えて、マリ王国を訪ね、トンブクトゥに逗留したりもしています。まさにイスラム世界の申し子といった感じですが、それだけでもないんですね。

イブン・バトゥータは航海でモガディシュ、モンバサ、キルワと訪れました。東アフリカの沿岸都市です。そこからアラビア半島のザファーリに戻ると、今度はアラビア海を渡って、インドに達しました。さらに東南アジアのスマトラ島に行き、そこから南シナ海を越えて、元に向かい――と、イスラム世界は陸路だけじゃないんですね。

人間が動くとなると、もうひとつ海路があります。キャラバンのラクダならぬ三角帆の船、「ダウ」と呼ばれるものですが、これがイスラム教徒の海外進出を助けていました。

では、どこの海に出ていったかといいますと、故地がアラビア半島で、陸路で西には北アフリカ、東にインドと腕を広げて、そうした一連なりの陸地が抱えている海となると、インド洋です。

再びアラビアンナイトを引けば、出てくるのは「バグダッドの船乗りシンドバッド」なわけです。出ていった海というのは、インド洋だったんです。「シンドバッド」という名前は、「インドの風」の意味なんですね。

具体的にみていきますと、まず東アフリカです。もう十世紀には今のソマリア南部にあるバナーディル海岸、モガディシュ、メルカ、ブラバなどに、アラビア人の植民市ができていました。十三世紀半ばからは、ペルシア系というかイラン系ですね、そちらの商人が主役になっていきますが、いずれにせよイスラム教徒です。

今のケニアの都市マリンディ、ここにもイスラム教徒がいました。モンバサなど十四世紀には、訪れるイスラム商人のみならず、住民も多くがイスラム教徒になっていたとされます。今のタンザニア沖にあるザンジバル諸島なども、イスラム教徒を受け入れ、ここはアラビア半島というより、インドとの貿易の拠点になっていました。

バナーディル海岸から南に進んでソファラまで、ケニア、タンザニア、モザンビークの海岸にある無数の小島が、象牙、金、奴隷の貯蔵場所だったともいいます。わけても、今のタンザニアのキルワ島ですね。ここには重要拠点として、十三世紀初めにはイスラム教徒の支配が確立しました。

東アフリカの共通言語、モガディシュからモザンビークの間で使われる言語に、スワヒリ語というものがあります。これ、アラビア語の「サワーヒル」が語源で、「海岸」という意味です。

十世紀以降、アラビア半島やインドの影響を受けて生まれた言葉で、アラビア語由来の外来語が多くあります。海岸で取引するとき、片言で会話しますよね。その商業上の必要から生まれた言語が、スワヒリ語なんですね。

イスラム国家の建設とまではいかないながら、これもイスラムが確かな足跡を刻

サライ
タブリーズ
ニーシャープール
チャガタイ・
ハン国
カラコルム
サマルカンド
カーブル
北京(大都)
黄河
ヘラート
イスファハーン
元
長江
杭州
ホルムズ
デリー
ペルシャ湾
スドカーワーン
スナルカーワーン
アラビア海
トゥグルク朝
太平洋
カリカット
ベンガル湾
南シナ海
ザファーリ
スマトラ
ボルネオ島
モガディシュ
セイロン島
メルカ
スマトラ島
マリンディ
ジャワ島
インド洋

イブン・バトゥータの大旅行路
ブルガール
バグダッド
キプチャク・ハン国
キエフ
コンスタンティノポリス
アレッポ
ヴェネツィア
地中海
グラナダ
エルサレム
チュニス
フェズ
マリーン朝
マラケシュ
アレクサンドリア
紅
メディナ
ソンガイ
王国
マムルーク朝
サハラ砂漠
カイロ
マリ王国
ニジェール河
海
メッカ
チャド湖
ボルヌ王国
トンブクトゥ
コンゴ河
ブラバ
キルワ島
エチオピア帝国
大西洋
モンバサ
0
2000km

んだ証左といえます。いや、ジンバブエからモザンビークにいたる地域に、十一世紀からモノモタパ王国がありましたが、ここではイスラム教が優勢だったといいます。

この東アフリカからインド洋を渡る対岸にあるのは、東南アジアですね。実際にはアラビア半島やインドを経由して到達するわけですが、このアジア――古代ギリシアでいうアジア、小アジアやペルシアのことではなく、今の地理感覚でいうアジアですね。その東南アジアにもイスラム教徒は、十世紀には足跡を刻んでいます。マレー半島のカラ・バールは、十世紀半ば頃から中国に向かうイスラム商船の寄港地でした。チャンパー、今のベトナム南部ですね、ここには一〇三九年の日付で碑文が残され、イスラム教徒がいた痕跡になっています。

スマトラ島で確認されるのも、同じ頃です。現地民の改宗も十三世紀末には始まっていたようです。一二九二年、例のマルコ・ポーロが訪ねたのがスマトラ西南部のパルラーク王国ですが、そこにはイスラム商人がいて、住民もイスラムに改宗していたと伝えています。

スマトラ北部には、いくつかイスラム政権があったようです。最大のものがサムドラ・パサイ王国で、一三四五年に今度はイブン・バトゥータが訪ねて、そのことを『旅行記』（『三大陸周遊記』）として口述筆記により残しています。スマトラ内陸部のミナンカバウ王国でも、十四世紀末には改宗が始まりました。パレンバン地方は、少し遅れて十五世紀半ばからです。東南部ランボン地方には、ジャワ島から伝わりました。

ジャワ島では元来ヒンドゥー教が強かったのですが、十四世紀後半にマリク・イブラヒームという伝道師が来て、イスラム教への改宗が進行します。今のインドネシア共和国が、人口的には世界最大のイスラム教国になっている通りですね。十四世紀末にはマレー半島南西岸にも、マラッカ王国というイスラム政権ができています。

こうしてみてきますと、東はマレー半島とマレー諸島、西にアフリカ東海岸、北にアラビアとインドの二大半島と、ぐるりとイスラム教徒の土地に囲まれて、**インド洋は十世紀から十六世紀にかけて、まさにイスラムの海だった**ということができます。

日本人の感覚からすると、インド洋というのは、なかなか目がいかないといいますか、盲点ですね。太平洋の感覚はありますし、またヨーロッパとか、アメリカとかのことは気にするので、大西洋、それに地中海も頭にある。しかし、インド洋はちょっと意識していない部分があると思います。

イスラム世界をみるときも、地中海からみてしまうというか、ここでの西世界や東世界との関係ばかり注意して、そっちにあるんだなと思ってしまうんですが、発祥地のアラビア半島を単体でみるなら、メッカからは紅海がすぐですし、そこから出れば、もうインド洋なわけです。

インド洋に向けている、また別な顔があったというのは当然で、それがこれだけの勢力を誇っていたわけですから、進出しないでいるわけがありませんね。

モンゴル人の来襲も諸ハン国のイスラム化で、イスラム世界の拡大に帰結しました。モンゴル人が来襲しなかった北アフリカからも、中央アフリカに向けて着実な拡大を続けていました。それと同時にインド洋をイスラムの海にして、その先々にもイスラム世界を広げていったんですね。

繰り返しますが、イスラム教、イスラム文化というのは、やはり質が高い。中央アジアもアフリカもアジアも然り、それこそモンゴルなんか典型でしょうけど、これという核となる文化を持たない国であるとか、地域であるとか、勢力であるとかいうのは、あっという間にイスラム教とイスラム文化に取りこまれてしまいます。

これがイスラム教徒の活動力といいますか、交易に対する並外れた意欲、陸海を問わずに渡っていく旺盛な行動力と合わされば、どんどん世界が飲みこまれていったのも頷けるような気がします。もうローカル・ユニヴァースの規模には留まりませんね。すでにしてグローバル・ユニヴァースです。**イスラム教が誕生してから十六世紀ぐらいまでは、本当にイスラムの時代だったん**だなと思い知らされます。

十字軍にしても、どうしても地中海のほうからみてしまいますが、結局のところ、すでにグローバル・ユニヴァースになりつつあった相手に、身のほど知らずのキリスト教徒が勝手に嚙みついていったといいますか。

イスラム世界にしてみれば、ほんのアクシデント的な逸話にすぎなくて、順当に追い払ってやっただけの話だったのかなと。そう思わせられるくらい、もう圧倒的ですね。

ホーム・ゲームを勝ち抜いたオスマン・トルコ

グローバル・ユニヴァース――真実、世界規模になっていったイスラム世界ですが、そうすると、ホームといいますか、もともとの地中海の東側、アラビア半島や小アジア、シリア、ペルシア、北アフリカあたりはどうなっていたでしょうか。

こちらではアッバース朝、セルジューク・トルコ、ルーム・セルジューク朝といたところに、新たにオスマン・トルコが台頭します。オスマン一世が一二九九年に建国したもので、まさしく十字軍が終わるとともに勃興した格好です。

オスマンは元が中央アジアにいたトルコの族長でしたが、やはりモンゴル人ですね、その西征に押し出されて小アジアに流れ、はじめルーム・セルジューク朝に身を寄せました。

そこから独立して、国を建てたということですが、このオスマン・トルコが十四世紀の間に国の基盤を固め、十五世紀から猛烈な勢いで拡大していきます。あれよという間にイスラム世界の雄、まさしく新たなるイスラム帝国という感じになるわけです。

アッバース朝はモンゴル軍に滅ぼされて、すでにありません。マムルーク朝は健在でしたが、これも十六世紀に入ると、オスマン・トルコがどんどん圧倒していきます。一五一六年八月、セリム一世が率いるオスマン・トルコ軍が、アレッポ近郊でマムルーク朝軍を破り、これがシリア征服につながるんですね。

一五一七年に今度はエジプトですね。マムルーク朝のスルタン、トゥマン・ベイが率いる軍を、カイロの北、ライダーニーヤで撃破して、オスマン・トルコ軍はカイロ入城を果たします。このときスルタンを捕えて処刑し、マムルーク朝を滅亡させたわけです。マムルーク朝の保護下にあったメッカ、メディナまで同時に版図に入れています。

イスラム世界にライヴァルもいました。一五〇一年ですから、ほぼ同時期に建てられたサファヴィー朝です。チムール帝国が崩壊した後、イランに勃興した王朝ですが、これにオスマン帝国は一五一四年に戦いを挑んでいます。

勝利はしましたが、オスマン・トルコはいったん休止して、先ほどみたように先にマムルーク朝を片づけます。サファヴィー朝を相手に本腰で戦うのは、一五三四年九月のバグダッド遠征からです。

挑んだのがスルタン、スレイマン一世でした。一五四八年、一五五三年と三次にわたる戦いの末、一五五五年のアマスィヤ条約で和平とします。オスマン・トルコがイラクを取り、サファヴィー朝がタブリーズ、カフカスを取るという内容でした。

一五七八年には再戦となり、オスマン・トルコ軍のカフカス遠征が始まります。一五九〇年まで戦い、カフカス、アゼルバイジャンまで手に入れますから、一方的とまではいかないものの、まず優位は揺るがないといったところでしょうか。

これだけの強さを発揮できたのには理由があります。オスマン・トルコは同じイスラム世界のライヴァルたちと戦うに先がけて、実は西帝国、とりわけ東帝国と戦い、これを圧倒していました。

話は十五世紀に戻って、一四五一年ですね。小アジアをほぼ制したオスマン・トルコ軍は、スルタンのメフメト二世の命令で、ボスポラス海峡にルメリ・ヒサール城という巨大な城塞を築き始めます。

それはコンスタンティノポリス城壁の北側です。東ローマ帝国の都、コンスタンティノポリスのことです。一四五二年に完成すると、ルメリ・ヒサール城に大軍を入れて、オスマン・トルコが一四五三年に始めたのが包囲攻撃でした。

コンスタンティノポリスにいたのは五千の東ローマ帝国軍、ヴェネツィア人、カタルーニャ人、ジェノヴァ人でなる二千の外国人部隊、合わせて七千ほどだけだったといいますから、端から勝負になりません。五月二十九日、東ローマ帝国の都はあえなく陥落となり、最後の皇帝とされるコンスタンティヌス十一世も、乱戦のなかで戦死します。

オスマン・トルコの勢いは止まりません。東世界に術がないのも同じです。一四五九年にはギリシア、バルカン半島に進撃し、一四六〇年には南端のペロポネソス半島まで併合してしまいます。一四六一年には黒海沿岸に軍を転じて、東ローマ帝国皇帝の係累が亡命政権を据えていたトレビゾンドを攻め落とします。

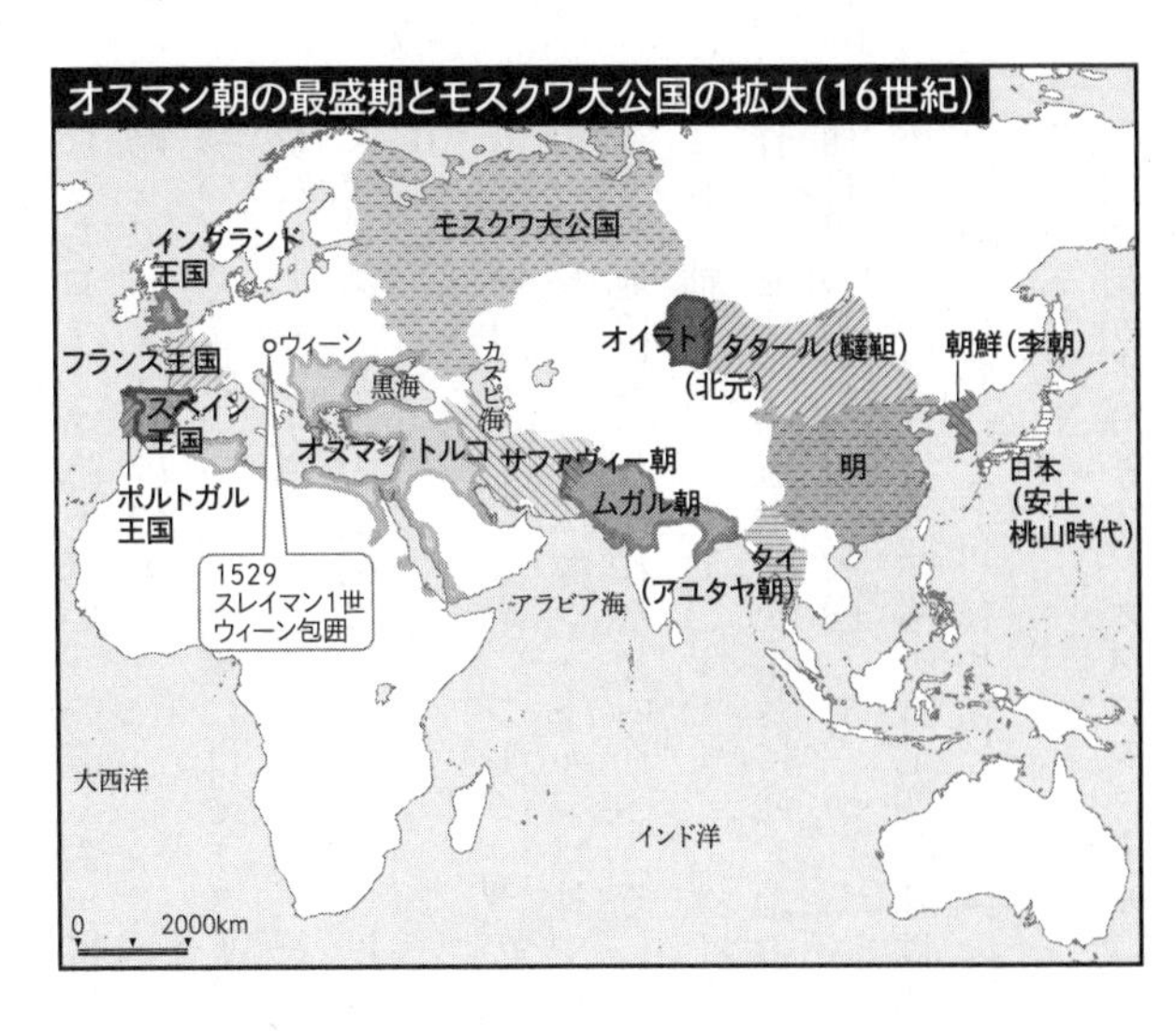

オスマン朝の最盛期とモスクワ大公国の拡大（16世紀）

そのまま一四六二年にはワラキア、今のルーマニア南部ですね、そこを攻めて、吸血鬼ドラキュラのモデルといわれる「串刺し公ヴラド・ドラクル」を倒します。ちなみに「ドラクル」は苛烈な戦いぶりに由来する綽名で、「竜（ドラゴン）」の意味ですね。

一四七五年にはジェノヴァからクリミア半島を奪い、一四七七年にはモルダヴィアを征服します。十六世紀に入っても、イスラム世界のライヴァルと戦う合い間に、変わらず覇業は続行されます。一五二一年には今のセルビアにあるベオグラードを落とし、一五二二年には聖ヨハネ騎士団からロードス島を奪い、一五二六年にはハンガリーを攻めて、首都のブダまで攻略してしまうわけです。

勢いづくまま、一五二九年にはオーストリアの都ウィーンを包囲します。ここは攻略にいたらず引き揚げますが、一五三三年の全面和平では、ハンガリー占領を解き、オーストリアの支配に返すものの、以後そこに貢納金の支払いを課せることになりました。

一五三八年は海戦ですね。プレヴェザの海戦で、スペイン、ヴェネツィアの連合艦隊を撃破して、オスマン・トルコは地中海の制海権を掌握します。あるいは西世界まで窮地に追いこまれたというべきでしょうか。

これは拙（まず）いと、一五七〇年です。スペイン主導で対オスマン・トルコの神聖同盟が作られます。一五七一年十月に迎えたのが、有名なレパントの海戦ですね。これに西世界の神聖同盟が大勝して、からくもオスマン・トルコの勢いを止めた格好ですが、オスマン・トルコも一五七四年には北アフリカのチュニスを占領、チュニジアを属国にしています。もともとイスラム世界ですが、その時代はスペインに取られていたんですね。

まだ余裕があります。オスマン・トルコ、これまた強いですね。その猛威を西世界でなんとか止めたという感じです。

東帝国のほうは、ほとんど併呑(へいどん)されてしまいました。世界史は三世界史なんだといったくせに、ひとつなくなってしまったじゃないかと、咎(とが)められてしまいそうですね。

東ローマ帝国——なす術なく滅ぼされましたが、これはこれで千年続いた帝国です。そう簡単にはなくなりません。というより、千年も続いたという権威を、そう簡単にはなくさない者がいるわけです。

一四七二年、ローマにゾエ・パレオログという女性がいました。コンスタンティノポリスで壮絶な戦死を遂げた皇帝がコンスタンティヌス十一世ですが、その弟ソマス・パレオロゴスが一家でローマに亡命していたんですね。その娘、つまり最後の皇帝からみれば姪(めい)にあたるのが、ゾエ・パレオログです。

ローマ教皇パウルス二世、ニカイア府主教ヨハンネス・ベッサリオンというような、東西教会の合同を目論む聖職者一派が庇護していたわけですが、その年にゾエ・パレオログ、ローマに来て改名したソフィアに、縁談が持ち上がります。

相手がモスクワ大公イワン三世という男でした。イワンはソフィアと結婚すると同時に「ツァーリ」、つまり「カエサル」の訛りですね、それを「皇帝」の意で名乗り、また同時にローマ皇帝の紋章である「双頭の鷲」を継承します。**皇帝の姪の夫という資格で、東ローマ帝国の継承者たるを宣言したわけです。**孫のイワン四世からはモスクワ大公でなく、ロシアのツァーリ、つまりロシア皇帝を名乗るようになります。

西ローマ帝国の継承者を称した、かつてのカール大帝と同じ論理ですね。婚姻を結んで、血の継承という体裁を整えた分だけ、ロシアのほうが丁寧かもしれません。いずれにせよ、ここに東帝国は継承され、東世界の歴史も途絶えずに済みました。

ロシアの始まりはスラヴ人の移動から

継承されたというより、結果として継承されることになったというべきでしょうか。実際のところ、イワン三世と皇女ソフィアが結婚した時点では、自称に終わる可能性も大だったと思います。

なにしろ、イワンはモスクワ大公にすぎませんでした。モスクワですから、ロシアのなかでも北のほう、外れの領主にすぎません。しかも、まだモンゴル・ショックから完全には立ち直れていませんでした。

イスラム世界のように、文化的な優越をもって取りこむことも、それに利して乗っ取るということもできません。ロシアではキプチャク・ハン国の支配が、まだ続いていたわけです。そのあたり、少し時代を遡りながら、押さえておきたいと思います。

　そもそものロシアですが、六世紀後半、今の南ロシアにスラヴ人が移動してきたのが、その歴史の始まりとされています。ところが、最初に建てられた国はノルマン人、ヴァイキングですね、そのリューリクという首領が八六二年に建てた、ノヴゴロド公国になります。

●イワン3世

モスクワ大公国の大公（在位：1462〜1505）。

　八八二年にはリューリクを継いだオレグが、南のキエフに本拠を移して、キエフ公国を建てます。九八〇年に、キエフ大公になったのがウラジーミル一世ですが、同時にロシア大公を名乗り、また九八八年にはキリスト教に改宗します。

　ロシアの歴史の、ひとつの画期です

ね。このキリスト教というのがギリシア正教で、その教会はコンスタンティノポリス総大主教を頂点とします。東ローマ皇帝はキリスト教を介して影響力を広げたと前に述べた通り、その影響圏にロシアも組み入れられたわけです。

さておき、ここでキエフ、今のウクライナのキエフなわけですが、キエフ中心のロシアが発展していきます。いや、発展したがために分裂してしまったというか、小さな単位で自立できるようになったので、諸侯が群雄割拠する体になります。

まあ、それは割合ある話ですが、そこで割合はない話というか、前代未聞、空前絶後の衝撃に襲われます。モンゴル・ショックですね。チンギス・ハンの孫のバトゥが西征してきたわけです。

一二二三年、カルカ河の戦いでロシア軍はモンゴル軍に大敗します。それからロシア、とりわけ南ロシアは蹂躙（じゅうりん）の的になりました。

深刻だったのが、一二四〇年に占領されたキエフです。少し後の時代にモンゴルに赴いたルブルックという修道士がいて、旅の途上でキエフを通過したのですが、もう白骨が散らばるなか、百世帯とか二百世帯とかしか残らない状態だったと、証言しているほどです。

ただ奪い、殺し、破壊しただけでなく、モンゴル人はロシアに居座ります。一二四三年に建てたのが、キプチャク・ハン国なわけです。一二五三年には黒海に近いサライが首都と定められて、本格的なロシア支配が始まります。

ロシア史にいう「タタール（モンゴル人）の軛（くびき）」です。サライの位置からわかるように、キプチャク・ハン国も中央アジア寄りですから、内部でイスラム化、トルコ化が進みます。時代が下るにつれて、「イスラムの軛」になったかもしれませんが、とにかくロシアは隷属状態に置かれます。ロシア全土に貢租が課せられ、諸侯という諸侯はハンに臣従を捧げなければならない時代になったわけです。

新たなる東帝国と第三のローマが出現

そこでモスクワ大公です。モスクワが初めて史料に現れるのは一一四七年、ドルゴルキー公の館や砦が置かれた場所としてでした。都市というより、郊外の拠点ですね。

一二七一年、ダニールがモスクワを領して、モスクワ公を名乗りますが、これはウラジーミル・スーズダリ公家から分家した人で、モスクワ公国もウラジーミル・スーズダリ公国の一分領国の扱いにすぎませんでした。

一三二八年にイワン一世がモスクワ大公に名乗りを変え、ようやくモスクワ中心の国造りを始めます。ロシア史ではリューリク朝といって、ノルマン人リューリクの子孫だからなわけですが、本家筋のキエフ・ロシア大公からすれば、分家のまた分家という格ですね。ロシアのなかでも、辺境の新興勢力ということです。

ただモスクワには有利な点もありました。ひとつには地理的に外れなので、モンゴル軍の被害が浅くて済んでいたということです。実は一二三七年に一度モンゴル軍に占領されているのですが、まだ人口も少なく、都市という都市でもありませんでしたから、大して破壊するものもなかったといいますか、それほど深刻な被害にはなっていません。

十八世紀のフランス皇帝ナポレオン、軍事的カリスマですが、このナポレオンはロシア遠征を失敗したことでも知られますね。いったことには、ロシアが強いのは自分は攻められない北の極寒の果てにいて、そこから南に攻めこんでくるだけだからだと。なるほど、納得ですね。

もうひとつにはモスクワ河の水運に恵まれていました。交通、流通を活性化させられますから、その地勢自体は悪くなかったんですね。

このモスクワを拠点にモスクワ大公家は着々と力を蓄えていきます。一三五九年に即位した大公ドミトリィ・ドンスコイからは、反モンゴルの姿勢さえ明確にしていきます。

一三七一年、ドミトリィは貢租を支払わず、ならば報復するまでと乗りこんできたモンゴル軍を、一三八〇年にクリコヴォの戦いで破ります。戦場がドン河の辺だったので、その勝利を記念した命名で、大公は「ドミトリィ・ドンスコイ」なわけです。

キプチャク・ハン国のほうは、このあとノガイ・ハン国、カザン・ハン国、アストラハン・ハン国、クリミア・ハン国、シビル・ハン国、そしてヴォルガ河畔を拠点にキプチャク・ハン国の正統を称している、いわゆる大ハン国に分裂します。ひとつひとつは弱くなりますから、モスクワ大公に逆襲するとは、なかなかなりません。

モスクワ大公家ですが、東ローマ皇帝の姪ソフィアと結婚して、帝国の継承宣言をするイワン三世は、ドミトリィ・ドンスコイの曾孫ということになります。イワン三世はノヴゴロド市を併合するなど国内の支配を強めつつ、一四八〇年、大ハン国に対して再び貢租の支払いを拒否しました。モンゴル軍も再び報復のために出陣しましたが、やはり力不足なんですね。実戦闘に踏み出すことなく引き返してしまいました。

単なる威嚇に屈するほど弱くはない。これでモスクワ大公国はキプチャク・ハン国から独立を果たしたことになりました。大ハン国はといえば、北からはモスクワ大公の攻勢があり、南からもチムール帝国に圧迫されて、一五〇二年には滅亡しています。

一五〇五年に即位したヴァシリ三世は、一五一四年にスモレンスク併合、一五二〇年にリャザン併合と、国内の支配強化を進めます。その後が一五三三年に即位したイワン四世で、歴史に「イワン雷帝」の名を残す気性の激しい君主ですが、このイワンが一五四七年、いよいよ全ロシアのツァーリ、つまりロシア皇帝の称号を正式に使い始めます。

モスクワも、ローマ、コンスタンティノポリスに続く第三のローマであるとされます。一五八九年にはコンスタンティノポリスはオスマン・トルコの治下にあってイスタンブールと改名していましたが、そこに置かれていた総大主教座がモスクワに移されます。モスクワこそギリシア正教会の本山になるわけです。

ロシア皇帝となったイワン四世は一五五二年にカザン・ハン国を、一五五六年にアストラハン・ハン国を併合し、ヴォルガ河流域の支配を固めます。「タタールの軛」に報復するとばかりに、次から次とハン国を滅ぼしていくわけですが、一五八二年にもうひとつ、シビル・ハン国を征服します。

ウラル山脈の東側に建てられていた国ですが、イワン四世はその地の開発権を北部の製塩業者であり、豪商であったストロガノフ家に与えました。ビーフ・ストロガノフで有名な、後の大貴族ストロガノフ伯爵の先祖です。

これに仕えていたのが、コサックの長エルマークでした。最強の名を欲しいままにする戦士集団、あのコサックのことですね。一五七八年、エルマークは僅か千五百人の兵を率いて出発します。シビル・ハン国に攻撃を開始したのが一五八一年、翌年には征服を完了して、それを一五八四年にイワン四世に献上します。

シビル・ハン国はロシア帝国領になりました。あるいはシビル・ハン国ではなく、「シベリア」といったほうがいいでしょうか。

これに導かれるようにして、ロシアは東に進みます。帝国を称して、まだ半世紀でしかありませんが、もうシベリア進出が始まるわけです。

一五八七年にトボルスク城塞を築き、これがシベリア支配の拠点になります。一五九六年にナリム、一六〇四年にトムスク、一六一三年にミハイル・ロマノフが即位して、リューリク朝からロマノフ朝に替わっても、シベリア進出の歩みは止まり

新シベリア諸島
（ノヴォシビルスク諸島）
ベーリング海峡
ウスチクト
ヴェルホンヤンスク
ヤクーツク
レナ河
オホーツク
スタノヴォイ山脈
アルバジン
ネルチンスク
オホーツク海
カムチャツカ半島
アリューシャン
列島
千島列島
キャフタ
清
ペトロパヴロフスク・
カムチャツキー
イルクーツク
クラスノヤルスク
16世紀半ば
17世紀末
1815年
17世紀の進行方向
18世紀の進行方向

ロシアの領土拡大
ノーヴァヤ=
ゼムリャー
ペテルブルク
アルハンゲリスク
エニセイスク
ウラル山脈
オビ河
エニセイ河
ベルム
トボルスク
モスクワ
タラ
エカチェリエンブルク
カザフ
ウクライナ
バイカル
湖
カフカス
アストラハン
黒海
カスピ海
トルキスタン
トムスク
ナリム
オムスク
0
2000km

ません。

一六二〇年にエニセイ河畔のエニセイスク、一六二八年にクラスノヤルスク、一六三〇年にウスチクト、一六三二年にヤクーツクと進んで、一六三八年、シベリア遠征軍は遂に太平洋岸に到達します。

一六四三年から四六年にかけて探検したのが、ベーリング海峡でした。一六四八年にはオホーツク海に出て、一六五二年には清朝の中国ですね、その軍と最初の衝突ということになります。一六六三年にはシベリアにアルバジン城塞を築いて、さらなる支配の強化を図りますが、さておき、ここまで来ました。もうユーラシア大陸の東の果てです。

これといった敵対国家、敵対勢力もなく、ほぼ無人の野を行くような進軍だったとはいえ、百年かからず太平洋に出てしまいました。気がつけば、ロシア帝国はヨーロッパからアジアにかけた、途方もない巨大版図を形成していたんですね。

かつてのモンゴル帝国にも比べられる大きさです。あるいは、ここでもモンゴル帝国が架け橋になったというべきか、ハン国を潰していくうちに、ロシアは東に誘われていったわけですからね。

ユーラシア大陸を大きく東西に跨いで、すでにして世界です。またロシアも世界進出を果たし、世界帝国になりました。北の辺境の新興勢力にすぎなかったモスクワ・ロシアが、東ローマ帝国を継承するにふさわしい存在になりました。

いや、権威を借りた東ローマ帝国を、東西合わせた全ローマ帝国をさえ、もはや完全に凌駕（りょうが）しましたね。**ローカル・ユニヴァースにすぎなかった東世界は、ここにグローバル・ユニヴァースとなり、再び世界史を紡ぎ始める**のです。

第七章

なぜ西世界は「世界」を支配できたのか

――ローカルからグローバルへ、その二

国民国家が時代を牽引する

さて、最後のひとつ、西世界です。

十字軍の後、ヴェネツィアやジェノヴァといった海上交易を専らとする勢力を除けば、東世界とはほぼ交流はありませんでした。イスラム世界に対しては、たまに思い出したように十字軍を送るのですが、さしたる戦果もあげられずに帰るのは同じです。

モンゴル・ショックですが、西世界は、少なくとも実害という意味では、それほど深刻な爪痕を残されていないというのは、前に話した通りです。

西世界は平穏な時代をすごしたかに聞こえるかもしれませんが、これがとんでもない話で、かえって内側での覇権争いが熾烈を極めていました。

平穏に治めるべき二大権力が、教皇と皇帝だったわけですが、どちらも失墜して久しいという状態だったんですね。

教皇はアヴィニョンとローマに二人いて、教会分裂を引き起こしていました。なんとかローマに統一しますが、百年たって起きたのが宗教改革でした。一五一七年、ルターが「九十五のテーゼ」を突きつけて、カトリックに抗議（プロテスト）したことに始まる、一連の運動です。西世界のキリスト教徒は、ほどなく旧教（カトリック）と新教（プロテスタント）に分かれることになります。

皇帝にいたっては不在という体（てい）たらく、一二五六年、いわゆる大空位（だいくうい）時代を迎えました。一二七三年にハプスブルク家のルドルフ一世が皇帝になりますが、選挙で選ばれてのことです。一三五六年の金印勅書（きんいんちょくしょ）で、有力諸侯による選挙制が確定します。つまりは選挙権を持つ諸侯に媚（こび）を売らなければならないわけですから、皇帝は弱くならざるをえません。

お膝元の旧東フランク王国といいますか、ドイツですね、ここは群雄割拠の勢力が小さな戦争を絶え間なく起こして、もう無政府状態に近くなります。

かつての西フランク王国、フランスはどうなっていたかというと、イギリスと「百年戦争」を戦っていました。これは大きな戦争ですが、やはり結構な話ではありませんね。

戦争が頻発し、気候も小氷河期というほど寒くて凶作が続き、おまけに黒死病、ペストという破滅的な疫病まで上陸してくる。まさに神が与えたもう試練というような、全く酷（ひど）い時代を西世界も経験していたわけです。

ただ試練に鍛えられたというのか、十四、十五世紀の間に文明の質が上がりました。**とりわけ大きな発明が「国家」、それも帝国というような大きな国家ではなくて、「国民国家＝ネーション・ステート」という、比較的小さな国家です。**

ほぼ均一の文化、伝統、言語を共有する国民が、官僚組織と常備軍を有する単一の君主によって国家に統合されているという、フランスとか、イギリス、あとはスペイン、ポルトガルのような国ですね。

教皇のお膝元イタリア、同じく皇帝のお膝元ドイツでは、なお帝国にこだわる気持ちが強いだけ、国民国家の建設は遅れてしまいます。割を食わされた格好ですね。

かたわら、王たちは国内の諸侯たちを押さえて、集権化を進めていました。折りよくといいますか、大砲が実用化の時代に入りました。大砲、それに少し遅れて鉄砲ですね。火器を使えば、それまで落とせなかった諸侯の城も簡単に落とせるようになったんです。日本でも織田信長が使い始めましたが、これが国内統一を強力に推し進めます。

こうして作られた国民国家の何が優れていたかというと、コンパクトですから分裂しにくく、諸々の国家機能も破綻（はたん）なく末端まで行き渡るので、しごく効率的な権力装置になってくれるんですね。戦争をはじめとする国家事業が、しごくやりやすいわけです。

以後の西世界は、ひとつの帝国のかわりに複数の国民国家が集団で指導していく、あるいは互いに争い、その競争原理において時代の進みを加速化させるというほうが正しいかもしれませんが、いずれにせよ国民国家が牽引していく世界になります。

大航海時代による西世界の急拡大

そこで十五世紀末に始まるのが、よく知られた「大航海時代」であり、「地理上の発見」であり、また「ヨーロッパの拡大」の時代です。ヨーロッパ、私の言い方に倣えば西世界ということになりますが、これが海外進出を通じて、やはりローカル・ユニヴァースからグローバル・ユニヴァースに長じていくわけです。

西世界だけが拡大したのではありません。イスラム世界などはすでに拡大していた、ハン国を継承することで、いっそう大きくなりましたし、東世界もロシアという新たな雄の出現で、ユーラシア規模になっていました。決して専売特許ではないのですが、それでも西世界の拡大、その歴史的意義も劣らず高く評価されるべきだと思います。

まさに異世界からの使者であり、世界は広いのだと示したのがモンゴル人で、そのモンゴルといいますか、中国を支配した元を訪ねたのがマルコ・ポーロというイタリア人でした。その『東方見聞録』なども大いに刺激になりましたが、このとき実際の担い手となったのは、主としてイベリア半島の国々、スペインとポルトガルでした。

この二国がみせた十五世紀末の動きには、それにしても驚かされます。主だった出来事を、ざっと挙げるだけで、歎息（たんそく）を余儀なくされます。

まず一四八八年、探検家バルトロメウ・ディアスが、ポルトガルのジョアン二世の命を受けてアフリカ西海岸を南下、喜望峰に到達します。

次が一四九二年で、コロンブスのアメリカ大陸の上陸です。コロンブス自身はクリストフォロ・コロンボというイタリア人ですが、その航海はスペイン女王イサベルの援助で行われたもので、大西洋を越えたあげくに西インド諸島、サン・サルバドル島と命名する島に到達します。

これに、やはりイタリア人のアメリゴ・ヴェスプッチが新大陸の探検で続きま

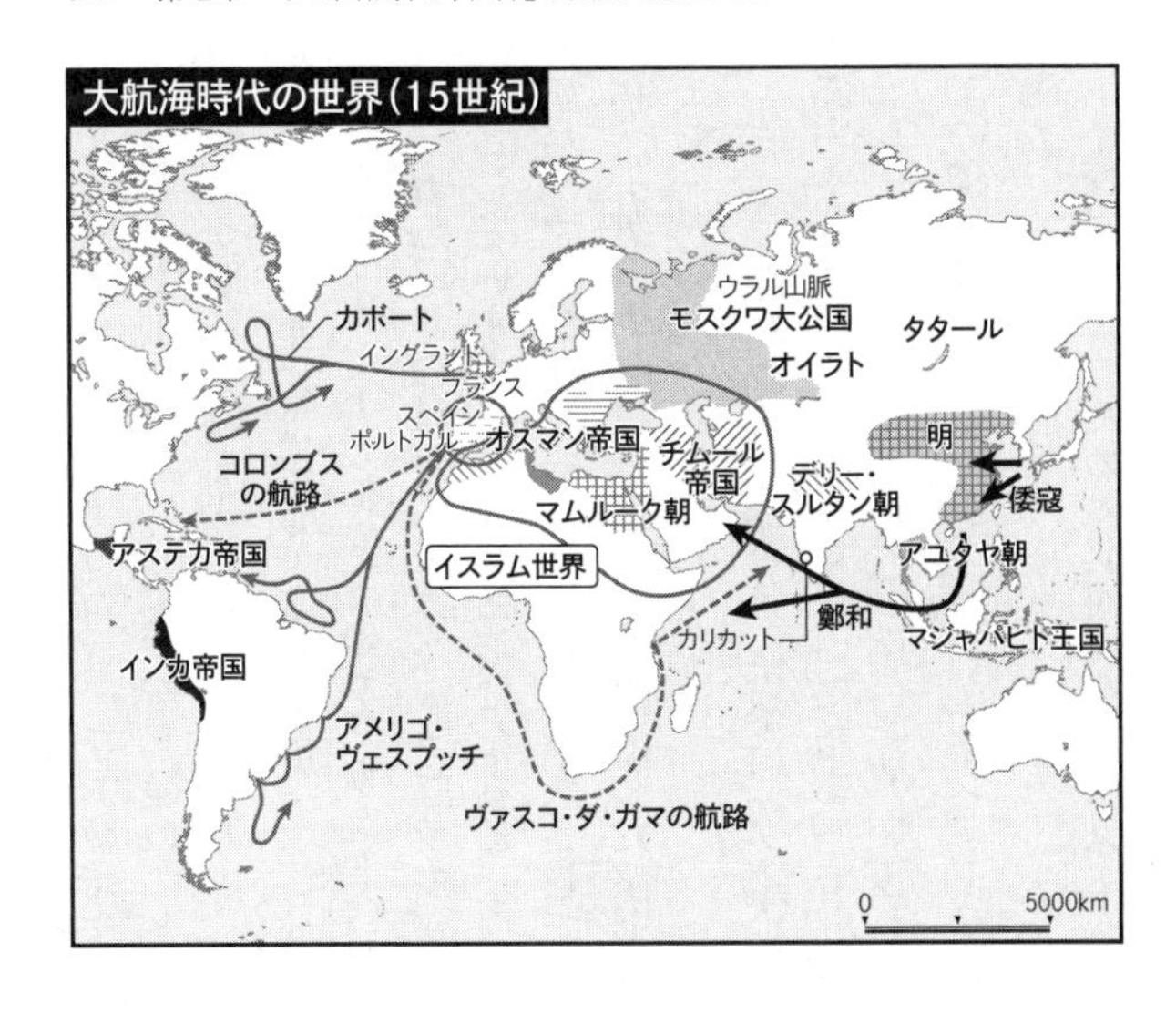

す。一四九七年から九八年まではカリブ海、一四九九年から一五〇〇年までは南アメリカ北岸で、この二回はスペイン王フェルナンドの命令によるものでした。その後に今度はポルトガル王マヌエル一世の命令で、一五〇一年から一五〇二年まで南アメリカ大陸の東岸、一五〇三年から一五〇四年までは南アメリカ大陸の北東部と探検を重ねます。

小冊子『新世界』を著して、発見されたのは旧世界ではない、つまりインドではないとしたのが、このヴェスプッチです。一五〇七年、ドイツの地理学者マルティン・ヴァルトゼーミュラーが『新世界』を取り上げて、作者の名前アメリゴ、ラテン語でアメリクスですね、それに因(ちな)んで、母なる大地ですから女性形にして、新大陸のことをアメリカと呼びました。これがアメリカという地名の始まりです。

一四九八年にはポルトガル人のヴァスコ・ダ・ガマが、アフリカ南端からインド、ヴィジャヤナガル朝下のカリカットに到達しました。インド航路の開拓ですね。一五〇〇年にはポルトガル人カブラルがブラジルに漂着し、この地をポルトガル領としています。一五一三年になると、ヴァスコ・ヌーニェス・デ・バルボアが今のパナマを探検して、ヨーロッパ人として初めて太平洋をみました。一五二二年には、一五一九年にスペインを出港したマゼランが、とうとう世界周航を達成しています。

まさに発見に次ぐ発見、快挙に次ぐ快挙ですね。こんな短期間に、よくも、まあ、やり遂げたと思うくらいに詰まっています。

実をいえば、スペインとポルトガルだけではありません。一四九七年にはイタリアの探検家カボートが、イングランド王ヘンリー七世の援助で北アメリカに渡りました。

インドへ行くための北西航路を発見するつもりが、ケープ・ブレトン島、ラブラドル半島、ニュー・ファンドランド、ニュー・イングランドと発見することになったわけです。全てヘンリー七世の領土であると宣言もしています。

一五〇八年には息子のほうのカボートが、後のハドソン湾を発見します。一五二六年には、南アメリカの探検にも挑みました。

一五三四年、今度はフランス人ジャック・カルティエが、フランス王フランソワ一世の命令で船を出します。到着したのが今のセント・ローレンス湾で、そこを「新(ヌーヴェル)フランス」と呼びました。一五三五年にはスタダコナ（現・ケベック）、さらにオシェラガ（現・モントリオール）に到達して、そこを「カナダ」と名づけます。

イギリスの事例、フランスの事例、どちらも後に大きな意味を持ちます。また先の頁(ページ)で触れることもあろうかと思いますが、ひとまずはスペインとポルトガルです。この二国が西世界の世界進出の、いわば先鋒役を務めたといってよいと思います。

西世界の代表となったスペイン

スペインから少し詳しくみていきましょうか。スペインの世界進出といえば、なんといってもアメリカ、今日のラテン・アメリカの征服ですね。

アメリカに到達したのはコロンブスで、イタリア人ですから、別にスペインである理由はありません。実はポルトガル王に航海の援助を断られ、仕方なくスペイン女王イサベルに持ちかけたところ、こちらで快諾されたという経緯でした。

本人はインドに着いたと思っていて、そもそもインドに行くつもりでしたから、思いがけない幸運ということになります。けれど、アメリカ大陸に辿り着いたというのは、スペインにとっても思いがけなかった、ほぼ期待していない成果だったと思います。

もちろん何の準備もなかったわけですが、その割には非常に速い展開をみせます。新大陸に後続を上陸させ、あれよという間に征服して、そのまま植民するわけなんです。これにはイベリア半島の特殊事情があったろうと思います。

西世界といいますが、イベリア半島には十五世紀末まで、南部にイスラム教徒がいました。ウマイヤ朝のイスラム帝国が建った八世紀以来の話で、それをスペイン人たちは少しずつ取り返してきました。

国土回復運動（レコンキスタ）ですね。ずっと続けてきたわけですが、十五世紀末まではまだイスラム勢力が残っていたんです。その最後の戦争、グラナダ戦争が終わったのが、まさしくコロンブスが新大陸に到達した一四九二年でした。

新大陸はイスラム教徒を放逐した褒美として、神から贈られたものだ、というのがスペインの解釈だったりもするんですが、現実的には国土回復運動が終わったこと自体は、一種の社会問題だったんだろうと思います。つまり、**そこに振り向けられてきたエネルギーは、行き場がなくなる、新たな捌(は)け口を必要とする**んですね。

簡単にいえば、職にあぶれた元兵士が多くいたんです。日本の戦国時代で天下を統一した豊臣秀吉も、手柄を立てたい兵たちのために朝鮮出兵をしていますが、それと全く同じ図式ですね。

実際のところ、新大陸に渡ったスペイン人には、国土回復運動で戦っていた兵士が少なくありません。さきほど一五一三年に、バルボアが今のパナマを探検して、太平洋を見出したといいましたが、これも失業兵士たちが一山当てたいと、金探しで道なき道を進んだところ、偶然わかったという話です。そもそもジパング伝説、黄金郷伝説ですね、それが大航海の動機のひとつだったわけです。

一五二一年にアステカ帝国を滅ぼして、今のメキシコを征服したエルナン・コルテス、一五三三年に今のペルーにあったインカ帝国を征服したフランシスコ・ピサロ、いうところの征服者(コンキスタドーレス)たちですが、その部下たちも含め、やはり多くが国土回復運動の兵士たちでした。

征服は続きます。一五三六年、コルテスはカリフォルニアに達しました。南アメリカでもスペイン軍が、一五三八年にボリビア征服、一五四一年にチリ征服と進めて、あっという間に中南米を我が物にしていきます。いうまでもなく、ここでも火器が物をいいました。大砲と鉄砲、これが世界に進出していく場合も決定的なんですね。

スペインはヌエバ・エスパーニャ領（メキシコ、中米）、ヌエバ・グラナダ副王領（コロンビア、ベネズエラ総監領、キト総監領＝エクアドル含む）、ペルー副王領（ペルー、チリ総監領含む）、ラ・プラタ副王領（チャルカス長官領＝ボリビア、パラグアイ、ウルグアイ、アルゼンチン含む）と行政管区も設置して、もうがっちり支配します。

ロシアによるシベリア征服を彷彿（ほうふつ）とさせますね。無人ではないですが、敵という敵もいない。無人の野を行くがごとくで、まさに爆発的な拡大です。七、八世紀にはイスラム世界が爆発的に拡大しましたが、今度は西世界と東世界というわけです。

スペインに話を戻せば、手を伸ばしたのはアメリカだけではありません。マゼランの世界周航で、太平洋を横断した艦隊が到着したのは、フィリピンでした。

もっとも、命名は奥地探検が進められた一五四二年のことです。時の王太子がフェリペ、後の国王フェリペ二世で、英語に直すと、フィリップですね。ここから国名がつけられて、フィリピンになったわけです。一五七一年、ミゲル・ロペス・デ・レガスピ将軍がマニラを占領し、諸島をスペインの植民地にしてしまいます。

さておき、スペインは一躍強国になります。十六世紀のことをスペイン史では「黄金世紀(シグロ・デ・オロ)」というくらいです。それほどの栄華を極めて、西世界のホームでも覇権国家になりました。

プレヴェザの戦い、レパントの戦いなど、地中海を巡る戦いでも、スペインが西世界の代表として、イスラム世界の代表であるオスマン・トルコと戦っていますが、それも当然といえるでしょう。

一五八〇年にはポルトガルまで併合して、いよいよ絶頂期を迎えますが、そのスペインと一緒になる前のポルトガルは、また別な歴史を記しています。

イスラム世界を破った西世界の雄ポルトガル

スペインと比べて、ポルトガルは世界進出がより計画的だった印象があります。

いわゆる大航海時代が始まる前から、海洋進出を模索していたからです。アメリカに行くとか、太平洋を越えるとかでなく、かねてからインドに行こうとしていたんですね。

新大陸アメリカに到達したコロンブスもそうでしたが、この時代の西世界の人間が行きたいのはインドなんです。インドがあるということも、その場所もわかっていました。しかしイスラム世界が立ちはだかるので、アラビア半島を抜けては行けない。

十字軍が失敗に終わると、抜けられるかもしれないという希望もなくなりました。じゃあ、どうするかということで考えたのが、アフリカ回りで行けないだろうかと。

とはいえ、アフリカでわかっているのは、北アフリカだけです。南のほうはどうなっているのか、全くわからない。だから調べてみよう、探検してみようと動いたのが、ポルトガルだったわけです。

ここで出てくるのが、一三九四年に生まれたポルトガル王ジョアン一世の三番目の王子、いわゆる「エンリケ航海王子」です。ポルトガル語ではエンリケ・オ・ナヴィガドールで、英語にするとヘンリー・ザ・ナヴィゲーターですね。つまり航海士という意味です。

王子自身は船酔いがひどく、航海には出られなかったようですが、それでは何をしたかというと、サグレスに航海士学校を作り、そこを拠点に探検航海を組織したんですね。

実際のところ、最初からインド航路発見となったわけではありません。ポルトガルは一四一八年から二〇年にマデイラ諸島、一四二七年にアゾレス諸島、一四四四年にはヴェルデ岬と発見して、それらを植民地化していきます。一四八二年にはアフリカ西海岸のアクラの近くに、エルミナ城を築いて自らの拠点とします。

新航路を開拓しながら、少しずつアフリカ西海岸を南下して、言い換えれば、きちんと順番を踏んだうえで漕ぎ着けたのが、一四八八年の喜望峰到達だったわけです。

このとき石の十字架を、インド洋岸のクワイフックに打ちこんだといわれますが、もう南はない、もうアフリカは尽きたんだと、バルトロメウ・ディアスたちはさぞや喜んだことと思われます。

あとはインドに行くだけですね。いや、それも大変な話ですが、意外に大変でなかったといいますか。一四九七年、ポルトガル王マヌエル一世の命令で、ヴァスコ・ダ・ガマの船団がリスボンを出港しますが、喜望峰を回って、アフリカ東海岸に出てみますと、その港町、キルワとか、モンバサとかには、意外や知った顔がいたわけです。

誰かというと、イスラム教徒です。インド洋はイスラムの海なんです。ホームでは敵ですが、それだけに知らない相手というわけではない。それなりに付き合い方もわかる。ヴァスコ・ダ・ガマはイスラム教徒の案内人を雇い入れます。その導きで一四九八年、インド西岸カリカットに到着して、インド航路開拓に成功したわけです。

ポルトガルといえば、新大陸のほうでも、ブラジルを手に入れています。一四九四年のトルデシリャス条約のおかげですが、スペインと違ってアメリカには、あまり熱心ではありません。まさに棚からボタモチという感じだったんでしょうね。

ポルトガルが力を入れたのは、やはりインド航路でした。かねて腹中の戦略だけに、こちらの動きは速いです。ヴァスコ・ダ・ガマはもう一五〇二年に、コーチンにインド政庁を建てます。

終着点を確保したら、次は途中の安全だと、すでに西アフリカには拠点がありますから、次は東アフリカですね。一五〇三年にザンジバル、一五〇五年にソファラと支配下に入れて、こちらにも寄港地を置き始めます。

しかし、です。インド洋はイスラムの海でした。ポルトガルがここまで出れば、当然ながら、イスラム世界が黙っていません。

衝突は一五〇九年に起きます。ポルトガル艦隊はインドのディウ沖合で、マムルーク朝エジプトなどから発したイスラム連合艦隊を撃破します。**インド洋がポルトガルの海に、ひいては西世界の海になった瞬間ですね。**

ポルトガルの勢いは止まりません。一五一〇年にはインド西岸ゴアを占領、一五三〇年にはインド政庁がコーチンから移されます。一五一一年にはマラッカを占領し、一五一七年には中国のマカオに来航、一五四三年には日本の種子島にもやってきます。

このまま勢いづかせてなるものかと、イスラムの雄オスマン・トルコが動きます。一五三八年に艦隊を送り、ポルトガルがディウに築いた要塞を攻めますが、うまく落とせません。一五四六年、インドのグジャラート王国と同盟を結び、再びディウ要塞を攻撃しますが、また失敗してしまいます。

十字軍再びといいますか、地中海の戦いがインド洋の戦いになって、また二世界対決の時代になるかと思いきや、試練の二世紀で力をつけたということでしょうか、西世界を代表するポルトガルはイスラム世界を難なく退けてしまうわけです。

やはり西世界の勝利です。あるいはポルトガルの天下というべきかもしれませんが、それは長くは続きませんでした。

オランダ、イギリス、フランスが西世界の主役へ

西世界のホーム、ヨーロッパに目を戻しましょうか。

スペインがポルトガルを併呑(へいどん)した一五八〇年、まさしくその年にイギリスのキャプテン・ドレークが、マゼランに次ぐ世界周航を果たしています。世界の海を知るのは、もはやスペイン人だけではないとの宣言です。

最強のスペインはといえば、獅子身中の虫に悩まされていました。一五八一年、スペイン治下のネーデルランドのうち北部七州、つまりはオランダ部分が、独立を宣言するんですね。少なからぬ痛手を受けたところに、ここぞと挑戦状を叩きつけたのがイギリスだったのです。

一五八八年、ドレークら海賊も交えたイギリス艦隊は、スペインの無敵艦隊（アルマダ）を撃破します。アルマダの戦いですね。この勝敗でホーム（ヨーロッパ）

の勢力図が変わります。スペインの黄金世紀は、とうとう終わりを告げるわけです。

西世界がグローバルに拡大した、それはホームとアウェイといいますか、ヨーロッパと世界各地とが一体化した、連関して相互に動くようになったという意味です。

例えば、インド洋です。絶対にもみえたポルトガルの支配、今はスペインに併合されていますが、そのインド洋における優位も、イギリス、そしてオランダによって揺るがされていきます。

一六〇〇年にイギリスが、一六〇二年にオランダが、それぞれ東インド会社を設立します。インド洋に繰り出す拠点ですね。小癪(こしゃく)なと出てくるのが、いうまでもなくスペイン・ポルトガルなわけです。

まずはイギリスの船団に、ポルトガル艦隊は、一六一二年にはスーラトで、一六一五年にはスワリで攻撃を加えています。イギリスも報復します。一六二二年、サファヴィー朝と組んで、ポルトガル統治下のホルムズを襲撃、これを陥落させるわけです。

十字軍のときと同じで、対立の構図が複雑になっていますね。イスラム世界の他の勢力も、ここぞとポルトガルの追い落としにかかります。

例えば、オマーンのヤールブ朝ですね。アラビア半島の南端の国ですが、駐留のポルトガル軍を追い出して、首都のマスカットを取り戻します。さらにザンジバル、モンバサと、東アフリカ沿岸に置かれたポルトガルの拠点を占領して、自らがオマーン帝国と呼ばれる海洋勢力になるわけです。

いずれにせよ、ポルトガルの凋落(ちょうらく)は決定的になります。今度はイギリスの天下かと思いきや、ここで出てきたのがオランダでした。対立は一六二三年二月、アンボイナ事件に発展します。東南アジア、モルッカ諸島のアンボイナ島で、イギリス東インド会社とオランダ東インド会社が武力闘争に突入するわけです。

スペイン艦隊を撃破したイギリスを向こうに回して、スペインから独立して半世紀足らずのオランダでは勝負にならないかと思いきや、この時点での海軍力を比べると、なんとオランダのほうが圧倒的なんですね。

イギリスは敗れ、スマトラ島のアチェン、ジャワ島のバンタムを残して、東南アジアからの撤退を余儀なくされます。オランダはといえば、一六二四年に台湾、一六五六年にセイロン島（現・スリランカ）と占領して勢いづきます。このままオランダの天下になるのか、いや、させてたまるかと起きたのが、英蘭戦争でした。

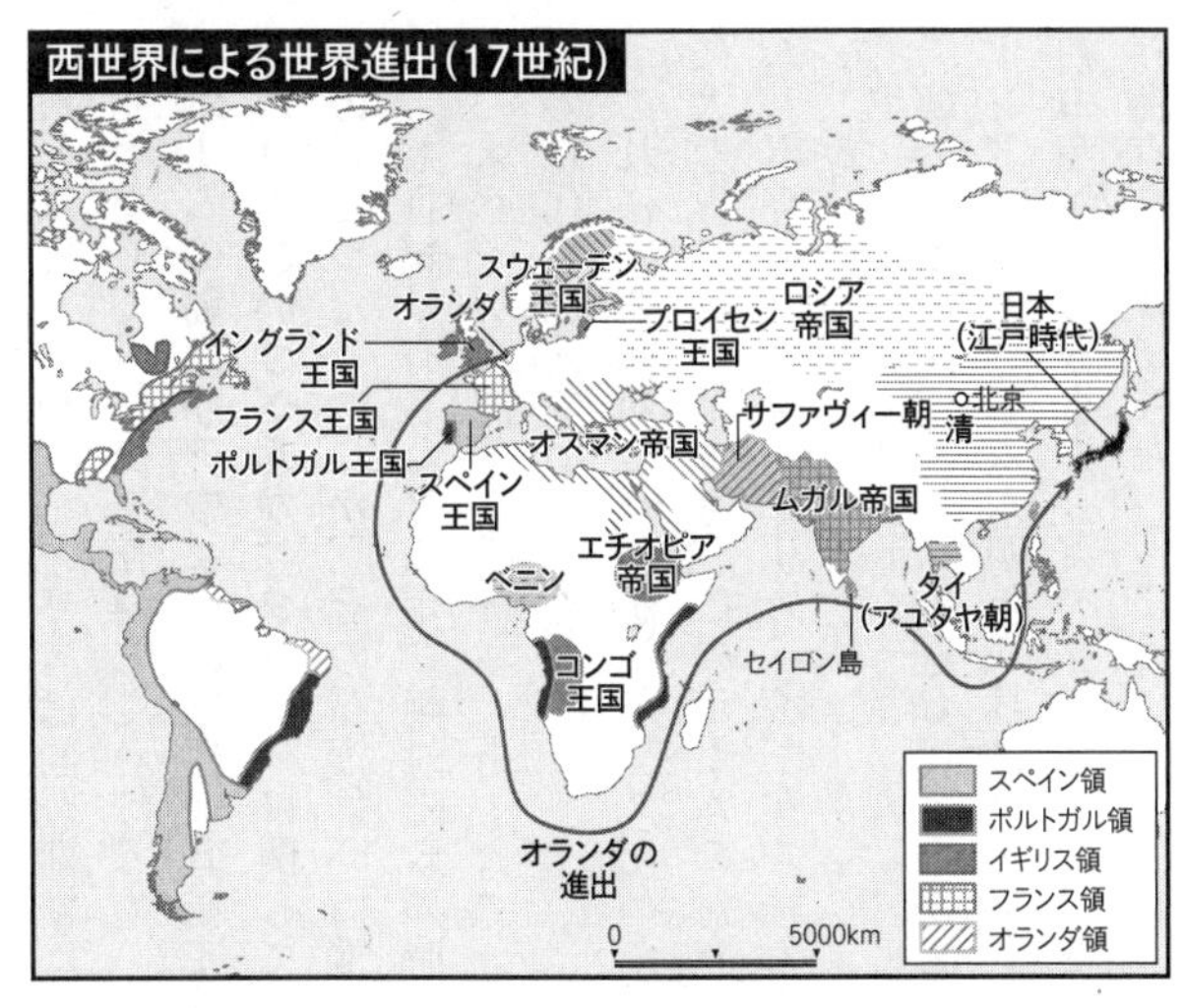

一六五二年から五四年、一六六五年から六七年、一六七二年から七四年と三次にわたって争われ、まさに徹底抗戦の様相です。情勢としては、ややイギリス優勢だったのですが、ここで奇妙な話になります。オランダのオラニエ公にイギリス王女が嫁いだ、つまりはイギリスとオランダが同盟を結んだのです。後の名誉革命で、オラニエ公はイギリス王ウィリアム三世になってさえいます。

どういうことかというと、オランダはホームでフランスと戦争を始めていたんですね。一六七八年まで続く蘭仏戦争ですが、これがオランダ劣勢とみてとるや、イギリスは同盟締結に転換しました。ひとえにフランスを勝たせたくなくて、外交を転換したわけです。

ホームの動きがアウェイの動きに直結する。あるいはホームの動きに世界が振り回されるというべきか。フランスに関していえば、こちらはホームにあって常に台風の目だったというか、その覇権争いに常に絡んでくる勢力でした。

十七世紀は有名なブルボン絶対王政の時代、太陽王ルイ十四世を擁する時代ですね。スペインの凋落を受けて、ホームではフランス語で「大世紀（グラン・シエークル）」と呼ばれる覇権の時代を迎えていました。

これに立ち向かったのがイギリスだったわけですが、インド洋やアジアも、さらに大西洋、アメリカも、このホームの対立に即して動きます。ポルトガル対イスラム、ポルトガル対イギリス、イギリス対オランダときて、今度はイギリス対フランスになるわけです。

実のところ、フランスも遅ればせながらですが、世界進出を果たしていました。インド洋では、一六六四年八月に東インド会社を設立、一六六八年にスーラトに最初の商館を置きます。東アフリカでも、モーリシャス島の南西にレユニオン島という拠点を設けました。

インド洋の前に、新大陸アメリカではカナダ、セント・ローレンス河流域、ルイジアナと有し、さらにカリブ海でもアンティル諸島の植民を進めていました。ちなみに、こちらで建てたのは西インド会社です。インドの東側、西側ということじゃなくて、東インドはインド、西インドはコロンブスの間違い以来の伝統で、アメリカのことなんですね。

話を戻しますと、ひたすらホームでの覇権を追いかけて、なんだか内弁慶のようだったフランスも、ようやく世界の舞台で戦う準備を整えたわけです。

一人勝ちのイギリス、西世界の新たな国アメリカ

一六八八年、ホームでファルツ継承戦争が起こると、翌一六八九年にはイギリスとフランスの植民地戦争が始まります。イギリス史では「ウィリアム王戦争」と呼ばれる戦いで、一六九七年のライスワイク条約により、ほぼ現状維持で決着します。

一七〇一年、ホームでスペイン継承戦争が起こると、アウェイの北アメリカでは一七〇二年から「アン女王戦争」が始まります。一七一三年にユトレヒト条約で終

わりましたが、このときはイギリスがフランスの植民地からニュー・ファンドランド、アカディア、ハドソン湾沿岸地域を、スペインからはホームでジブラルタル、ミノルカと割譲されています。

スペイン南端のジブラルタル、スペイン語では「ヒブラルタール」ですけれど、それが「ジブラルタル」と呼ばれて今もイギリス領なのは、このためですね。

どうしてスペインが関係したかというと、ホームの戦いでフランス王ルイ十四世の孫、アンジュー公フィリップがスペイン王になることになったからです。今もスペイン王家は「ボルボン」、つまりブルボンを名乗る通りですが、それをイギリスが認めるかわりという割譲です。

一七四〇年、ホームでオーストリア継承戦争が始まると、アウェイでは一七四四年から「ジョージ王戦争」になります。植民地の戦いも、こたびは二カ所で行われました。そのひとつ、北アメリカではアカディアとニュー・イングランドの境界問題が争われます。もうひとつ、インドではカーナティック戦争が起こります。

インド東南部を巡るイギリスとフランスの抗争に、ムガル帝国、マラータ同盟、マイソール王国、後にベンガルまで巻きこんだ大戦争ですね。一七四八年のアーヘン条約により、ほぼ現状維持で落着しますが、これは第一次戦争にすぎません。

一七五〇年には第二次カーナティック戦争になって、一七五四年まで戦って終わりますが、このときはフランスが占領したマドラス地方をイギリスに返還しました。次が一七五八年で、ベンガルのカルカッタ（現・コルカタ）を巡り、第三次カーナティック戦争になります。

戦火はアメリカにも飛んで、オハイオ河流域の支配を巡る争い、いわゆる「フレンチ・インディアン戦争」（一七五四―六三）が始まります。さらに飛び火して、ヨーロッパでは一七五六年から七年戦争です。一七六三年のパリ条約で終わりますが、このときはイギリスの大勝利でした。フランスからはミシシッピ河以東のルイジアナとカナダ、スペインからはフロリダを奪い取り、北アメリカの支配を決定的にしたのです。

それはインドでも同じです。一七五七年六月に行われたのがプラッシーの戦いで、イギリス軍がベンガルとフランスの連合軍を撃破します。こちらでもイギリスが、インド支配を決定的にしました。フランスは一七六九年に東インド会社の商業特権を停止、事実上の解散を決めますから、もう独壇場ですね。

イギリスはマイソール戦争、インド南部のマイソール王国との戦いですね、これを一七六七年から四次にわたる戦争で制します。マラーター戦争はインド中部のマラーター同盟を押さえるための戦いで、一七七五年から一八一八年までかかりますが、これにもイギリスは勝ちました。一八〇四年にはムガル帝国も保護国化してしまいます。

イギリスの勢いは止まりません。一七七〇年には探検家クックが、今のオーストラリア東海岸に到達します。ここから植民が始まって、今のニュージーランドも合わせ、一七八八年からはオセアニアも我が物にするわけです。

一七八六年にはマレー半島沖のペナン島も獲得しました。思い出したようにオランダを叩いて、一七九五年には南アフリカのケープ植民地まで占領しました。一七九六年には、やはりオランダからセイロン島も奪っています。

一八一一年にはジャワ島を占領しました。一八一九年にはジョホール・リアウ王国からシンガポール島も買収しています。一八二六年にはビルマ（現・ミャンマー）から、アッサムも割譲されました。このまま世界まるごと手に入れてしまいそうな勢いですが、そんなイギリスも、ひとつだけ手痛い損失を余儀なくされました。何かといえば、アメリカの独立です。

北アメリカについては、十六世紀からイギリスの植民が始まりました。「処女王」と呼ばれたエリザベス一世に因む、ヴァージニア植民地ですね。最初は苦労しましたが、ようやく一六〇七年になって、東海岸にジェイムズタウンが建設されます。

ヨーロッパでは宗教改革の時代ですね。カトリック対プロテスタントという図式だけではなくて、プロテスタントのなかでも諸派がありました。権力者を巻きこみながら、それぞれ争うものですから、そこから逃れて、信仰の自由を求めようとする人々も、続々と新大陸に向かいます。

一六二〇年、「ピルグリム・ファーザーズ」と呼ばれた清教徒(ピューリタン)たちが海を渡り、ニュー・イングランド植民地を拓(ひら)いたという件は有名ですね。ペンシルヴェニアは、クエイカー教徒の指導者ウィリアム・ペンの「ペン」と「森(シルヴェニア)」を合わせた命名です。

だんだんと大きくなって、東部に十三州を数えるまでになるわけですが、これが十八世紀後半からイギリスの支配に反感を抱くようになります。

なかんずく重税ですね。イギリスは世界中で勝利したといいますが、それだけ戦費がかかるわけです。植民地からも取り立てなければ、とてもやっていけなかったんですね。

一七六五年の印紙法、一七六七年のタウンゼンド諸法、これは茶、ガラス、紙、ペンキ、鉛に輸入関税を課すものですね。さらに一七七三年の茶法、北アメリカ植民地に茶を直送して、その独占販売権を東インド会社に与えるという法律ですが、これらは要するにアメリカから金を搾り取る法律です。

アメリカ植民地は怒ります。一七七三年十二月十六日、東インド会社の船を襲撃して、積荷の茶を海に捨てるという、皮肉を交えて「ボストン茶会（ティー・パーティー）事件」と呼ばれる事件が起きます。

一七七五年四月、レキシントンとコンコードで人々が決起、アメリカ独立戦争が始まります。一七七六年七月四日にはアメリカ独立宣言、それが一七八三年のパリ条約で国際的にも認められて、ここにアメリカ合衆国の成立となるわけです。

イギリスは北アメリカの確保のためにも力を尽くしてきたわけで、それを失うというのは大きな痛手ですね。世界で一人勝ちのイギリスですから、まあ、アメリカひとつくらいという考え方もできたかもしれません。しかし、私たちとしてはこの後の歴史も知っていますから、なおのこと悔やんでも悔やみきれない出来事だった気がしますね。

●アメリカ独立までの経緯

1620	ピルグリム・ファーザーズ、メイフラワー号でプリマス上陸
1651	航海法
1664	イギリス・オランダ(英蘭)戦争(1652〜74)で、英、ニューアムステルダム占領→ニューヨークに改名
1689〜97	ウィリアム王戦争(ファルツ継承戦争の一環)
1699	羊毛品法
1702〜13	アン女王戦争(スペイン継承戦争の一環)
1713	ユトレヒト条約
1732	帽子法　ジョージア植民地建設 → 13植民地成立
1733	糖蜜法
1744〜48	ジョージ王戦争(オーストリア継承戦争の一環)
1750	鉄法
1754〜63	フレンチ・インディアン戦争(七年戦争の一環)
1763	パリ条約　イギリスはミシシッピ河以東のルイジアナを獲得 ↓ ●フランスの勢力はカナダのケベックを除いて一掃された ●イギリス側は財政難によりアメリカへの課税を強化

↓

植民地と本国の対立が激化

年	植民地側		本国側
1765	「代表なくして課税なし」の決議	←	1765　印紙法
1767	イギリス製品不買運動	←	1767　タウンゼンド諸法
1773	ボストン茶会事件	←	1773　茶法
1774	第1回大陸会議開催(フィラデルフィア)	←	1774　耐え難き諸法(例:ボストン港閉鎖)
1775	パトリック・ヘンリーの演説 「我に自由を与えよ。然(しか)らずんば死を与えよ」		

1775〜83	アメリカ独立戦争
1775	レキシントンの戦い(独立戦争開始)
1776　1月	トマス・ペイン「コモン・センス(常識)」発刊
1776　7月4日	独立宣言(トマス・ジェファソンら起草)
1777 10月	サラトガの戦い(植民地勝利)
1778	フランス、植民地側に参戦
1779	スペイン、植民地側に参戦
1780	オランダ、植民地側に参戦 武装中立同盟結成(ロシアのエカチェリーナ2世提唱)
1781	ヨークタウンの戦い(植民地勝利・独立戦争実質的終了) アメリカ連合規約の発効(1777年採択)→連合会議発足
1783	パリ条約(独立の承認)

東帝国の継承者ロシアの南下

スペイン、ポルトガル、イギリス、オランダ、フランス、そしてアメリカと、出てきたのは、しばらく西世界の国名ばかりでした。少なくともインド洋に関していえば、イスラムの海だったはずなのですが、ここでも西世界に敗れたきり、あまり出てきません。

ぜんたい何をしていたのか。ムガル帝国はじめ、西世界の攻勢に曝（さら）されていたインド洋の諸勢力はともかくとして、イスラム世界の雄たるオスマン・トルコは助けもよこさないのか。そう責めたくなりますが、これがホームで苦境に立たされていました。

他でもない、ロシア帝国の南下によって、です。

東帝国の継承者として、キプチャク・ハン国の支配を克服するや、シベリアに進出したロシアでしたが、十七世紀の後半になってピョートル一世、ピョートル大帝ですね、この名君の改革によって、飛躍的な発展を遂げます。

何をしたかといいますと、ピョートル大帝は西世界の先進的な文明を導入したんですね。とりわけ国民国家という、あの効率的なシステムです。これを取り入れて、国が力強く動けるようにして、そのうえで何を始めたかというと、これが南下だったわけです。

ひとつは南下というより西進で、バルト海に向かいます。一七〇〇年から一七二一年まで続いた北方戦争ですね。これをスウェーデンと戦い、勝ち抜いたことで、その制海権を手に入れます。

よくいわれるように、ロシアは戦略上の都合から、海が欲しい、港が欲しい、とりわけ冬でも凍らない港、不凍港が欲しいんですね。

そこで、もうひとつ、黒海方面に向かいます。さらにボスポラス海峡、バルカン半島まで出ていきたい。不凍港が欲しいという具体的な目的もさることながら、より精神的な願望といいますか、東ローマ帝国の継承者、ギリシア正教の本山を抱える東世界の雄としては、この南のエリアこそはアイデンティティの故地なんですね。

じゃあ、そこはどうなっているかといえば、かねてイスラム世界に併呑されてしまっています。オスマン・トルコ帝国の支配下にあるわけです。

それのみか、さらに支配を広げられます。一六七二年、オスマン・トルコはウクライナを巡る戦いでポーランドに勝ち、ドニエプル河とドニエストル河の間にあるポドリア地方を獲得しました。東世界を代表するロシアとしては、手を拱(こまね)いてはいられないわけです。

一六九六年、ロシアは黒海の北奥アゾフ海を奪います。さらに前進を試みますが、一七一一年、黒海北岸プルートの戦いで、オスマン・トルコに退けられてしまいました。そう簡単にはいかない。さらに力をつけて、一七六八年に再チャレンジしたのが露土(ろと)戦争です。

一七七〇年、オスマン・トルコはチェシュメ海戦で、ロシア艦隊に大勝します。一七七四年のキュチュク・カイナルジャ条約で終戦しますが、このときロシアは黒海北岸を獲得します。これによりモルドヴァ、ワラキアに対する影響力が大きくなりました。

一七八三年、さらにロシアはクリミア・ハン国を併合して、そこにセバストポル要塞を築きます。ハン国とはいえイスラム教徒の国ですから、オスマン・トルコは心穏やかではありません。一七八七年、クリミア奪還を期して、ロシアに開戦したのが、第二次露土戦争です。

オスマン・トルコは再び敗れます。一七九二年のヤッシー条約ではクリミア・ハン国のロシア併合を確認させられ、またドニエストル河まで国境を押し上げられました。一八〇六年には第三次露土戦争になりますが、今度も負けて、一八一二年、ロシアにベッサラビアを併合されてしまいます。

ロシア、強いですね。もうバルカン半島に近くなっている。こうなると、オスマン・トルコに支配されていた人たち、かつて東世界に属していたキリスト教徒たちもおとなしくはしていません。

一八一五年、セルビアが反乱を起こして、自治権を獲得します。一八二一年、今度はギリシア各地で蜂起が続発、そのまま独立戦争に発展します。全てロシアが背後にいる動きで、やはりロシアを退けないでは始まらないと、一八二八年、オスマン・トルコは第四次露土戦争に乗り出しますが、またしても敗退させられるんですね。

一八二九年のエディルネ条約で、ギリシアの独立、セルビアの自治公国化、モルドヴァとワラキアの自治権獲得まで認めさせられ、もはやオスマン・トルコの退勢、覆（おお）い難しとなってしまいます。

イスラム世界は「苦難の時代」に突入する

実際のところ、ロシアが強くなったというのみならず、オスマン・トルコも弱くなっていました。皇帝はスルタンにカリフの位まで兼ねていると自称していましたが、その権威の程に反して求心力をなくしていたんですね。

帝国の各地方で、地元の名望家や、はじめは中央から軍人や官僚として派遣されたものの、じき土着化した輩（やから）、さらに奴隷軍人マムルークらが、事実上の自立を遂げて、群雄割拠する体になっていたのです。

アッバース朝の末期に似ていますね。なかにはオスマン・トルコの支配を脱して、独自に王朝を創始した者もいました。総督（ワーリー）や太守（ベイ）という肩書を帯びたままの者も、皇帝を形ばかり担（かつ）いでいるだけであり、事実上の独立国というわけです。

エジプト総督ムハンマド・アリーも、その典型です。マケドニアに生まれたアルバニア人ですが、一八〇一年、フランスのナポレオンによるエジプト遠征軍と戦うため軍人としてエジプトに送りこまれました。

そのままエジプトに居ついて、戦後の混乱のなかで台頭した実力派の総督ですが、このムハンマド・アリーが一八三一年、シリアの征服に乗り出すんですね。一八三二年には正面きってオスマン・トルコに宣戦布告、要するに落ちた皇帝には従わない、エジプトは独立したいということです。

ここでオスマン・トルコは驚くことに、なんと仇敵ロシアに支援を求めます。エジプトを懲らしめられるなら手段は選ばないというわけですが、ロシアにさらなる南下、さらなる勢力拡大のチャンスを与えるようなものですね。

介入してきたのが、イギリス、そしてフランスでした。一八三三年、取り急ぎオスマン・トルコとエジプトに和平を結ばせますが、なんといいますか、東世界とイスラム世界の闘争に、西世界が絡んでくると、どこかでみたような展開になってきました。

十字軍の構図ですね。三世界の利害が複雑に絡み合い、敵味方が混沌として、泥沼の戦いになる。そんな予感がしてきました。

一八三八年にはアフガン戦争が起こります。イギリス軍がアフガニスタンに侵攻して、このときは撃退されてしまいますが、何のためかといえば、これもロシアの南下を阻むためです。

一八三九年には、またエジプトが動きます。ムハンマド・アリーが今度は世襲権を要求して、またオスマン・トルコ、さらにロシアと戦争を始めるわけです。このときイギリスはオスマン・トルコにつき、フランスはエジプトにつきと分かれて、いよいよ混沌としてきました。

一八五三年にはクリミア戦争が始まります。ロシアがオスマン・トルコに国内のギリシア正教徒の保護を要求、それを拒否されたことから宣戦となりました。

やっぱりオスマン・トルコは打倒したい。黒海に出たい、地中海に出たいという本音を含めて、まさに東世界の雄たる戦いです。しかし、そうまでロシアに権力を拡大されては困るというのが西世界で、イギリスとフランスが再び組んで、オスマン・トルコを支援します。

ロシアが誇るセバストポル要塞、この難攻不落といわれた要衝を、イギリス、フランス連合軍で攻略した件は有名ですね。これでロシアの敗戦が決まります。さらなる南下の野望は挫折させられましたが、ひとまずのことでしかありません。

仮にロシアが引いても、他が前に出てきます。イギリス、フランスはさておき、やはりオスマン・トルコは恐れるに足らずだと、なお治下にあるギリシア正教徒、あるいはスラヴ民族は、いよいよ独立を意識するようになりました。

イスラム世界に組み入れられて、もう四世紀も過ぎたというのに、なお意識は東世界なんですね。決定的なのはやはり宗教、キリスト教という一神教なんでしょうね。スラヴ人だけれどイスラム教徒というマムルークは、イスラム世界から抜け出そうとはしませんからね。

さておき、そうなると、ロシアだって後退させられたままではいません。一八七七年には第五次露土戦争に突入します。またイギリスに介入されそうになると、一八七八年、さっさとサン・ステファノ条約を結んで、ルーマニア、セルビア、モンテネグロを独立させ、また自らの保護下におけるブルガリアの自治国化を認めさせました。

西世界の諸国もあきらめません。イギリス、それにオーストリア、ビスマルクのドイツまで加わって、その結果に干渉します。ルーマニア、セルビア、モンテネグロの独立は承認しましたが、ブルガリアの自治国化はオスマン・トルコ治下においてという話になり、またボスニア・ヘルツェゴビナの行政権はオーストリアに与えると、無理にも修正を強いるわけです。

ロシアを押さえる、のみならず、オスマン・トルコにも立っていてもらわなければ困る。ドイツなどはバグダッド鉄道の敷設はじめ、この国における利権獲得に目の色を変えていたわけです。

0
1000km
スウェーデン
王国
フィンランド
ペテルブルク
モスクワ
ロシア帝国
バルト海
サン・ステファノ条約による
ブルガリアの境界線
ベルリン
ワルシャワ
ポーランド
キエフ
チェコ
オーストリア＝
ハンガリー帝国
ブダペスト
ウィーン
ハンガリー
アゾフ海
クリミア半島
ルーマニア
ボスニア・
ヘルツェ
ゴビナ
ブカレスト
セバストポル
セルビア
黒海
ブルガリア
アドリア海
イスタンブール
オスマン帝国
海
アテネ
モンテネグロ
ギリシア
キプロス

1878年頃のヨーロッパ
大　西　洋
ノルウェー王国
北海
デンマーク王国
イギリス
（大ブリテン=アイルランド連合王国）
オランダ
王国
ロンドン
ベルギー
ドイツ帝国
パリ
ルクセンブルク
アルザス・ロレーヌ
フランス
ポルトガル
王国
スペイン王国
イタリア王国
リスボン
マドリード
ローマ
地
中
ジブラルタル（英）
モロッコ
アルジェリア（仏）
チュニス

もちろんギリシア正教徒のスラヴ諸国は納得しません。一九〇八年にはオーストリアが、ボスニア・ヘルツェゴビナを正式に併合しますから、怒りに駆られてさえいます。一九一二年、ロシアの仲介でセルビア、ブルガリア、モンテネグロ、ギリシアはバルカン同盟を結成しました。

ほぼ同時にバルカン戦争も始まります。内輪揉めで一九一三年、第二次バルカン戦争まで戦いますが、いずれにせよオスマン・トルコはこの半島をほぼ失ってしまいます。

まさしく、ひとり負けの状態です。**インド洋におけるのみならず、イスラム世界はホームでも他から圧倒されています。苦難の時代に突入した**といえそうですね。

第八章

三世界の地球規模的な戦い

――なぜ世界大戦と冷戦は始まったのか

市場獲得のためのアルジェリア侵攻

ほぼ時を同じくして、イスラム世界は北アフリカでも損失を被(こうむ)ることになっていました。一八三〇年六月に始まる、フランスによるアルジェリア侵攻です。

アルジェリアもオスマン・トルコ領でしたが、太守(ベイ)や部族が事実上自立している状態です。そのひとり、アルジェ太守フサイン・イブン・パシャがフランス領事を侮辱した、フランスが謝罪を要求したが容(い)れられなかった、というのがこの侵攻の理由とされます。

フランスは、歴史に名高いフランス革命、そして皇帝ナポレオンの時代を経験し、復古王政になっていました。ブルボン王家が戻っていたわけですが、その二代目のシャルル十世ですね。この人が反動的、強権的な王で、共和主義は無論のこと、革命の成果である立憲主義、民主主義、全て無視するかの態度だったんですね。

当然ながら、**国民の間で不満が高まります。それを逸(そ)らそうとして始めたのが、実はアルジェリア侵攻だった**わけです。しかし、一八三〇年のうちに七月革命が起きてしまい、シャルル十世は廃位されました。

政権は替わって、フランスは七月王政になります。それでもアルジェリアでの戦いは、変わらず続行されたんですね。侵攻、占領、植民、併合と進められて、アルジェリアという国全体が、あれよという間にフランスのものになったわけです。

これまでとは少し様子が違いますね。いままでは外に繰り出しても、必ずしも植民地にするわけではありませんでした。

ほぼ無人、いても部族単位で生活していて、国家という国家もないという土地、西世界が支配したアメリカとか、東世界が征服したシベリアですね。こうした土地は別として、多くの人間が住み、国家があるという土地では、海岸地帯に拠点を確保するだけというパターンが多かったわけです。

アフリカでも西海岸や東海岸に拠点を置いて、それをつないでいったまでです。インドでも、ポルトガルはゴアに、イギリスはベンガル、あるいはマドラスにといった風に、かつては政庁なり東インド会社なりを置くだけでした。大方が通商目的だったためです。

前にアメリカ独立に触れましたが、その新しい国も中身は東海岸の十三州にすぎません。海岸から少し入ったくらいですね。シベリアにしても、ロシアは要衝に城塞要塞を築いて、それを点々とつないで、自らの版図としたわけです。

アルジェリアの場合は違いますね。港だけでなく、海岸だけでなく、陸地深くにいたるまで、フランス領にしています。どういうことかといいますと、ひとつには建前があるんですね。まさにフランスが典型なんですが、端的にいえば革命を経験しているんです。

実は政体としては落ち着かずにきているわけですが、それでもフランスには憲法がある、法治主義である、人権を尊重する、民主主義に基づいた政治をする。さらにいえば、国民国家をいっそう効率的に進化させて、近代国家を建設している。役所も整っている。教育制度も確立している。様々なインフラも敷設できる。

要するに進んだ国なんだと。それをプレゼントしようと。我が国に征服されるのは幸運なんだぞと。だから、**国ごと取り換える。取り換え方を教えてやる。場合によっては保護国にする。自分の国の一部にする、いや、してあげる。本当に嫌な言い方ですが……さておき、そうした理屈で他国、他地域に乗りこむようになったん**です。

これまでだと、持っていくのはキリスト教でした。すばらしいものだぞと唱えても、心の問題ですから、国までは取り換えられません。少なくとも、そこに直結はしない。

それ以前にキリスト教が受け入れられるともかぎりませんね。それどころか、確たる宗教を有している人々には、まず受け入れてもらえない。宗教は最終的には神ですから、理屈じゃないんですね。信じる者が信じているかぎり、どうすることもできないんです。

キリスト教も頑張りましたが、自ずと限界がありました。ゲルマン人やスラヴ人、トルコ人やペルシア人、モンゴル人のようにはいかない。ましてや十字軍の手法で、強行できるわけがない。

フランスのアルジェリア侵攻にしても、イスラム憎しではありませんでした。少なくとも西世界では、宗教を動機にする時代も、宗教を武器にする時代も終わりなんです。

かわりに民主主義を出してくる。近代文明や近代国家は理屈です。理性で考えて、優れているものが優れている、正しいことが正しい。だから、十全の自信をもって押し出せるんです。

とはいえ、これは建前です。苦労して乗りこんでいくからには、より切実な理由が他にある。こちらはイギリスが典型的、というよりトップランナーなのですが、産業革命です。イギリスは十八世紀には、もう工場というものを出現させます。

フランスは少し遅れますが、アルジェリアの侵攻というのは、文豪ヴィクトル・ユゴーの時代ですね。『レ・ミゼラブル』のなかで、主人公のジャン・バルジャンは獄を出てから、工場を経営しています。フランスもそういう時代に入っていたということです。

工場で商品を大量生産して、それを売りさばくという仕組みが産業革命であり、ひいては資本主義です。これを拡大するためには、原材料の供給地が必要になります。それを用いて大量の商品を製造すれば、今度は大量に売らなければなりません。広大な市場が必要になるわけです。

港を拠点にした交易、要するに物々交換をやっているレベルでは間に合わない。原材料の供給と市場を確保するために、産業革命を遂げた国は植民地の陸地深くまで押さえなければならなかったのです。

西世界によるアフリカ分割

イギリスのほうはといえば、十九世紀の初頭から南アフリカの植民に励んでいました。オランダ移民の「アフリカーナー」、現地のズールー人と押さえていきながら、南アフリカ自治領の建設に取り組んでいきます。

ちなみに、このとき物をいったのは、蒸気機関です。工場で機械が稼働できるのも、この新しい動力のおかげですね。蒸気船、蒸気機関車に使えば、人も、物も、素早く大量に、しかも天候に関係なく運べます。かくて兵団を送りこんで征服すれば、俺たち進んだ国がインフラを整備してやろう、港を造ってやろう、鉄道を敷設してやろうとやるわけです。

これら植民に先鞭をつけられた格好で、西世界のアフリカ進出は十九世紀後半になって、いよいよ本格化していきます。一八七一年、フランスはアフリカ西岸のカヨール王国、今のセネガルですね。これを保護国化します。一八七四年にはイギリスがアシャンティ王国、こちらは今のガーナですが、このギニア湾に面する地域に出兵します。

長く競われてきたエジプトの支配が決着するのも、この頃です。一八六九年、エジプトに協力してスエズ運河を完成させたのはフランスでしたが、そのための財政赤字が膨大になりました。一八七五年、スエズ運河株の四四パーセントを買収して、その赤字を埋めたのがイギリスでした。

そこからエジプトに進出、一八八二年にはイギリスに併合してしまいます。そのかわりではないですが、フランスは前年の一八八一年、チュニジアを支配下に置いていました。この二国が好きに切り取り、何憚る様子もなければ、ドイツ、ベルギー、イタリアなども負けじと追従の動きに出ます。

一八八四年、ドイツは西アフリカではトーゴ、西南アフリカではナミビアを植民地化していきます。ベルギーはコンゴですね。一八八五年に植民を開始します。イタリアは一八八九年、エチオピアの保護国化を目論みますが、これはうまくいきませんでした。

こうなれば、いよいよアフリカ分割の段階ですね。フランスは一八八九年に今のベナンになるダホメ王国、一八九〇年にトゥクロール帝国、今のマリに侵攻して、いわゆるアフリカ横断政策にかかります。東アフリカでは、自らがマダガスカルを取るかわりに、イギリスに認めたのがザンジバルの保護領化でした。

イギリスは北のエジプトと南アフリカをつなぎたい、いわゆるアフリカ縦断政策です。一八九四年にはウガンダ、一八九六年にはシエラレオネを保護領化します。フランスのアフリカ横断とイギリスのアフリカ縦断がぶつかったのが、一八九八年九月のファショダ事件ですね。

スーダン南部ファショダで、両国の軍が衝突しましたが、これは大事にいたらず

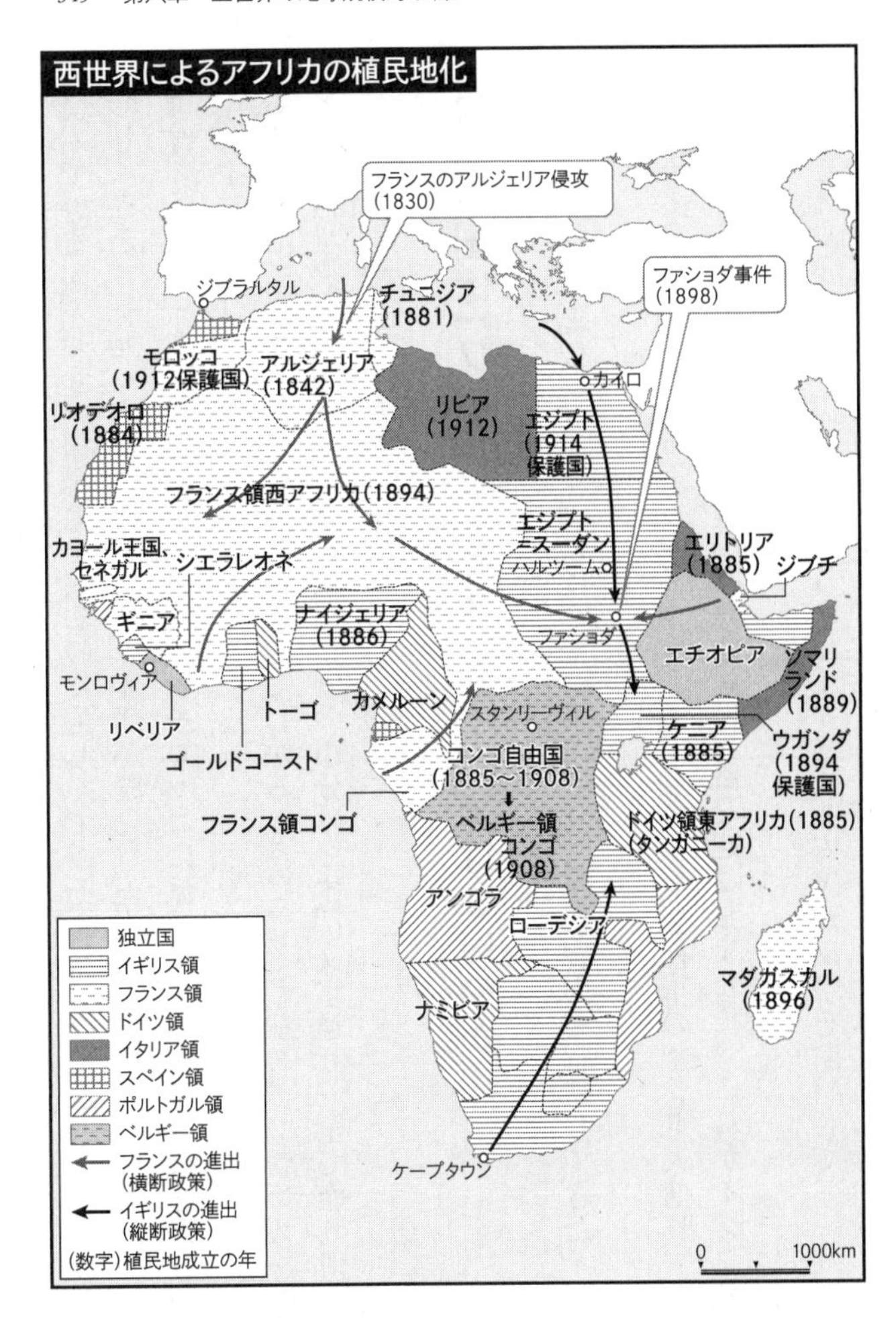
西世界によるアフリカの植民地化
フランスのアルジェリア侵攻
(1830)
ファショダ事件
(1898)
ジブラルタル
チュニジア
(1881)
モロッコ
(1912保護国)
アルジェリア
(1842)
カイロ
リオデオロ
(1884)
リビア
(1912)
エジプト
(1914
保護国)
フランス領西アフリカ(1894)
エジプト
＝スーダン
ハルツーム
エリトリア
(1885)
ジブチ
カヨール王国、
セネガル
シエラレオネ
ギニア
ナイジェリア
(1886)
ファショダ
エチオピア
ソマリ
ランド
(1889)
モンロヴィア
リベリア
トーゴ
カメルーン
スタンリーヴィル
ケニア
(1885)
ウガンダ
(1894
保護国)
ゴールドコースト
コンゴ自由国
(1885〜1908)
フランス領コンゴ
ベルギー領
コンゴ
(1908)
ドイツ領東アフリカ(1885)
(タンガニーカ)
アンゴラ
ローデシア
マダガスカル
(1896)
ナミビア
ケープタウン
独立国
イギリス領
フランス領
ドイツ領
イタリア領
スペイン領
ポルトガル領
ベルギー領
フランスの進出
(横断政策)
イギリスの進出
(縦断政策)
(数字)植民地成立の年
0
1000km

に済んでいます。お互い植民地を取るのに忙しくて、そんな暇はなかったということでしょうか。一九一〇年に南アフリカ連邦が成立、正式にイギリスの自治領となります。一九一一年にはフランスが内乱のモロッコに派兵して、翌年これを保護国化してしまいます。

こんな感じで進められて、前頁の地図でわかるように、イギリス、フランスを中心とした西世界の諸国で、まさにアフリカの山分けです。文字通り、全て塗り潰さずにはおかないといった勢いですね。

なぜ中国は「ワールド・ヒストリー」ではないのか

状況はアジアも同じです。例えば、かねてイギリスが影響力を行使してきたインドです。

一八五七年五月、デリー近くのメーラトで、東インド会社軍のインド人傭兵、セポイ（シパーヒー）と呼ばれる兵士たちが、反乱を起こしました。これがインド各地に波及して、大反乱に発展します。

有名なインド大反乱ですね。九月からイギリス政府軍が反撃を開始して、一八五八年七月には反乱終結宣言が出されます。ほどない八月二日、インド統治法が公布されて、インドはイギリス政府の直接統治下に入ることになりました。ムガル帝国は滅亡したということです。東インド会社も廃止され、文字通りインドは植民地になったわけです。

塗り潰しはインドシナも同じです。一八五二年の第二次ビルマ戦争で、イギリスは南部ペグー地方を併合します。越南、つまりはベトナムですが、こちらはフランスです。

フランスは一八六二年のサイゴン条約でコーチシナ（南ベトナム）東部三省を手に入れると、一八六七年にはコーチシナ西部三省も合わせ、一八八三年のユエ条約で越南を保護国化します。さらに一八八七年、フランス領インドシナ連邦の成立へと運ぶわけです。フランスは一八六三年にはカンボジア、一八九三年にはラオスも保護国化しています。

インド、インドシナとくれば、次はシナ、チャイナ、中国ですね。当時は清ですが、当然ながら中国も放っておかれません。

しかし、中国のほうが相手にしない、無視するということはありました。無視を決められるだけの力がある、破格の大国であることは、誰の目にも明らかだったでしょうね。

ようやく中国が出てきましたので、少し加えておきたいと思います。歴史の話をしているのに、どこより長い歴史の国である中国の話が、これまでほとんど出てきませんでした。

西世界、東世界、イスラム世界のいずれのユニヴァーサル・ヒストリーにも属していない、というより三ユニヴァースと、さほどの接触もないままできたからですが、中国史ほどの歴史を無視して、何が世界史かという声も聞こえてきそうです。

確かに中国史というのは質量ともに充実していて、それだけで世界史に匹敵するほどです。中国の面積だけ取り上げても、まさにワールド・クラス。ただ広いだけでは仕方ありませんが、そこに住む人口という意味でも群を抜いています。

今も昔も、世界中の人間の四分の一から五分の一が中国人なわけです。それだけの人口を、まがりなりにも食べさせるのですから、豊かさもトップレベルです。高度に発展した文明も、他を圧倒することはあれ、他に引けを取るものではありません。

まさに恵まれた国なのですが、それでも世界史にはなれなかった。ワールド・ヒストリーにもならず、ユニヴァーサル・ヒストリーさえなさなかった。あるいは恵まれていたからこそ、世界史とは無縁だったというべきでしょうか。

端的にいえば、中国は他に進出しないんですね。その資格も実力も十分あるのに、世界に進出しようとしなかった。

実は中国にも大航海時代はありました。十五世紀、明の永楽帝の時代に鄭和という宦官を送り出して、アフリカ東岸にいたるまで探検させています。

少なくともインド洋に関するかぎり、世界は広い、自分の国より大きく広がっていることを知っていました。それなのに中国は、外に出ようとしないんですね。

例外は元朝のときで、モンゴル人ですから中国から先、日本やインドシナまで征服したがるわけですが、それも中途で終わっています。さすがのモンゴル人も中国にあてられたということかもしれませんね。あとは、やはり異民族の清朝ですね。多少の外征がありますが、やはり中国に同化するや、内に留まるようになります。

どういうことかと考えますと、ひとつには中国は外に進出することの魅力を感じていなかったのだろうと。**中国だけで十分に世界だといいますか、自分の国で満ち足りていれば、わざわざ余所に出かける必要なんかないわけです。**

比べると、西世界、東世界、イスラム世界は、いずれもガツガツしています。簡単にいえば、貧しい。常に足りなさを感じている。余所に出ていく勢力というのは、つまりはハングリーなんですね。この貧しさが中国にはなかったと。

もうひとつには、一神教でないことが挙げられると思います。西世界、東世界、イスラム世界と比べると、わかりますね。キリスト教でも、イスラム教でもない。いや、キリスト教徒も、イスラム教徒も、中国にはいるわけです。それは拒まない。まさに、その拒まないところなわけで、一神教でないというのは発想が一元的でない、排他的でないということなんです。

この世界には色々な国があり、色々な人がいて、それぞれに存在していて、それで構わないんだというような、多元主義的な思考ですね。中国も、それだったわけです。

しかも、それが東洋的な徳の感覚とか、寛容の精神とも結びつく。とことんはやらない東洋的な風土といいますか、**中国は紀元前の昔から周囲の国には、完全に屈伏させるというような仮借ない仕打ちをするのでなく、むしろ朝貢を求めてきたん**ですね。

平伏して、きちんと礼を尽くすならば、あえて攻め滅ぼすまでもない。そうやって許し、共存を認めるのが中国だったと思うんです。カルタゴを徹底的に滅ぼしたローマとは、まるで違います。無理矢理にでもひとつにまとめてやろう、世界を征服してやろう、世界を支配してやろう、とはならないんですね。

世界史に登場した矢先の中国の敗北

かくて世界史とは無縁できた中国でしたが、自分が出ていかないとしても、向こうからはやってきます。これまでもやってきましたし、ことに十九世紀になると、とりわけ西世界なんか世界中にこれだけ出てきているわけですから、中国にも働きかけないわけがない。

もちろん戦争というのじゃなくて、まずは交易です。それを持ちかけるんですが、中国は興味を示さないんですね。自分の国は「地大物博」、つまり土地は広いし、物は多い、だから外国の商品など必要ないという理屈です。

他国と交易するとすれば、それは中国からのお恵みなんだよと、こういうスタンスなんです。ありがとうございますということで、イギリスなども茶を買わせてもらっていたんですが、なにしろ必要ないといって中国は買ってくれませんから、赤字ばかりかさみます。

一八三〇年代の話で、困ったあげくにイギリスが売ったのが、阿片（アヘン）でした。これが大当たりします。飛ぶように売れて、売り上げが十倍、四十倍と伸びていく。

中国の通貨は銀ですね。これが阿片支払いの対価として、どんどん国外に出ていきます。終(しま)いには中国の貨幣経済が、混乱を来(きた)すほどになるんですね。

清国政府は一八三九年、改めて阿片輸入の禁止を厳命しました。これを不満として、イギリスが一八四〇年に起こしたのが阿片戦争です。一八四二年には南京(ナンキン)条約が結ばれて、清はイギリスに香港(ホンコン)島を割譲、さらに広州、厦門(アモイ)、福州、寧波(ニンポー)、上海の五港を開港し、賠償金二千百万ドルを支払うことになりました。

つまり、中国は負けた。これは大事件です。**とんでもない大国と思われていた中国が負けた。それは中国が世界史とかかわらざるをえなくなった瞬間でもありました。**

交易は必要ない、お付き合いする理由がないと、中国は無下(むげ)に断れなくなったんですね。力ずくは通用すまいと、これまでスゴスゴと引き下がっていた諸々の勢力は、なんだ、弱いんじゃないかと、もうおとなしくは引き下がらなくなったわけです。

イギリスの軍門に降(くだ)らされた、ということは中国は西世界に組み入れられたのかといえば、そう簡単ではありません。もうひとつ、中国に接触してきた勢力がありました。接触しないわけがないといいますか、とうに隣人だったといいますか、シベリアを征服して、太平洋まで達していたロシアです。

すでに十七世紀の段階、一六八九年にロシアは清とネルチンスク条約を結んでいます。国境確定の条約ですが、やはり清の有利において結ばれました。通商や不法入国についても定められましたが、清にとってはロシアも朝貢国のひとつという位置づけでした。

十八世紀に入り、一七二七年に今度はキャフタ条約が結ばれます。北というより西ですね。雍正帝の清が外モンゴルに進出したことで、新たに国境を確認する必要が生じたからで、清側から求めたものでした。

いずれも主導権は清にあり、相手の要求を容れるという空気は皆無です。ロシアも無理はいいません。しかし、そのロシアもイギリスとの阿片戦争は、しっかりみていたわけなんです。

一八五一年、ロシアは清とイリ通商条約を結びます。新疆のイリにおける通商特権、領事任命権、治外法権等々を獲得したもので、いわゆる不平等条約です。清が折れたということで、少し前までの強気が嘘のようです。あるいは前までのロシアの弱気が、嘘のようだというべきか。

一八五六年にはアロー号事件が起き、これがアロー戦争（第二次阿片戦争）を引き起こします。清は再び負けました。イギリス、そしてフランスにまで負けます。結ばれたのが一八五八年の天津条約ですが、同じ年に実はロシアもアイグン条約を結んでいます。

一八五一年から起きていた太平天国の乱を鎮圧してやると、東シベリア総督ムラヴィヨフがまたも出兵し、今度は黒竜江（こくりゅうこう）流域を占領しました。それを受けてのアイグン条約では、その黒竜江を国境と定め、ウスリー江以東の沿海州は清とロシアの共同管理とすると決められました。ロシアが満州に進出する準備が整ったことになりますね。

一八六〇年には天津条約のやりなおしで北京条約が結ばれます。清はイギリスとフランスに賠償金を支払い、天津を開港し、さらにイギリスへは九龍半島南端まで割譲することになりました。このときもロシアとは別個に北京条約が結ばれて、清は沿海州の割譲を決められます。

もう半植民地化ですね。中国ほどの人口があると、少なくとも一足飛びに植民化はできない、保護国にするとか、自治領にするとか、ましてや併合するなんていうのは至難の業（わざ）になるわけですが、それにしても隷属に近い状態に置かれます。世界史に登場した中国は、いきなりその猛威にさらされてしまったわけです。

南からはイギリス、フランス、これからドイツやイタリアもやってきますが、つまりは西世界です。北からはロシア、東世界が迫ります。もうひとつ、いや、ふたつですね、東からやってきた勢力もありました。どこかといえば、アメリカ、そして日本です。

西世界の一員となったアメリカと日本

アメリカ独立の話はしました。そこで、ひとつ考えてみなければなりませんね。アメリカはもうイギリスの支配下にないわけですが、それは西世界にも支配されていない、西世界の一員ではなくなったということなのでしょうか。

色々な選択肢があったと思います。他の世界に加わるのも、ひとつですね。例えば、オスマン・トルコの支配から抜け出したバルカン半島やスラヴ人の諸国は、それまで組みこまれていたイスラム世界から抜け出し、東世界に加わるという風に動いていますね。

それと同じように、アメリカも西世界から出て、東世界に、あるいはイスラム世界に加わるという選択です。自ら全く別な世界を作るという選択肢もあったかもしれません。しかし、いずれもアメリカは選ばなかったように思われます。

イギリスに支配されているわけではない。**それでも西世界には組みこまれたまま、その派生勢力として、同じ歴史の流れに乗る。それがアメリカの選択だった。**というより、選択したという意識もなしに、自明の方向として進んだように思われます。

宗教をいえば、ほぼキリスト教ですからね。アメリカも一神教の世界観を有しています。フランスと同じように民主主義を誇り、イギリスと同じように産業革命を遂げて、発展の段階としても、西世界と同じ歩調できているわけですから、抜本的な軌道修正というのは必要ないわけです。

進んだ国だと押しつけながら、やはり外に出ていきます。原材料と市場の確保の必要から、植民地を欲しがります。一元的な発想で、ゆくゆくは世界を征服する、世界を統一すると、精力的に活動します。その様子を少し具体的にみていきましょう。

イギリスから独立したのは東海岸の十三州でした。が、それだけでいいなんて、アメリカは満足しません。アメリカの場合特殊だったのは、わざわざ外に出ていかなくても、内に、といいますか、すぐ地続きに、征服するべき土地があったということです。

いうまでもありません。フロンティアのことです。未開の地を拓いて、アメリカはどんどん拡大していきます。無人ではありませんが、国家というような勢力はしていません。ロシアのシベリア征服に似て、驚くべきスピードで塗り潰していきながら、その全てを自らの国土にしていくわけです。

一八〇三年、フランスのナポレオンから、フランス植民地ルイジアナを購入すれば、もう邪魔するものもありません。西へ西へと進んでいって、メキシコから独立したばかりのテキサスを併合したのが、一八四五年のことでした。

一八四六年にはメキシコと米墨戦争を戦い、一八四八年にはカリフォルニアとニュー・メキシコを手に入れます。イギリスとオレゴン協定を結んで、カナダ国境のオレゴンをアメリカに併合したりもしています。

一八四八年に金鉱が発見されると、四九年にはゴールドラッシュになり、いわゆるフォーティーナイナーですね、無数の砂金掘りが詰めかけて、一気に西海岸の人口が増えます。しかし、そこでフロンティアは終わりなんですね。

あとは太平洋が広がるだけです。すでに国土は広大ですから、そこで中国のように満ち足りるという選択肢もあったかもしれません。しかし、アメリカは立ち止まらないんですね。太平洋の向こう、ハワイ諸島、日本、そして中国と、その先の世界に進出しようとするわけです。

まあ、発想としてそうだということです。例えば一八五三年に日本に来たペリーなんかにしても、アメリカ東海岸から大西洋、インド洋と回って、日本に来ます。太平洋を越えてきたわけではないですが、いずれにせよ、外に出ていく。内に留まることはありませんね。

そこでアメリカに進まれた先の日本です。江戸幕府は鎖国していたわけですから、全くとはいいませんが、ほとんど世界のことはわからないでいた。そこにペリーが来た。まさに異世界からの使者ですね。かつてのモンゴル・ショックならぬ、黒船ショックに日本は見舞われるわけです。

攘夷だとか開国だとか、ずいぶん揉めて、明治維新というクー・デタによる政権交代まで起きましたが、国としての独立は守ります。しかし、それは結果であって、アメリカは南北戦争でいったん下がらざるをえなくなりますが、イギリスとか、フランスとかですね、そうした国に植民地にされる危険もあったのかもしれません。

まあ、当時の日本も実は人口大国で、中国、インド、ロシア、フランス、オーストリアに次ぐ第六位の人口を誇っていました。これを植民地にするのは大変だったと思われますが、中国のように半植民地にされてしまったわけでもない。

けれど、植民地だとか、属国だとか、隷属しているとか、独立したとか、そういうことではないいんですね。**日本も以後は西世界に取りこまれてしまいます。**支配されないように学んだ。追いつき追い越せで、一生懸命に勉強した。服装から髪型まで、もう明治で一変させてしまうわけで、涙ぐましいほどの努力ですね。その甲斐もあって、日本はあっという間に西世界の一員になるわけです。

アメリカと同じ、派生勢力ということですね。日本みたいな小国が加わっても、大した意味なんかないだろう、なんて私たちは妙に卑下してしまいますが、これは思う以上に大きなインパクトです。

繰り返しますが、日本は世界第六位の人口大国でした。アメリカよりも、あのイギリスよりも人が多い。こういう国が新たに西世界に加わったとなれば、影響が少ないわけがありません。

しかし、なんというか、日本人としては複雑ですね。中国と同じく、日本も十九世紀になって、世界史に合流した。中国より上手に合流したのかもしれませんが、そのかわりに変質を余儀なくされたんですね。

いうところの西欧化です。本当に抵抗があったと思います。しかし、進んだ国のものなんだといわれると、断ることもできないんですね。明治政府を作るときも、それは西世界の国々の物真似なんだけれど、憲法という結構なものを定めるんだよ、法治国家になるんだよ、たとえ士族でも勝手はできなくなるんだよ、なんていわれると逆らえませんね。

受け入れながら、なお忸怩たる思いを抱く。そこで和魂洋才なんて言葉を作り出して、さも中身は変わっていないようなアピールをしたんでしょうが、その中身こそは西世界の一員に変わってしまったんですね。

「西世界の日本」が「東世界のロシア」を破る

「帝国」には一神教が欠かせないといいました。先進各国の求心力はキリスト教だけでもなくなっていたんですが、日本はもともと多神教なんですね。一元的な世界観には馴れていない。しかしながら明治政府は、この点でも抜かりありませんでした。天皇の存在を一神教的に置き換えるという作業をやったんですね。

神道を上に置く、いうところの廃仏毀釈です。それまで神さまも仏さまも一緒に拝んでいいよと、寺の境内に社があったりと、曖昧に両立させてきました。そこに順位をつけて、きっちり分けて、明治政府は精神構造の転換も促したんです。

もう心まで「帝国」ですね。それが証拠に、やることが西世界の国々と同じになります。植民地にされるかもしれないという恐怖から、国を一変させるほどの苦闘を余儀なくされた。その日本が急場を凌ぐや、とたん朝鮮に、台湾に、東南アジアに、なかんずく中国に出ていったというんです。

明治維新が一八六八年ですが、一八七四年にはもう台湾に出兵しています。たった六年で対外戦争ですから、驚くべきスピードですね。

一八九四年には、もう日清戦争になります。その前に朝鮮があって、朝鮮に甲午農民戦争が起きた、これを鎮めると日本は出兵するわけです。あちらからも干渉してきたのが清朝で、この対立から戦争になったんですね。

翌年まで戦い、日本は勝ちます。清には朝鮮の独立、遼東半島と台湾・澎湖諸島の割譲、賠償金の支払いを呑ませました。賠償金をイングランド銀行に預けたので、イギリスは黙っていましたが、ロシア、それにフランス、ドイツは黙っていなくて、いわゆる三国干渉です。日本は遼東半島を返還することになりましたが、それにしても世界は驚いたでしょうね。

日本というのは、ぜんたいどういう国なんだと、諸国は慌てたくらいだったと思います。同時に日本なんて新興国まで勝つんだ、そこまで清は弱いんだと、中国における利権獲得競争にも拍車がかかっていきます。

一九〇〇年六月に義和団事件（北清事変）が起こると、またしても鎮圧してやるといって諸国はこぞって派兵し、また見返りだと利権を捥ぎ取っていく所以です。ロシアなども、このとき満州を占領しました。

このロシアですね。**日本に最初に来たのがアメリカでなくロシアだったら、通じて東世界に取りこまれるということも、ありえた**と思います。

実際、ロシアは来ていました。それも相当早くから来ていた。アメリカとだって、それこそタッチの差でしかありませんでした。それでもアメリカが最初で、そのあとでロシアとも接触するけれど、イギリスやフランスとも接触して、やはり西世界の一員になっていきます。

これって、どういうことなんでしょうね。日本は戦国時代に少しだけ世界に触れたことがあって、それがポルトガルであり、スペインであり、江戸時代にかけてはイギリスであり、また鎖国していた間もオランダとだけは付き合いがあって、西世界のほうが馴染みがあった、すでに西世界の洗礼を受けていたということでしょうか。

いずれにせよ、日本は西世界の一員になって、その歴史の流れにおいて行動します。東世界とも戦いますね。一九〇四年二月に始まる日露戦争です。満州を占領したロシアは、朝鮮まで脅かしてくる。日本も危ういかもしれない。そこで決戦を挑むわけです。

まあ、戦ったのは日本なんですが、実はイギリス、アメリカの協力がありました。日本連合艦隊が、日本海海戦でロシアのバルティック艦隊を壊滅させましたが、その旗艦「三笠」をはじめ、主力艦は全てイギリス製だったりもしています。

クリミア戦争なんかとも通じる構図ですね。まあ、ロシアには西の本拠地のほうで革命騒ぎもありました。そんなこんなで日本は勝利を収めましたが、まさに歴史的勝利、とんでもない大事件でした。

なにしろ相手はロシアですからね。東ローマ皇帝の冠を受け継いでいる、東世界の雄なわけですからね。これにポッと出てきた日本が勝ってしまうなんて、まさに奇跡とキリスト教徒たちは大騒ぎしたに違いありません。

翌一九〇五年のポーツマス条約で、日本は朝鮮における優越権、樺太の南半分、遼東半島南部の租借権、南満州鉄道を手に入れます。とはいえ、それよりも西世界の一員として、世界史に足跡を印したことのほうが、何倍も大きな意味を持ったといえるでしょうね。

局地的な対立から第一次世界大戦へ

かくて世界は二十世紀に入っていきます。その前半は世界大戦、二つの世界大戦の時代ということになります。

まず第一次世界大戦です。きっかけになったのが、一九一四年六月二十八日に起きたサラエボ事件です。ボスニアの州都サラエボで、セルビア人の一青年がオーストリア帝位継承者夫妻を暗殺した事件ですね。

当然、オーストリアは激怒します。七月二十八日にはセルビアに宣戦布告して、これが第一次世界大戦の始まりになるわけですが、背景にあるのは先年にオーストリアが強行したボスニア・ヘルツェゴビナ併合ですね、これが遺恨の根になっていたことは明らかです。

このため、第一次世界大戦は、パン・スラヴ主義対パン・ゲルマン主義の対立と

●第1次世界大戦の対立構造

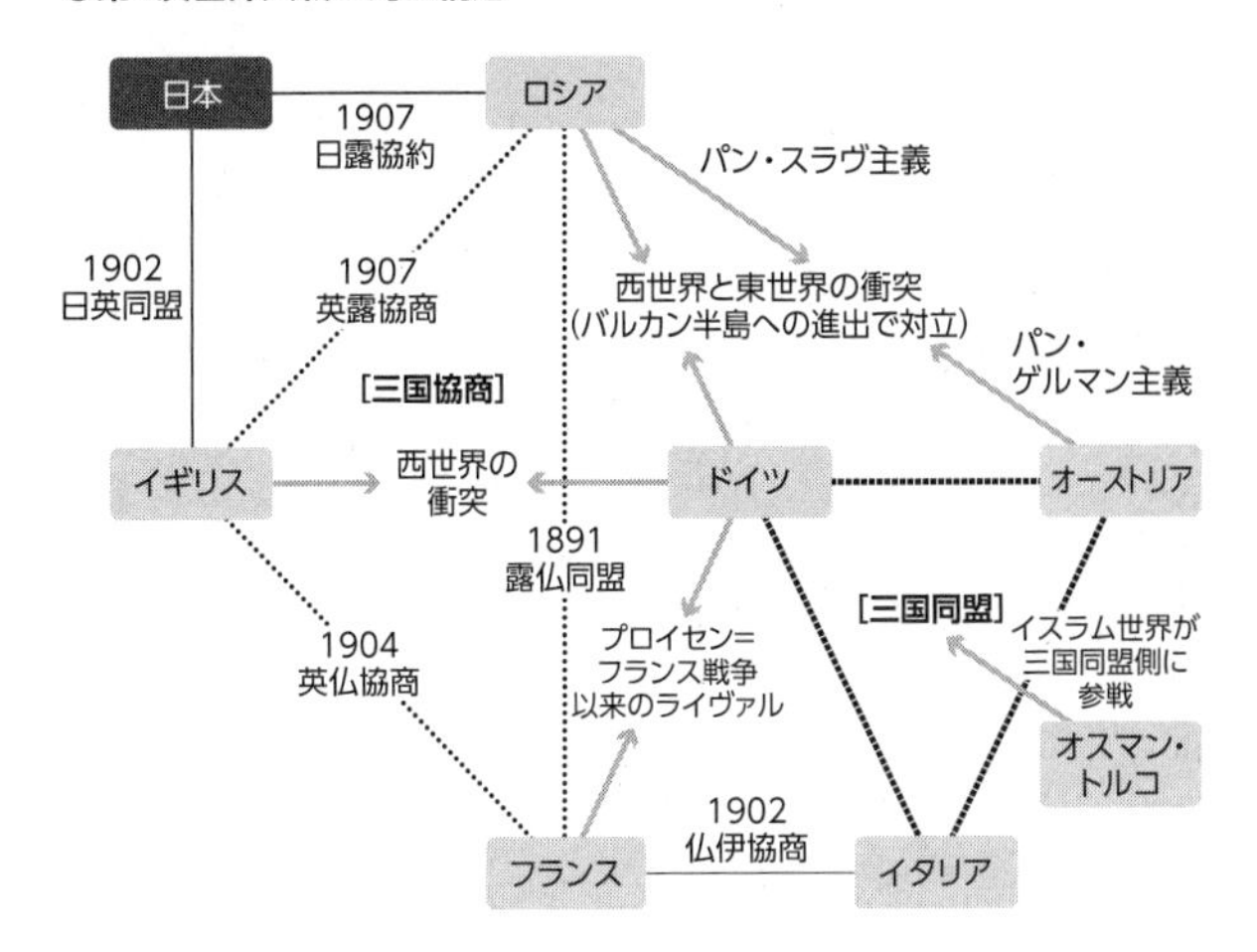

いわれます。セルビアもボスニア・ヘルツェゴビナもスラヴ人で、オーストリアはゲルマン人だからです。私の捉え方でいえば、東世界と西世界の対立になります。

セルビアやボスニア・ヘルツェゴビナにすれば、イスラム世界を抜け出して、ようやく東世界に戻れると思ったのに、どうして今また西世界に支配されなければならないのかと、そういう憤りがあるわけです。

東世界の雄、ロシアも傍観するはずがありませんね。機先を制して、オーストリアを支持するドイツが八月一日、ロシアに宣戦布告します。

しかし、このあとが複雑なんです

ね。そのドイツが八月三日、同じ西世界のフランスにも宣戦布告するからです。ドイツ軍の動きは速く、二日にはルクセンブルクに、五日にはベルギーに侵攻します。そのドイツに四日、イギリスが宣戦布告します。五日には、オーストリアがロシアに宣戦布告です。十二日にはフランスがドイツに、イギリスがオーストリアに宣戦布告し、二十三日になって日本がドイツとオーストリアに宣戦布告となって、もう何がどうなっているのか。

東世界と西世界の対立だったものに、西世界の内の覇権争いが絡んで、かと思えば、ドイツと同盟しているためにオスマン・トルコも参戦し、つまりはイスラム世界も深く関与することになる。この同盟国側にブルガリアも加わる。負けるものかと、イタリア、ポルトガル、ルーマニア、ギリシアも、連合国側として参戦する。

バルカン半島という局地的な利害の対立から起きた戦争なのに、**そこが三世界史のホーム全体を巻きこんだ闘争になり、それぞれ世界中に植民地がありますから、世界中で戦闘が行われることになる。**

これで世界大戦ということですが、不可解といえば不可解、しかし十二、十三世紀の十字軍の時代、あの最初の世界大戦も同じだったといえば同じでした。**わかりやすい図式があるかと思えば、複雑に絡んだ利害の対立があり、その高度な緊張関**

係が惹起する混沌たる戦いこそが、世界大戦なのだというべきかもしれません。

その第一次世界大戦ですが、一九一八年十一月十一日、ドイツ、オーストリア、トルコ、そしてブルガリアの敗北で終わります。一九一九年一月からパリで講和会議が開かれ、六月にヴェルサイユ条約が結ばれます。そこに表れた闘争の結果は、四帝国の崩壊でした。

まずゲルマン人の二帝国、ドイツ帝国、オーストリア帝国が崩壊します。ヴィルヘルム二世、カール一世、どちらの皇帝も退位して、共和国になりますが、どちらも敗戦国ですから、その責任を負う形で政権が崩壊する、新しい体制に刷新されるという運びは理解できますね。

ロシア帝国は終戦を待たず、実は革命で倒されていました。日露戦争のときの一次革命ですね、それでは不十分だったという不満、さらに世界大戦への参加が招いた社会不安等々で、一九一七年に民衆が蜂起、遂にロマノフ朝を倒してしまったわけです。

ロシアは東ローマ皇帝の冠を継承してきた東帝国であり、また東世界の雄でした。それが革命で倒されて、今度こそ東世界は消滅したことになるのでしょうか。

もう少し詳しく経過をみてみますと、ロシアは革命で大戦からは離脱、東世界の雄とロシアをあてにしていた諸国は、当然ながら非難とも悲鳴ともつかない声を上げます。そのなかで**一九二二年、成立したのがソビエト連邦でした。これが新たな帝国になり、新たな東世界を形成した**と私は考えています。

ロシア革命は労働者の革命、共産主義革命ですね。プロレタリアート独裁ですから、もちろん皇帝なんかいません。東ローマ帝国を継承している、なんて権威の御題目もなくなりました。キリスト教、ギリシア正教ですね、これを奉じるわけでもない。

しかしながら、ソビエト連邦には社会主義、共産主義という新しい大義がありました。

マルクス、エンゲルス以来、あるいは一八六四年創設の第一インターナショナル（国際労働者協会）以来、諸国で新たな理想、民主主義を進化させ、かつまた資本主義の末にある、究極の真理と奉じられてきた考え方です。それを実現したソ連は一種の普遍権威ということになります。モスクワは社会主義、共産主義にとって、またも本山になったわけです。

西世界の看板も、すでに民主主義と資本主義に掛け替えられていますね。同じように東帝国の看板も、ここで新しくなりました。自らをユニヴァースとして正当化できる看板、他を認めない看板、世界征服、世界支配を志向する看板でもありますね。

西世界と東世界に分割されたイスラム世界

最後がオスマン・トルコ帝国です。すでに退勢は明らかで、帝国の西側、バルカン半島以西では諸国に独立されています。帝国の東側、中東地域はどうかというと、もはやオスマン・トルコに統治能力なしとして、実は一九一六年五月、イギリスとフランス、それにロシアがサイクス・ピコ協定を交わしていました。この三国で分割支配しようというのです。

ロシアは革命で抜けましたが、戦後、イギリスとフランスの二国で実行に移されます。シリアはフランスの委任統治に、イラクとパレスティナ、トランス・ヨルダン（今のヨルダン）はイギリスの委任統治に、エジプトはイギリスの保護国になることが決められたのです。

帝国東部も北のほう、アルメニア、ジョージア、アゼルバイジャンは独立しましたが、ほどなくソ連に加わることになりました。アルメニア、ジョージアはキリスト教の国で、アゼルバイジャンはイスラム教の国ですが、いずれも新たな東世界に属することにしたわけです。

帝国の中核部分、専(もっぱ)らいうところのトルコですが、オスマン帝国を崩壊させると、ムスタファ・ケマルを指導者に共和国になりました。領土的には小アジア、アナトリア半島だけですね。ギリシア人、キリスト教徒が住んでいるからと、一時はギリシアがアナトリア半島の領有権を主張しましたが、それはなんとか阻みました。

オスマン・トルコ帝国が崩壊して、小さくなったトルコを除けばイスラム世界そのものが、西世界、東世界に分割支配される格好になりました。アフリカ、アジアと他の地域のイスラム諸国も同じですから、イスラム世界はいっそう苦しい時代に入らされたといえるでしょう。

一九二〇年には国際連盟が発足します。その目的は国際的な平和を維持すること、国際的な抗争を平和裏に処理することですね。第一次世界大戦のダメージというのは、それだけ深刻だったということです。

日本人の感覚では第二次世界大戦のほうが遥(はる)かに深刻ですが、ヨーロッパ人、とりわけフランス人やドイツ人の感覚では、第一次世界大戦のダメージのほうが決定的なんですね。裏を返せば、国際連盟に切実な期待を寄せたのはヨーロッパ人だけで、他の地域は少し違う。

アメリカは国際連盟に参加しませんでした。この急速に国力を増し、しかも第一次世界大戦で無傷だった国が参加しなかったことで、国際連盟は力不足が否めない組織になりました。

実際のところ、平和は長続きしませんでした。というより、第一次世界大戦の終わりも、本当の意味で抗争の終わりを意味するものではなかったのかもしれません。それこそ、ひとつきっかけさえあれば、すぐにも戦いが再燃してしまう。

一九二九年十月二十四日、アメリカのニューヨーク、ウォール街ですね、ここで株価の大暴落が起きまして、世界恐慌が始まります。経済が悪くなれば、ただでさえ人々の不満が高まります。目の色を変えて増やしてきた植民地に、今こそ物をいわせるときだと、各国はブロック経済で凌ごうとしますから、持たざる国は増して苦しくなります。

その典型がドイツでした。ホームではフランスにアルザス・ロレーヌ地方を奪われ、ザール炭田の管理権を十五年間も握られ、さらにライン河左岸を保護の名目で占領されていました。国土の一三パーセントも削られてしまったんですね。

アフリカの植民地も、トーゴ、カメルーン、いずれも東部はフランスに、西部はイギリスに取られました。こんな状態なのに不況に見舞われ、賠償金の支払いは変わらず求められ続けるわけですから、もうどうにもなりませんね。

第二次世界大戦は西世界の覇権争い

再び戦火が上がるのは、時間の問題だったかもしれません。とはいえ、まっさきにドイツが動いたかといえば、さにあらずで、最初に軍を動かしたのは日本でした。

一九三一年九月十八日、柳条湖(りゅうじょうこ)事件が起きて、十月八日にはその報復として、関東軍が錦州を爆撃します。満州事変の始まりですね。そのまま、一九三二年三月一日に満州国建国を宣言するところまで突き進みます。

中国は一九一一年の辛亥(しんがい)革命で清が倒れ、一九一二年に中華民国が成立、一九二七年に成立した国民党政府が国土の統一を進めたため、日本が持っていた数々の利権が圧迫されるようになっていたんですね。そこを世界恐慌に襲われて、だんだんと追い詰められて、ついに一線を越えたという格好です。

つまり、いよいよ面の支配です。満州、さらに中国本土ですね。先進の諸国もやらなかった中国の支配、これだけの面積とこれだけの人口を持つ国を、点でも線でもなく面で支配しようという試みに、日本は手をつけたわけです。

ちょっと考えるだけで、もう難事ですね。日本が踏み出せたというのは、地の利があったということだと思います。西世界に属する国々のなかでは、最も中国に近いですし、自国の人口も比較的多いということで、物量を投入しやすいということですね。

ヨーロッパでも、ドイツやイタリアが不穏な動きを示します。それぞれヒトラー、ムッソリーニと新しい政治家が現れて、ナチズム、ファシズムの時代に入るわけです。いずれも、理想と目した民主主義が生み出した体制ですから、皮肉なものですね。

さておき、不穏な動きも、ほどなく具体的な形を取ります。一九三五年、イタリア軍がアビシニア、今のエチオピアですが、この東アフリカの国に侵攻して、一九三六年には併合を宣言します。一九三七年には日本が日華事変、日中戦争ですね、これに突入します。

ドイツはといえば、まず一九三八年にオーストリアと合邦（アンシュルス）します。大ドイツになるかたわら、チェコのズデーテンを併合します。そのうえで一九三九年九月一日、ポーランド侵攻を始めたわけです。これをみたイギリス、フランスが九月三日、ドイツに宣戦布告して、第二次世界大戦が始まりました。

基本的には西世界内の覇権争いです。東世界のソビエト連邦はドイツと不可侵条約を結んで、ポーランド分割を模索したり、リトアニア、ラトヴィア、エストニアを併合したり、いうなれば漁夫の利をさらうことを狙います。ところが、一九四一年六月ですね。ドイツ軍がソ連領に侵攻して、そうもいっていられなくなりました。

東世界も巻きこまれます。しかし、イスラム世界は参戦していないんですね。多くが西世界、東世界の国に支配されてしまったせいもありますが、かかる国や地域を含めても、主体的に戦ったイスラム教徒は少ないといっていいでしょう。

イスラム世界が係わらないということでいえば、世界大戦ではありません。この意味でも第一次世界大戦のほうが特筆されるべきなのですが、ただ第一次、第二次と分けて考えるよりも、中世の世界大戦、あの十字軍のように、一括(くく)りに考えたほうがよいような気もします。第一次世界大戦の続きとするなら、第二次世界大戦も世界大戦ということになりますね。

●第２次世界大戦の対立構造

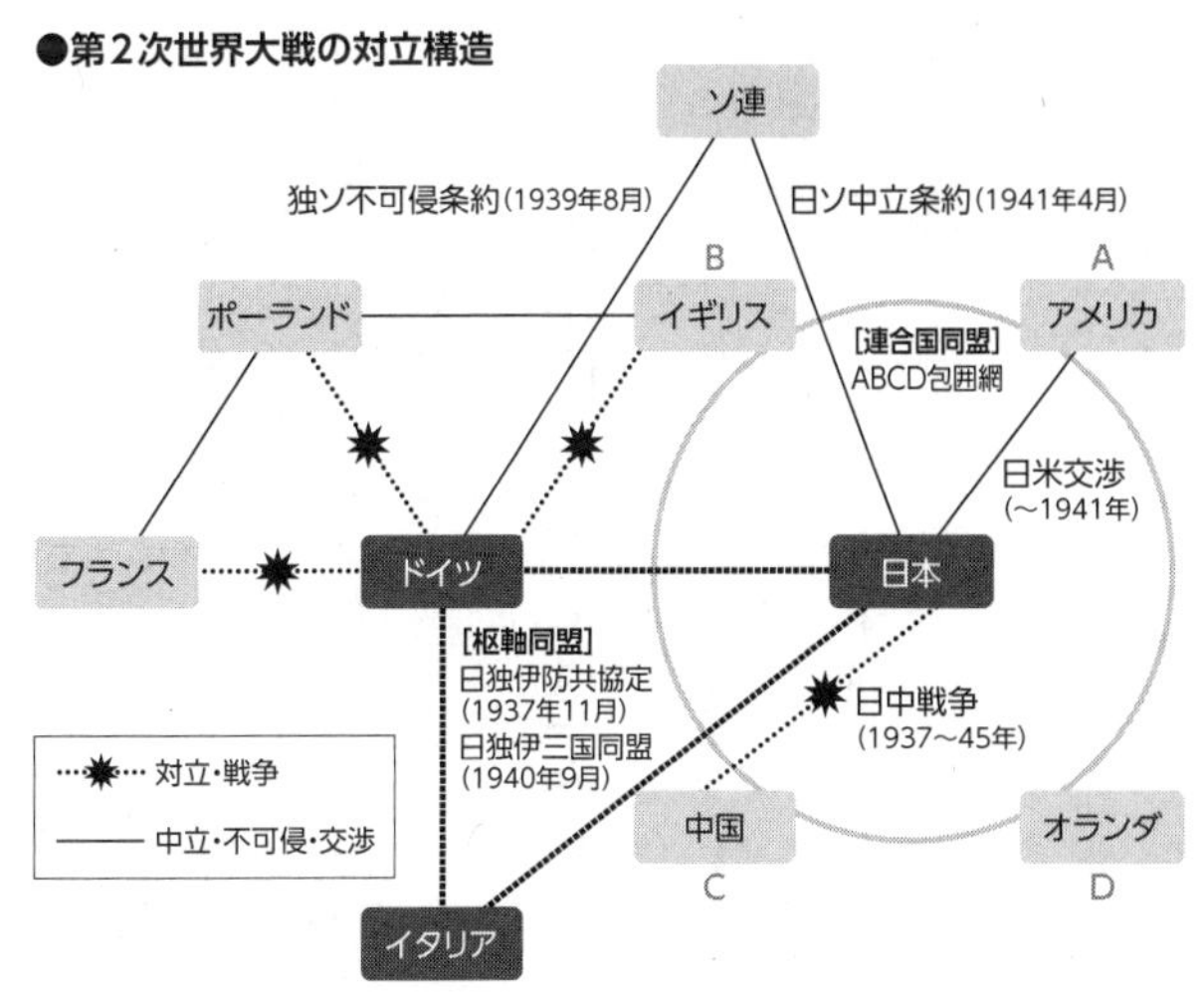

戦いの規模は拡大します。その意味では、やはり世界大戦です。一九四一年十二月八日、日本は真珠湾攻撃を決行、アメリカに宣戦布告して、太平洋戦争を始めます。

日本の南方進出を阻止せんとするＡＢＣＤ（アメリカ、ブリテン＝イギリス、チャイナ、ダッチ＝オランダ）包囲網に堪えかねたもので、無謀といわざるをえませんが、仲間ができて強気になっていたのかもしれません。

一九四〇年には、イタリア、ドイツ、日本の三国同盟が成っていました。イタリアではローマ、ベルリン、トーキョーの頭をとって、「ロベルトの時代」と呼びますが、この三国同盟で連合国と戦うという構図です。

しかし、一九四三年にイタリアが降伏、一九四五年にドイツ、日本と降伏して、いわゆる第二次世界大戦は終わります。日本には最後に原爆が投下されました。第一次世界大戦、第二次世界大戦を通じて、科学技術の発展、兵器の発達は著しいものがありました。この原爆投下にいたって、人類は核兵器ショックに見舞われたといってよいかもしれません。

平和の時代、日本には「みえないベルリンの壁」がある

最初の世界大戦は、十字軍戦争です。およそ二世紀の戦いで、勝負もつきかけた終盤にモンゴル人が襲撃してきて、もう戦っている場合ではなくなりました。モンゴル・ショックですね。二十世紀の世界大戦も、勝負がつきかけたところで、核兵器ショックです。こちらも、もう戦っている場合じゃないとなった気がします。

ショック――というのは、その圧倒的な力で価値観を変えるんですね。

モンゴル・ショックは、世界は広いんだということを、まだ小さかった三ユニヴ

アースに教えました。核兵器ショックは、その広い世界すら簡単に消滅するんだと、否応ない現実で示したんだと思います。

それで、世界大戦の後には比較的平和な時代が来ます。十字軍のときもそうでした。思えば、最初にイスラム帝国が出現したときも、その拡大がひと段落した後は落ち着きました。

ショックの後は、少し落ち着く。自分を取り戻そうとするといいますか、それぞれのユニヴァースのなかで体制を整えていく時間になるわけです。つまり、西世界、東世界、イスラム世界、それぞれの再構築ということです。

いや、大戦後に世界平和を掲げたのは、国際連合だというかもしれません。大国は洩らさず取りこみ、時を経るごとに加盟国も世界中に増やしています。その可能性、将来性については私も否定したくはありませんが、ただ今日までのところをみると、過大な評価はできないように思います。というのも、なお世界はひとつになってはいませんね。

それは、もう最初から、ひとつになろうとはしませんでした。大戦後の世界は、東西対立で論じられたわけです。東側とか、西側とか、普通の会話でも使われて、二陣営に分かれているというのが世界の前提であるかのようでした。社会主義対民主主義、共産主義対資本主義の構図ですね。

私としては、古代における東西ローマ帝国の分裂ですね、そこまで遡りうる歴史の流れが、二十世紀になって社会主義対民主主義、共産主義対資本主義の装いを帯びたのだと考えるわけですが、いずれにせよ、多くの国や地域が東西に分けられました。

その東西が一触即発の緊張状態にある。あからさまな戦争状態、つまり熱い戦争にはならないけれど、常に冷たい戦争をしているようなものだ。そこで冷戦の時代といわれたりもしました。

しかし、それは西世界、東世界、ともにリーダーが事実上の西帝国、東帝国といえるほどの強力な統制を敷いて、その内部をしっかりと支配していた、それこそ歴史上かつてないほど、支配を行き届かせていた時代といえるかもしれません。

軽々しく戦争はできない。核兵器ショックもあります。自ら核兵器の開発を進めたなら進めたほどに、破滅的な結末しか描けませんから、これを使うことはできないんだと、引き締めにかかったともいえるでしょうね。

西側、西世界をリードしたのは、アメリカでした。第二次世界大戦の前後から存在感を増して、戦後にはすっかり西世界の雄になっていたんですね。ユーラシア大陸の西ではドイツ、イタリアと戦い、東では日本と戦い、つまりは両面で戦って、ともに勝利の立役者になりましたから、当然の台頭ですね。

東側、東世界でリーダーになったのが、ソビエト連邦です。つまりは、東ローマ帝国を継承した十五世紀から変わらずのロシアですね。

ユーラシア大陸の西ではポーランド、ハンガリー、アルバニア、ブルガリア、ルーマニアなど、少なからぬ国や地域が、社会主義、共産主義という新時代の大義の下、東世界に参加しました。

あるいは参加させられたということかもしれませんが、その際にボーダーになったのがドイツでした。降伏後の占領体制の流れで、西ドイツ、東ドイツ、首都も西ベルリン、東ベルリンに分かれていたわけです。

ユーラシア大陸の東でみると、ボーダーのひとつは日本です。ソビエト連邦、今のロシアですが、変わらず隣国ですね。のみか国境の内に入られています。日本の地図では日本の色を塗って、その外側に線を引きますから、ついつい忘れてしまいますが、北方四島は取られてしまっているんですね。

つまり**本来の国土の上に、実効支配の線が引かれている。海で隔てられていますが、みえないベルリンの壁があるようなものです。**日本は今も西世界の一員といってよいと思いますから、そこは西世界と東世界のボーダーということになります。

中国もボーダーになりました。日本が敗戦で引き揚げた後、一九四五年のうちに国民党と共産党の戦い、いわゆる国共内戦が始まります。これに共産党が勝ち、中国は社会主義、共産主義の国となり、東世界の一員ということになりました。

西世界は大きなメンバーを失いました。日本が中国を取れていれば、西世界に留まったのでしょうが、その野望をアメリカが挫いたがために、東に行かれてしまったというのは皮肉ですね。

ちなみに中国で負けたほうの国民党は、台湾に逃れました。台湾は西側、西世界に留まったということです。あるいは、あの海峡にもベルリンの壁があるというべきでしょうか。

朝鮮半島については、いうまでもありませんね。ここも日本の支配が除かれたため、東西争奪の舞台になりました。一九五〇年に朝鮮戦争が始まって、一九五三年に休戦になりましたが、今も南北に分断されたままです。あの三十八度線が西と東の最たるボーダーといえるでしょう。

一九五九年に始まる革命で、キューバも東側に行きました。一九六二年にミサイル配備の動きがみられて、アメリカと一触即発の緊張が高まった件は有名ですね。

ベトナムもボーダーになっていた時代がありました。社会主義、共産主義の国家が建つことを阻もうと、アメリカが乗りこんでいった一九六〇年代、ベトナム戦争が行われていた時代です。アメリカが負けて、ここも東側、東世界に入りました。アメリカの言い方では撤退ですが、ベトナムは勝ったと思っていますね。世界一の大国に勝ったんだと、ベトナム人のプライドになっている通りです。

こうしてみると、西世界は随分と削られていますね。西世界にいると、ちょっとピンと来ないところがありますが、もしかしたら猛威を振るうというくらいに、東世界は勢いがあったのかもしれません。あれだけヒステリックに反共が叫ばれたのも、東側は悪の巣窟(そうくつ)だみたいな描かれ方をしたのも、危機感の裏返しだったのかもしれませんね。

イスラエル建国がイスラム世界を目覚めさせた

どちらが優勢、どちらが劣勢については、様々に議論あるものと思いますが、いずれにせよ東西冷戦といわれていたからには、東世界、西世界と並び立っていました。そこで、もうひとつのイスラム世界ですね。

七世紀に勃興して十六世紀までは他を圧倒する栄華を誇りながら、インド洋の支配を奪われ、ホームにおいても侵食され、二十世紀にはほとんど全ての国や勢力が、西世界か東世界、いずれかに服属させられることになりました。

トルコは独立を保ちますが、西欧化、つまりは日本のように西世界に学び、西世界と同化しようという傾向があります。ある意味では植民地として支配されているより、いっそう西世界の一員なのかもしれません。

そうしてみると、イスラム世界は消失してしまったようです。しかし、大戦後の情勢として、アジア、アフリカで多くの植民地が独立を果たしています。

国家として独立するしないというレベルの話が、ユニヴァースの一員になるならないというレベルの話に直結するわけではありませんが、イスラム教を奉じる国々に限るなら、このときほとんど全ての国がイスラム世界に復帰したように思われます。

もう一九四五年には、独立を果たした国々、エジプト、シリア、レバノン、トランス・ヨルダン、イラク、サウジアラビア、イエメンが、アラブ連盟を結成します。これにリビア、スーダン、モロッコ、チュニジア、クウェート、アルジェリアなどが後に加わり、イスラム世界の意識を明確に持つわけです。

オスマン・トルコに四百年も支配されていたというのに、キリスト教徒のスラヴ人たちはイスラム世界の一員たることを是としませんでした。それどころか、東世界に戻るチャンスを、虎視眈々と狙っていました。同じようにイスラム世界の人々も、たとえ上辺は西や東に支配されていたとしても、なお心はイスラム世界を生き続けていたんですね。

独立を果たすや、イスラム世界に戻ろうとするのは理解できますね。もっとも、それが既定路線というわけではなかったと思います。感化されて西世界の一員になろうとしたり、あるいは東世界の理想に惹かれたり、イスラム世界を再構築するにはいたらなかった可能性もあったでしょう。

しかし、現実にはイスラム世界として結集した。イスラムの意識を強くした。自分たちでユニヴァースをなす、いや、なさなければならないのだと、自分たちの歴史を今再び自覚的に歩み始めた。そうイスラム世界に促したのが、一九四八年のイスラエル建国だったように思われます。

イスラエルはユダヤ人の国、ユダヤ教徒の国で、キリスト教徒ではありませんが、やはり西世界の一員とみてよいと思います。祖国なき民として、西世界、さらに東世界、イスラム世界、いや、世界中に散らばるようにして生きてきた民族ですが、もともとはイスラエルの土地に住んでいたというんですね。聖書にもそう書いてあるじゃないかと。

だから、イスラエルに国を建てていいんだ。自分たちの国が欲しいんだ。ロシア、そしてナチス・ドイツにやられたような迫害はもうまっぴらなんだ。そういわれれば、耳を傾けないではいられません。しかし、他方にはイスラム教徒の気持ちだってあるわけです。

そもそもイスラム教徒、いや、アラビア人が、ユダヤ人を追い出したわけじゃありません。最終的に国を奪い、ユダヤ人を追放したのは、古代のローマ皇帝です。それから差別してきたのは中世のキリスト教徒たちで、それを凄惨なほどの迫害に高じさせたのは近代のロシア人、さらにドイツ人です。イスラム教徒は関係ない。むしろ「啓典の民」として認めてきた。それなのにイスラエルという国は、イスラム教徒の痛手において建てられるというのです。

認められたのは、アメリカをはじめとする西世界の支持があったからですね。イスラム教徒が怒るのも当然です。西世界になんかに加わるものか。東世界も信じられない。やっぱりイスラム世界をなさなければならないのだと、そう意を強くするのも当然ですね。

イスラム世界には、西世界、東世界の支配の影響が、差はあれ今も残っています。苦境の時代から完全に抜け出せたわけではありません。それでもイスラム世界は自覚的なユニヴァースとして、今後も自らの歴史を生きるのだと思います。

二十一世紀を迎えて

繰り返しになりますが、ふたつの大戦後は、いくつかの戦争はありましたが、それまでと比べれば、平穏な時代が続いています。核兵器ショックも抑止力になっていますし、また**揺り返しの静けさのなかで再構築された西世界、東世界、イスラム世界の三ユニヴァースが、それぞれ形を保っているから**だと思います。

歴史の歩みは休みないものであって、戦後が変わらず続いているわけではありません。それどころか、二十世紀が終わり、二十一世紀を迎えるにつれて、大きな変化を被りました。端的にいうならば、ソビエト連邦は崩壊して、もうなくなっています。

それは理想ではあっても、人間の現実ではなかった。社会主義が限界を露呈させて、多くの共産主義国家が倒れていきました。民主主義、資本主義に替えて、体制を新たにする国も続出しました。いわゆる東側もなくなってしまったかのようです。

東西ドイツだって、もうありませんね。一九八九年、ベルリンの壁が壊されて、一九九〇年、東西ドイツは統一に進んだわけです。

統一ドイツは西世界の一員ですね。今やEUの中核メンバーにさえなっています。他のいくつかの国も同様ですね。東世界としては、西世界に奪われた格好です。しかし、東世界なんてあるんでしょうか。

実際のところ、ソビエト連邦はロシアに戻りました。ロシアは資本主義、民主主義の国です。中国だって、ベトナムだって、経済の市場原理を取り入れて、もうほとんど資本主義社会と変わらなくなっています。ときに西世界のようにみえるほどです。

西側の勝利ともいわれました。そのリーダーであるアメリカのひとり勝ち、アメリカだけが唯一の超大国だとも、しばしば喧伝されました。実際のところ、それは西世界が夢想した歴史の終着点にみえたかもしれません。世界を征服する。世界を統一する。一元的に支配する。ユニヴァーサル・ヒストリーは、そこをこそ目指しているわけですからね。

しかし、二十一世紀を迎えて二十年、今ここで考えてほしいんですね。世界はアメリカのリーダーシップの下、ひとつの世界を生きるようになったのかと。ひとつの世界史を紡ぐようになったのかと。

西世界に入った国もあります。あるいは、これから入る国もあるかもしれません。しかし、まずもってイスラム世界は健在です。むしろ存在感を増していますね。アメリカに残された敵は、イスラム過激派のテロ組織のみだといわれた一頃もありました。

いや、今の問題は東西であり、東西の話をしているのだとして、ならば東世界はなくなっているでしょうか。

私はそれが絶えたとは思いません。**東世界というのは東側と同義ではなく、社会主義も、共産主義もなかった時代、もっともっと古くからあるユニヴァースだからです。**幾度となく挫折や破滅を経験しながら、脈々と流れを保ち続けてきた歴史なわけです。

実際、ロシアは今も独自路線を貫いていますね。国連でひとつのテーブルについたとしても、アメリカやイギリス、フランスとは同調していません。安全保障理事会の五常任理事国のなかでは、常にロシア、それに中国が割れるので、あの冷戦が今も続いているんじゃないかと思うくらいです。

それこそ東世界の健在ぶりを、努めて示そうとするかのようですね。世界は、やっぱり三ユニヴァースだと思います。三つのユニヴァーサル・ヒストリーの流れが並んで、全部で世界史、ワールド・ヒストリーをなしているというのは、今も変わりないわけです。

三世界の流れを合わせたものがワールド・ヒストリー

世界史は三世界史から成っている。西世界、東世界、イスラム世界の三世界が、しばしば帝国を形造りながら、それぞれにヘゲモニー（支配）を志向し、また**究極的には他を容れないユニヴァーサル・ヒストリーを紡いできたため、その三つの流れを合わせたものがワールド・ヒストリーになる。**

そんな風に打ち上げてみたところで、歴史の事実は変わりません。新しい事実とか、歴史的な発見とか、あるいは革新的な学説とかを盛りこんだわけではない。専門分野を持っている歴史学の研究者じゃありませんから、それはもとより私には荷が勝ちすぎる仕事なんです。

それじゃあ、こんなにも長々と何を話してきたかといえば、何度も繰り返して、くどいかもしれませんが、歴史観、歴史の見方、世界史の理解の仕方です。それも私が提示したような見方ひとつきりというつもりはありません。歴史にどうアプローチするか、どんな切り口から歴史をみるか、もとより道は山ほどあります。私が設定した覇権帝国という見方、ヘゲモニーの世界史という見方にせよ、ひとつではないでしょう。

こんな風に腰砕けに譲歩すると、やっぱりおまえの見方はおかしい、どうにも釈然としないと、ここぞと叩き返されるかもしれませんね。まずもって、愉快な話ではなかったと思います。どう愉快でないといって、日本人の国民感情としてです。

日本人は西世界の一員になった、と私はいいました。アメリカの黒船にやられて、結局はアメリカの手先になった、欧米に追随するしかなくなった、そんな風に聞こえたかもしれません。

日本人のプライドはズタズタです。本当に悔しいですね。私も癪に思えてなりませんが、かたわらでは、まあ、そんなところじゃないかとも考えています。

むしろ西洋とか東洋とかの別を決定的であるかのようにとらえて、こちら東洋のチャンピオンだとか、東洋のトップランナーなんだとか、あるいは東洋の解放者なんだとか、自分のことを過大評価するから、かつては大失敗してしまったんじゃないかと。

西世界の新参者、主役まではいかない脇役、いや、ほんの端役かもしれないけれど、世界史においても一定の役割を、しっかりと演じてきた。自惚れないかわりに卑下もせず、それくらいにとらえておいたほうが、日本も世界のなかで正しく振舞えるんじゃないかと思うんですね。

日本のことは措くとして、おまえの見方は西洋中心史観じゃないか。今どき欧米人さえ遠慮して口に出さないような、ずいぶん古臭い見方じゃないか。そういう声も聞こえてきそうです。

西洋なのか、西欧なのか、欧米なのか、一体に曖昧になりがちですし、また西洋中心史観ではイスラム世界は脇役、端役の扱いですよね。そのあたり私の見方は別なんだと自負していますが、ただ部分的には批判の通りです。特に西世界の部分ですね。ヘゲモニーの世界史となると、やはり西世界が主軸にならざるをえないんです。

ただ私のいう西世界は、西洋もしくは西欧、ないしは欧米と、常にイコールではありません。現代でみますと、西世界のリーダーはアメリカ、それにイギリス、フランス、あとにドイツやイタリア、日本が続いている感じでしょうか。

すでに日本がいますね。東洋の国である日本が、西世界にいるんです。これまでは脇役、端役にすぎなかったかもしれませんが、これから先は主役に躍り出る、日本こそリーダーになる時代が訪れるかもしれません。

つまり、リーダーは変わるし、中心も移動するんですね。これまでもイタリアから内陸ヨーロッパに移り、スペイン、ポルトガルがリードしたり、オランダが出てきたり、イギリス、フランスが中心になったり、さらに海を越えてアメリカが主導権を握ったりという風にです。

日本、さらに他のアジアの国々が、未来においては西世界のリーダーシップを握るかもしれません。例えばイギリスから独立したインドなんか、かなり可能性があるんじゃないかと思います。同じくイギリスから独立したアメリカの前例もあるわけですからね。

またはブラジルなど南アメリカ諸国が、西世界というユニヴァースを指導していく。そういう未来も想定として、十分ありえるんですね。それこそ、かつての火器とか、蒸気機関のような、時代状況を一変させる大発明ができたなら、その国または勢力は、一気にリーダーの地位に上り詰めるでしょうね。

中国は東世界の新たなリーダーとなるか

そこまで話を広げてしまうと、今度は日本なら日本、インドならインドが支配するでいいじゃないか、西世界とか、ユニヴァースとか、意図的な見方に無理矢理に当て嵌めなくてもいいじゃないかと返されそうです。

前にもいいましたが、事実は変わりません。要は見方の問題だけです。その見方に何か意味があるのかということですね。

歴史の見方が必要なのは、過去をどう解釈するか、あげくの現在をどう理解するか、さらに先の未来をどう予測するかに通じていくからだと思います。

例えば、中国です。東世界の大国ですね。ロシアと並んで、どちらが「帝国」を称してもおかしくないツートップの一角ですが、これもただ中国でいいじゃないかと。東世界の大国でなくて、ただの大国でいいじゃないかといわれそうです。

確かに中国は土台が大国ですし、自らを中の国、真ん中の国、中心の国と称するくらいですから、非常に尊大な国でもありました。それは今も変わらない。いや、十九世紀から二十世紀にかけては侵略の波に曝され、いくらか自信喪失したかもしれませんが、それをすっかり回復して、元の大国の自負を取り戻したようにみえます。

しかし、今の中国は以前の中国とは違うと、私は考えています。そこが単なる大国でなく、もう東世界の大国だという所以（ゆえん）です。東世界の新たなリーダー、ロシアと並び立ち、あるいはロシアに取って代わるかもしれない、ことによると新たな東帝国を打ち立てるかもしれない、そういう大国になりつつあると思うんですね。

それは世界を征服する、世界を統一する、世界を支配する、そういうヘゲモニー志向のユニヴァースに包含され、その歴史の流れに乗ったという意味です。

いうなれば「帝国」の性（さが）ですね。東世界の一員（それが西世界の一員でも、イスラム世界の一員でも同じですが）になったが最後で貪欲になる、もうヘゲモニー欲求には逆らえないんです。

東洋の徳を体現していたかの、かつての鷹揚（おうよう）な中国はもういません。朝貢して礼を尽くせばいいなんて、周囲の国に甘い顔はしません。中国は十分に豊かだから、もう中国だけで足れりと内に留（とど）まるわけでもない。外に出られるだけの力があれば、どんどん外に出ていって、取れるだけのものを取る。それが東世界の大国としての、これからの中国だと思うわけです。

すでに徴候はみられますね。一九四五年には南モンゴルあるいは内モンゴルを併合していますし、中華人民共和国になった一九四九年には、東トルキスタンを侵略して、これを新疆ウイグル自治区としました。一九五一年にはチベットを占領して、こちらはチベット自治区にしていますね。もちろん、国民党が逃れた台湾のことも認めません。

経済大国になれば、なおのことです。もう「地大物博」になっているのに、南の海に出ていきます。かつて世界航海して、ただ帰ってきた国が、今や空母を持ちたがり、他国の島を取りたがります。今は経済の話ですが、例の「一帯一路」だって、いつ、どんな風に化けるかわかりませんね。

東世界、西世界の支配が強くない、イスラム世界の確たる一員でもないという国や地域、例えばアフリカなどに食いこんでいって、新たなメンバーを増やしていくのも中国ではないかと思います。

未来においては、宇宙開発だって加速するかもしれません。アフリカ分割じゃないですが、月や火星の分捕り合戦に発展することだってあると思います。アメリカやロシアと並んで、これにも中国は意欲的なはずなんです。

杞憂に終われと祈るばかりの、恐ろしい話になりましたね。日本に話を戻すなら、いくら海に浮かぶ島国でも、船のように国土を動かすわけにはいきませんから、この中国と間近で向き合わなければならないんですね。

東世界の大国と、こちらは西世界の一員として。もしかすると西世界の先兵として――。

ボーダーレスの時代、西世界のなかに東世界が存在する

いずれにせよ、見方の問題です。自ずと限界もあって、その見方が通用する域を越えれば、現在を理解することも、未来を予測することも、困難になってしまいます。

西世界、東世界のように方角を示す言葉がつく場合だけでなく、イスラム世界も含めて、これまでは一定の空間を常に想定してきました。前でボーダー、ボーダーと繰り返して、ユニヴァースとユニヴァースの境界、あるいは前線を論じましたが、それも空間の想定あっての話なわけです。

しかし、今後の世界はボーダーレスになっていく傾向が顕著です。人間の往来は止められません。**西世界のなかに東世界があり、東世界のなかにイスラム世界があ**

り、またイスラム世界のなかに西世界があるというようなことが、もう普通に起こります。

それもゲットーなどというわかりやすい塊になっているのでなく、個々が粒状に散らばることで、区別もなく入り混じっているというような状態さえ、珍しくもなんともない。文字通りの隣人が違うユニヴァースに属し、違う歴史観を有し、それに則して行動する世界になりつつあるのです。

ボーダーとか、ボーダーレスとか、境界を意識することさえしない、例えば国境などにしても、常に神聖なものだと考えられているわけではありません。

神聖であるわけがありませんね。アメリカやアフリカ、またアジアにも、まっすぐ直線の国境、直線すぎて不自然な国境があります。緯度とか、経度とかを基準に人為的に、つまり神ならぬ人間が引いたものです。こんなもの、ありがたがる謂(いわ)れはない。

近年のイスラム世界に、IS、イスラム国なる動きがありました。いや、今も完全にはなくなっていませんが、こういう今ある国境なんか意味がないんだと、それを無視した形で出現する国といいますか、勢力もいるわけです。

イスラム国は奉じるイスラム教が原理主義というか、過激派だったので、なかなか大衆の支持を得られず、活動も後退せざるをえなくなっています。しかし、広く支持を集められる大義を掲げられた日には、この手の活動がどこまで大きくなるかなんて、予測不可能ですね。

イスラム国の場合は、活動したのはシリアやイラク、レバノンでしたが、同じような勢力がイスラム世界でなくて、西世界、東世界のなかに、つまりパリやモスクワのど真ん中に突如として現れたって、さほど不思議ではありません。それこそボーダーレスということなので、今のIS、イスラム国なんかは、むしろ御しやすいほうなわけです。

イスラム原理主義のテロリストたちの行動が、しばしば取り沙汰されますが、地下活動であることもあって、ほとんど常に国際的ですね。西世界、東世界に入りこんでいる場合も、普通にあります。しかし、これだけボーダーレスに人が行き来していれば、テロリストなのか、そうでないのかなんて、見分けがつきませんね。

それはまずい、やっぱりボーダーを設けなければと語気を強めたところで、もう手遅れです。イスラム世界は苦難の時代を迎えた、西世界または東世界に支配された、といいました。征服した国は勝ち誇るのかもしれませんが、それはイスラム教徒を自国の民にしたという意味です。

例えばフランスにはフランス人として、沢山のイスラム教徒が暮らしています。かつて植民地にしたアルジェリア、チュニジア、モロッコから来た人たちですね。外国から移民してきたのでなく、ただ国のなかで転居しただけですから、文句なんかいえませんね。

もちろん、ほぼ全員がテロリストではありません。それでも、一握りのテロリストが潜伏しやすい環境になってしまいます。フランスでテロが頻発してしまう所以です。しかし、どうしようもない。今さらイスラム教徒を追い出すことなんかできません。

因(ちな)みにフランス人にいわせると、おまえたち日本人も同じだろうと。俺たちの国にイスラム教徒がいるように、おまえの国には朝鮮人や中国人がいるじゃないかと。俺たちはクスクスを食べるし、おまえたちはキムチを食べる。普通にそうなっているくらいじゃないかと。

いわれてみれば、それは東世界の人かもしれませんね。ボーダーは朝鮮半島の三十八度線なんていいましたが、ことによると、東京や大阪にあるかもしれないということです。

考えるほどに怖いのは、ボーダーがなくなる、国境が力を持たなくなるほど、重くなっていくのは人間が胸に抱いている心、個々の意識であり、自己規定であり、また歴史観なんだということです。

フランスのイスラム教徒に、あなたはフランス人なんだと諭したとします。フランス人で納得するかもしれませんが、それが第一の価値なのかは疑問です。サッカーをしていれば、フランス代表に選ばれることさえ、ないことではありませんね。自分はフランス人なんだと誇らしく思うかもしれません。しかし、そのときフランス人としての歴史観を持つのだろうか、ということです。

西世界というユニヴァースに属することを納得するのか、このユニヴァースがやがて世界を征服する、統一する、支配するであろうことを夢みながら、その歴史の流れのなかに自らを位置づけることができるのか。

日本人だって内心忸怩たる思いはありますが、それでも西世界の一員として未来を描くしかありませんね。その歴史のなかに自らを位置づけることしかできません。東世界の歴史を生きるとか、イスラム世界の一員になるとかは、ちょっと考えられないわけです。

そうした日本人と同じ程度までも、フランス人としてフランスに暮らすイスラム教徒たちは、西世界の歴史に思いを寄せることはないのではないか。

聞いてみなければわかりませんが、むしろイスラム世界が果てまで広がり、アラーの神の教えの下に全世界が平和な時代を迎えると、そういう未来を心に描くような気がします。そこにいたるイスラム世界の歴史の途上に、また自分もいるのだと位置づけながら。

そのとき世界に、ぜんたい何が起こるのか。断片的な事象から、あれやこれやと想像する以上のこととなると、貧弱な私の歴史観には、ちょっと荷が勝ちすぎるといわざるをえません。

二〇一八年八月

佐藤賢一

三世界史の略年表

年代	西世界	東世界	イスラム世界
前400〜前300	396 ローマ、エトルリアのウェイイ攻略 343 サムニウム戦争(第一〜第三、〜290)	334 アレクサンドロスのペルシア遠征始まる 331 ガウガメラの戦い(マケドニア対アケメネス朝) アレクサンドロスの帝国(330 アケメネス朝滅亡)	327頃 アレクサンドロス、インダス河に侵入
前300〜前200	264 第一次ポエニ戦争(〜241) 218 第二次ポエニ戦争(〜201) 215 マケドニア戦争(〜148)		247頃 パルティア成立
前200〜前100	149 第三次ポエニ戦争(〜146、146 カルタゴ滅亡) 133 グラックス兄弟の改革(〜121)	168 アンティゴノス朝滅亡 146 ギリシア、ローマの属州となる	190 セレウコス朝、ローマに小アジアを割譲
前100〜紀元0	60 第一次三頭政治 44 カエサル暗殺 43 第二次三頭政治 27 アウグストゥスという称号誕生		64 セレウコス朝滅亡 30 プトレマイオス朝滅亡 4頃 イエス生まれる

紀元後1頃 ローマ帝国、地中海統一

100	64〜67 ペテロ、パウロ殉教 96 五賢帝時代始まる(〜180)		30頃 イエス処刑 66 第一次ユダヤ戦争(〜70)
200	116頃 ローマ帝国の領域最大	150 ゴート人、黒海沿岸に南下	132 第二次ユダヤ戦争(〜135)
300	212 ローマ市民権が全国に拡大 293 ローマ帝国4分割	260 エデッサの戦い。シャープール一世がローマ皇帝を捕らえる	226 ササン朝ペルシア建国(〜642)、パルティア滅亡
	313 キリスト教公認(ミラノ勅令) 376頃 ゲルマン民族大移動始まる	325 ニカイア公会議(アタナシウス派を正統、アリウス派を異端とする) 330 コンスタンティノポリスに遷都	
400	**395 西ローマ帝国と東ローマ帝国に分裂**		
	410 西ゴート、ローマに侵入(ローマからラヴェンナへ遷都)	431 エフェソス公会議(ネストリウス派を異端とする)	
	476 オドアケル、西ローマ皇帝を廃し、イタリアを支配		
500	481 フランク、メロヴィング朝おこる(〜751)	5〜6C 東ローマ帝国とササン朝との戦い	
600	568 ランゴバルド王国建国	527 ユスティニアヌス帝即位(〜565) 585頃 スラヴ民族の拡散始まる	570頃 ムハンマド生まれる
		626 アヴァール人、コンスタンティノポリス包囲 681 ブルガリア王国建国	**610頃 イスラム教成立** 622 ヒジュラ(聖遷) 632 正統カリフ時代(〜661) 661 ウマイヤ朝建国

700	732 トゥール・ポワティエ間の戦い 751 カロリング朝おこる（〜987） 756 ピピンの寄進	740 アクロイノンの戦い（東ローマ軍がイスラム軍を破る） 756 ブルガール人の侵入始まる	750 ウマイヤ朝が倒れ、アッバース朝建国 762 バグダッド建設始まる
800	800 カールの戴冠 843 ヴェルダン条約（フランク3分割） 870 メルセン条約（中央フランクを分割）	853 東ローマとイスラムの戦い 862 ノヴゴロド公国建国 882 キエフ公国建国	875 サーマーン朝建国
900	911 ノルマンディ公国成立 962 オットー一世、皇帝戴冠 987 カペー朝成立（〜1328）	986 ブルガリア三十年戦争（〜1018） 988 キエフ公国、ギリシア正教に改宗	909 ファーティマ朝、チュニジアに建国 962 ガズナ朝、アフガニスタンに建国
1000	1066 ノルマン人のイングランド征服 1077 カノッサの屈辱	1054 東西教会分離	1031 後ウマイヤ朝滅亡 1038 セルジューク・トルコ建国
	1096 第一回十字軍が始まる（〜99）		
1100	1138 ホーエンシュタウフェン朝おこる（1138〜1208、1215〜1254） 1143 ポルトガル王国独立	1134 東ローマ、小アジアの大部分を奪回	1130 ムワッヒド朝、モロッコに建国 1169 アイユーブ朝、サラディンが建国
1200	13C モンゴル人の来襲		

年代			
〜1300	1228 第六回十字軍(〜29) 1241 ワールシュタットの戦い 1271 マルコ・ポーロ、東方へ出発	1204 ラテン帝国成立(〜61) 1243 キプチャク・ハン国建国 1261 東ローマ帝国再興	1227 チャガタイ・ハン国建国 1258 イル・ハン国、アッバース朝を滅ぼし建国 1299 オスマン・トルコ建国
1300〜1400	1339 百年戦争(〜1453) 1378 教会分裂(シスマ)	1328 イワン一世、モスクワ大公となる	1370 チムール帝国建国
1300〜1400	1348頃 ペスト(黒死病)が広まる		
1400〜1500	1479 スペイン王国成立 1488 ディアス、喜望峰到達 1492 グラナダ陥落 コロンブス、アメリカに上陸	**1453 東ローマ帝国滅亡(コンスタンティノポリス陥落)** 1480 モスクワ大公国独立	
1500〜1600	1517 ルター「九十五のテーゼ」 1529 第一次ウィーン包囲	1547 イワン四世、ツァーリの称号を使用 **16C オスマン帝国の最盛期**	1501 サファヴィー朝建国 1526 ムガル帝国建国
1600〜1700	1600 英・東インド会社設立 1620 メイフラワー号、プリマス到達 1652 英蘭戦争(〜74)	1613 ロマノフ朝成立(〜1917) 1638 ロシア、オホーツク建設	1632 タージ・マハル建立(〜54) 1641 オランダ、マラッカ占領
1700〜	1701 プロイセン王国成立 **1775 アメリカ独立戦争(〜83)** 1789 フランス革命(〜99)	1768 露土戦争(〜74)	1736 サファヴィー朝滅亡 1768 露土戦争(〜74)

1800	1804 ナポレオン、帝位に就く 1830 仏、アルジェリア侵攻 1840 阿片(アヘン)戦争(〜42)	1829 エディルネ条約でギリシア独立 1851 ロシア、清とイリ通商条約締結	1833 エジプトのムハンマド・アリー、オスマン・トルコとキュタヒヤ条約を結ぶ
	1853 クリミア戦争(〜56)		
	1871 ドイツ帝国成立		1859 スエズ運河の建設始まる(〜69)
1900	1907 英露協商	1904 日露戦争(〜05)	
	1914 第一次世界大戦が始まる(〜18)		
	1939 第二次世界大戦が始まる(〜45)		
	1962 キューバ危機 1989 ベルリンの壁崩壊	1949 中華人民共和国建国 1991 ソ連崩壊、CIS成立	1948 パレスティナ戦争(第一次中東戦争)
2000			

著者紹介
佐藤賢一（さとう　けんいち）
1968年山形県生まれ。山形大学教育学部卒業後、東北大学大学院文学研究科で西洋史学を専攻。93年『ジャガーになった男』で第6回小説すばる新人賞を受賞。99年『王妃の離婚』で第121回直木賞を受賞。2014年に『小説フランス革命』（全12巻）で第68回毎日出版文化賞特別賞、20年に『ナポレオン』（全3巻）で第24回司馬遼太郎賞を受賞。
著書に、『ハンニバル戦争』『ファイト』（以上、中公文庫）、『遺訓』（新潮文庫）、『ラ・ミッション　軍事顧問ブリュネ』（文春文庫）、『テンプル騎士団』『英仏百年戦争』（以上、集英社新書）、『カペー朝　フランス王朝史１』『ヴァロワ朝　フランス王朝史２』『ブルボン朝　フランス王朝史３』（以上、講談社現代新書）など多数。

本書は、2018年10月にＰＨＰエディターズ・グループから刊行された『学校では教えてくれない世界史の授業』を改題し、加筆・修正したものである。

ＰＨＰ文庫　覇権帝国の世界史

2021年８月13日　第１版第１刷

著　者	佐　藤　賢　一
発行者	後　藤　淳　一
発行所	株式会社ＰＨＰ研究所

東京本部　〒135-8137　江東区豊洲5-6-52
　ＰＨＰ文庫出版部　☎03-3520-9617（編集）
　普及部　☎03-3520-9630（販売）
京都本部　〒601-8411　京都市南区西九条北ノ内町11

PHP INTERFACE　https://www.php.co.jp/

制作協力
組　版　株式会社PHPエディターズ・グループ

印刷所
製本所　図書印刷株式会社

　ISBN978-4-569-90134-3

PHP文庫

世界史・10の「都市」の物語

出口治明 著

文化、宗教、経済、政治、戦争……世界を牽引してきた「都市」の素顔の中に息づく歴史を知ることで、文明の歴史も理解できる一冊。

最強の教訓！世界史

神野正史 著

決して「戦略」を見失わず、ドイツ統一を達成したビスマルク。片や連戦連勝なれど戦略を見失い失敗した上杉謙信――偉人の叡智に学ぶ。

PHP文庫

日本人だけが知らない「本当の世界史」

なぜ歴史問題は解決しないのか

倉山 満 著

なぜ、日本は〝敗戦国〟から抜け出せないのか?――新進気鋭の憲政史研究家が、歴史認識を根本から改める覚悟を日本国民に迫った戦慄の書!

PHP文庫

日本人が知るべき東アジアの地政学

茂木 誠 著

米中覇権争いが激化する中、日本は近隣諸国とどう付き合えばよいのか。大人気予備校講師が地政学の視点から東アジアの未来を読み解く。

PHP文庫

最高の教養！世界全史

「35の鍵」で流れを読み解く

宮崎正勝 著

「35の鍵」で世界史の大きな流れを読み解き、それが起こった背景や現代から見た意味を、時系列でわかりやすく解説する。

PHP文庫

「地形」で読み解く世界史の謎

武光 誠 著

砂漠のシルクロードが、なぜ栄えたのか？なぜインカ文明は山岳地帯に都市を築いたのか？　地形を読み解くと新しい歴史が見えてくる！

PHP文庫

「知的野蛮人」になるための本棚

佐藤 優 著

何者かに騙されない、本物の教養を身につけるための読書案内。世の中の出来事を、自分の頭で読み解くコツを、当代随一の読書家が伝授。